JN206446

ガイダンス
監査役・監査役会の実務
〔第2版〕

弁護士　松山　遙
三井物産株式会社・弁護士　佐藤香織　著
弁護士　中川直政

HIBIYA PARK LAW OFFICES
日比谷パーク法律事務所

商事法務

○第２版はしがき

本書の初版を出版してから約４年が経過し、このたび、第２版を刊行する機会をいただきました。

この４年の間に、会社法およびコーポレートガバナンス・コードの改訂等を受けて監査役会等の実務についても議論が進み、監査役と内部監査部門や会計監査人との協働、社外取締役との連携、子会社監査のあり方などについて、各社で検討が重ねられてきました。依然としてさまざまなタイプの企業不祥事が相次いでいる中、監査・コンプライアンスの重要性とそれを担うべき監査役の役割・責務に対する期待は、より高まっています。

しかし、企業グループ全体に対して適切な監査を実施し、コンプライアンスを徹底していくことは、容易なことではありません。筆者自身の社外監査役等としての経験に照らしても、事業の多角化・グローバル化が進展する中で、全ての事業部門や子会社・グループ会社に対して監査を実施して不正の芽を事前に摘み取ることは極めて困難であり、想定外のところで不正が発覚するのではないかという危機意識を常に感じているところです。

企業の事業活動が広範囲に拡大している以上、監査・コンプライアンス体制についても、当該事業活動に見合った体制になっているのかどうか、人員・予算は十分なのかという点を常に検証していかなければなりません。一方で、いかにコンプライアンスが重要であるとしても、無尽蔵に時間とコストをかけられるわけではなく、また、時間とコストをかけたからといって完全に不正を防止できるわけでもありません。

企業は、一定の制約の下でいかに実効性の高い監査・コンプライアンス体制を構築していくべきかという困難な課題を抱えており、株主から直接負託を受けて監査・コンプライアンスという機能を担っている監査役・監査役会等には、自らの権限を行使して監査を実施するだけでなく、かかる体制整備に向けて重要な役割を果たすことが期待されています。具体的には、いわゆる二線（経理・財務部、法務部、コンプライアンス部など）や三線（内部監査部など）といった社内の部署が適切に役割を果たしているかどうかをチェックし、外部の会計監査人、子会社・グループ会社の監査役、さらには社外取締役とも協働・連携しながら、まさに企業グループの監査・コンプライアンス体制の要となることが求められています。

また、新型コロナウイルスの感染拡大に伴う行動制限を受けてリモート監査が普及し、経理その他の業務についてもシステムの刷新を図ろうという動きも進んでいます。IT を活用した監査の効率化についても、より一層進めていく必要があります。

監査役・監査役会等が直面する課題は多く、正解のない中でベストプラクティスを模索しなければならない状況であり、本書では、初版と同様、このような監査の現場における悩みや課題を意識しながら、運営上の工夫・ノウハウや今後の方向性に焦点を当てて、監査役・監査役会等の運営実務を解説するよう努めています。本書が、皆様の会社における監査実務の向上に少しでも寄与できれば幸いです。

最後に、本書の執筆を強力にバックアップしていただいた三井物産監査役会・監査役室の皆様と企画・編集を通じて筆者らを辛抱強く支えていただいた株式会社商事法務の澁谷禎之氏に深く感謝いたします。

2023 年 9 月

弁護士　　松　山　　遙

○はしがき

近年、コーポレート・ガバナンス改革の流れの中で、取締役会による監督機能の強化の必要性が指摘され、多くの企業で社外取締役の導入が進みました。

その一方で、監査・コンプライアンス態勢の重要性を再認識させられる企業不祥事も続いており、社外取締役と同様に業務執行から離れた立場で経営陣による業務執行を監査するべき監査役の役割および責務についても、注目が集まっています。

しかし、監査役・監査役会をめぐる運営実務については、取締役会の運営と比べ、体系的な整理が進んでいないのが現状です。毎月の定例監査役会で何を審議するべきなのか、常勤監査役・社外監査役の活動や役割分担、内部監査部門や会計監査人との協働のあり方など、各社で検討を重ねているところです。

また、連結経営が主流となり、グローバル化が急速に進展する中、子会社・海外子会社の監査の重要性も増しています。子会社における不祥事も多発しており、実効的な子会社監査の確立が喫緊の課題ですが、その具体的な方法・体制については暗中模索しているというのが現状かと思います。

そのような中、筆者は複数の企業で社外監査役・監査等委員を経験させていただき、監査の現場で実効的な監査実務のあり方・ベストプラクティスについて議論する機会に恵まれました。

本書は、そのような経験をふまえ、法令・制度の解説ではなく、運営上の工夫・ノウハウや今後の目指すべき方向性に焦点を当てて、監査役・監査役会をめぐる運営実務を解説するものです。共著者である佐藤香織弁護士は三井物産監査役室においてまさに監査実務の最前線で活躍し、中川直政弁護士も社外監査役の経験を有しており、実務における悩み・問題意識をふまえて執筆しています（ただし、本書における記述はすべて筆者ら個人の見解・意見であり、筆者らが関わる企業の実務・見解を紹介するものではありません）。

監査実務のあり方は、コーポレート・ガバナンスの議論や不祥事等を契機として日々深化していくものですが、本書が、各社の監査実務の向上の一助となることができれば望外の喜びです。

最後に、本書の執筆を強力にバックアップしていただいた岡田譲治氏（日本監査役協会会長）をはじめとする三井物産監査役会・監査役室の皆様に心より御礼申し上げるとともに、企画・編集を通じて筆者らを辛抱強く支えていただいた株式会社商事法務の岩佐智樹氏および澁谷禎之氏に深く感謝いたします。

2019年6月

弁護士　松　山　遙

目　次

◯凡　　例

・法令等

法	会社法
施	会社法施行規則
計	会社計算規則
金商	金融商品取引法
監査証明府令	財務諸表等の監査証明に関する内閣府令
内部統制府令	財務計算に関する書類その他の情報の適正性を確保するための体制に関する内閣府令
金商実施基準	財務報告に係る内部統制の評価及び監査の基準並びに財務報告に係る内部統制の評価及び監査に関する実施基準の設定について（意見書）
CG コード	コーポレートガバナンス・コード
対話ガイドライン	投資家と企業の対話ガイドライン
上場規程	東京証券取引所・有価証券上場規程
上場規程施行規則	東京証券取引所・有価証券上場規程施行規則
監査役監査基準	日本監査役協会・監査役監査基準
監査等委員会監査等基準	日本監査役協会・監査等委員会監査等基準
監規	日本監査役協会・監査役会規則

・書籍等

論点解説	相澤哲ほか編著『論点解説 新・会社法――千問の道標』（商事法務、2006）
平成 26 年改正会社法	坂本三郎編著『一問一答 平成 26 年改正会社法〔第 2 版〕』（商事法務、2015）
江頭	江頭憲治郎『株式会社法〔第 8 版〕』（有斐閣、2021）
類型別会社訴訟 I・II	東京地方裁判所商事研究会編『類型別会社訴訟 I・II〔第 3 版〕』（判例タイムズ社、2011）
HB 新訂第 3 版	商事法務研究会編『監査役ハンドブック〔新訂第 3 版〕』（商事法務研究会、2000）
総会白書 2022 年版	「株主総会白書 2022 年版」旬刊商事法務 2312 号（2022）
会社法コンメ(8)	落合誠一編『会社法コンメンタール 第 8 巻 機関(2)』（商事法務、2009）

会社法コンメ(9)　　岩原紳作編『会社法コンメンタール 第9巻 機関(3)』（商事法務、2014）
会社法コンメ(19)　　岩原紳作編『会社法コンメンタール 第19巻 外国会社・雑則(1)』（商事法務、2021）

◯著者紹介

松山　遙　第２章、第３章、第４章２、３執筆

日比谷パーク法律事務所 弁護士（パートナー）

1993年東京大学法学部卒業。1995年東京地裁判事補任官。2000年弁護士登録。日比谷パーク法律事務所入所。2013〜2022年（株）T&Dホールディングス社外取締役（指名・報酬委員長)、2014〜2021年三菱UFJフィナンシャル・グループ社外取締役（指名委員、報酬委員長)、2014〜2022年三井物産（株）社外監査役、2015〜2022年（株）レスターホールディングス社外取締役（監査等委員)、2023年〜AGC（株）社外監査役、2023年〜東京海上ホールディングス（株）社外取締役（報酬委員)、2023年〜三菱電機（株）社外取締役（監査委員)。

佐藤　香織　第２章執筆

三井物産株式会社 弁護士

1998年東京大学法学部卒業。2000年弁護士登録。アンダーソン・毛利法律事務所（当時）入所。2010年三井物産（株）入社。

中川　直政　第１章、第４章１、４、第５章執筆

日比谷パーク法律事務所 弁護士（パートナー）

2000年東京大学法学部卒業。2001年弁護士登録。2008年米国ノースウェスタン大学プリツカースクール・オブ・ロー修士課程（LL.M.）修了、オリック・ヘリントン・アンド・サトクリフ法律事務所（サンフランシスコ）勤務。2009年ニューヨーク州弁護士登録、日比谷パーク法律事務所入所。2018年認定コンプライアンス・オフィサー登録。2019年公認不正検査士登録。（株）coly社外監査役、森トラストリート投資法人監督役員。

⑵　地位（独立性）

監査役、監査委員および監査等委員は、いずれも自社または子会社の業務執行者を兼ねることができない（法331条3項、335条2項、400条4項）。このように、監査役、監査委員および監査等委員は、業務執行から離れた立場で取締役等の職務執行を監査することが求められているという点で共通している（独立性）。

しかし、監査役、監査委員および監査等委員が取締役等の職務執行を監査するという職務を全うするためには、単に業務執行から離れた立場（業務執行者から指揮命令を受けない立場）に立つだけでなく、監査対象者である業務執行者から不当な圧力を受けることがないようにその地位を強化する必要がある。

商法は、不祥事等が起きるたびに監査役の地位を強化するための改正を繰り返してきており、度重なる改正を経て、監査役の地位は非常に強化されている。商法・会社法における監査役の地位・権限の強化の改正の経緯は、[図表Ⅰ-1-⑵] 記載のとおりである。

[図表Ⅰ-1-⑵　監査役の地位・権限の変遷]

商法	
昭和49年改正	任期1年から2年に延長 取締役の職務執行の監査の対象の拡大（業務監査・会計監査）（大会社・中会社） 取締役会への出席権・意見陳述権 取締役に対する営業報告請求権 業務・財産調査権、子会社調査権 取締役の違法行為差止請求権 総会提出議案・書類の監査権、報告義務 取締役・会社間の訴訟における会社代表権 監査報告書記載事項の明定
昭和56年改正	複数監査役制度・常勤監査役制度の導入（大会社）
平成5年改正	任期2年から3年に延長 監査役会制度の導入（3名以上、うち1名以上は社外監査役）（大会社）
平成13年改正	任期3年から4年に延長 取締役会への出席義務・意見陳述義務

	監査役選任議案同意権、提案請求権 辞任に関する意見陳述権 監査役会の半数以上は社外監査役（大会社）
平成 14 年改正	委員会等設置会社制度の導入 連結計算書類の監査 連結子会社調査権
会社法	
平成 17 年制定	取締役等との意思疎通と情報の収集および監査環境の整備 親会社および子会社の監査役との意思疎通および情報交換 内部統制システムに関する監査 買収防衛策に関する監査 株主代表訴訟における不提訴理由の通知義務 会計監査人の選任・解任・不再任への同意権 会計監査人の報酬への同意権 社外監査役に関する詳細の開示義務
平成 26 年改正	監査役（会）による会計監査人の選解任等議案の内容の決定 社外取締役および社外監査役の要件の厳格化 監査等委員会設置会社制度の導入 多重代表訴訟制度の導入 内部統制システムについて、監査役等の監査の実効性を確保するための体制に係る規定の充実
令和元年改正	会社が原告となる責任追及訴訟における訴訟上の和解に対する各監査役の同意の要求

監査役および監査等委員である取締役は、（監査等委員でない）取締役と区別して株主総会で選任される（法 329 条 1 項・2 項）。このように、監査役と監査等委員は、株主総会の決議によって選任されることで、株主から直接負託を受けた立場から取締役の職務執行を監査する責務を負っている。

かかる職責から、取締役からの独立性を担保することが求められ、その地位は強化されている。

具体的には、監査役の任期は 4 年と長く（法 336 条 1 項）、しかも、定款または株主総会の決議によっても任期を短縮することはできない（法 332 条 1 項但書参照）。監査役は、任期途中で辞任した場合、辞任後最初の株主総会で辞任した旨およびその理由を述べることができるほか、辞任した監査役以外の監査役も含め、監査役の選任もしくは解任または辞任について意見を述べることもできる（意見陳述権。法345条1項・2項・4項）。監査役が意に添わない辞任を取締役から強制されないようにするためである。また、監査役選任議案を株主総会に提出するには、監査役会の同意を要する（同意権・法343条1項・3項）。さらに、監査役会は、取締役に対し、監査役の選任の議題または議案を株主総会に提出することを請求することもできる（法343条2項）。このように、監査役は、監査役の選任に関して拒否権と提案権を有している。後述するCGコードにおいても、監査役の選解任に関する役割・責務があるとされ（原則4-4）、監査役の選解任について監査役の能動的・積極的な関与が求められていることがより強く意識されるようになっている。監査役が適切な手続を経て選任されているか否かは、機関投資家と会社との対話においても意識すべきこととされている（対話ガイドライン3-10）。

監査等委員会設置会社における監査等委員の任期は、2年と設定されている（法332条1項・3項）。監査等委員は取締役であるため、監査役の任期（4年）よりも短く設定されているものの、監査等委員でない取締役の任期（1年）よりも長い。また、監査役と同様、その任期は定款または株主総会の決議によっても短縮することはできず（法332条4項）、それ以外の意見陳述権や同意権、提案権もすべて認められている（法342条の2第1項・2項、344条の2第1項・2項）。

これに対し、指名委員会等設置会社では、株主総会において取締役を選任し（法329条1項）、取締役会において指名・監査・報酬委員会の各委員を選定する（法400条2項）。

そのため、監査委員の任期は、他の取締役と同じく1年であり（法332条6項）、その選定・解職も取締役会の決議で行われ（法400条2項）、前述の意見陳述権や同意権等も認められていない。

このように、指名委員会等設置会社における監査委員の地位は、監査役・監査等委員とは大きく異なっているが、これは指名委員会等設置会社のガバナンス構造に由来している。

指名委員会等設置会社では、取締役会を取締役・執行役の職務執行に対する監督機関と位置づけ、そのうち最も重要な指名・監査・報酬について、社外取締役が過半数を占める委員会で担当する。監査委員の選解任権は取締役会が有しており、取締役会の過半数を社外取締役とすることは義務づけられていないが、社外取締役が過半数を占める指名委員会が取締役選任議案を決定することで、取締役会および各委員会のメンバーの地位の独立性を確保している。

⑶　監査主体（独任制か組織監査か）

監査役は、取締役の職務執行に対して違法・適法に関する判断を行うが、そのような判断は、監査役の多数決で決着を付けるべきものではない。また、監査役の職務を全うするためには、監査役の多数派が経営陣と馴れ合い、他の監査役の職務の遂行を妨げることがないようにする必要がある。

そのため、監査役は、その一人一人が会社の機関として、取締役の職務執行を監査する主体となり、それぞれ単独で種々の監査権限を行使することができる（独任制）。

これが監査の考え方の基本であり、［図表Ⅰ-1-⑵］記載のとおり、商法は長い間、監査役の地位・権限の強化に向けた改正を行ってきた。

しかし、なかなか監査の実効性は上がらず、その原因として、日本では代表取締役の部下であった社内出身者が監査役に就任する慣行があることが指摘された。

そのため、取締役の職務執行を監査するためには、代表取締役をはじめとする業務執行者から独立した立場の社外者が監査を担当する必要があるという問題意識が生じ、監査役会の半数以上を社外監査役にするといった改正（平成13年商法改正）が行われた（法335条3項）。さらに、平成14年商法改正で導入された指名委員会等設置会社および平成26年会社法改正で導入された監査等委員会設置会社では、社外取締役を過半数とする監査委員会・監査等委員会が、会社の機関として、取締役の職務執行を監査する主体とされることとなった。

監査委員会・監査等委員会では、「過半数」を社外者（社外取締役）としなければならないが（法331条6項、400条3項）、さらに進めて全員を社外者（社外取締役）とすることも可能である。そのため、監査役会設置会社の場合（法390条3項）とは異なり、常勤者を選定することは義務づけられておらず、委員会が監査の主体となって内部統制システムを通じた組織的な監査を行うことが予定されている。

また、個々の監査役に認められている業務・財産状況の調査権（法381条2項・3項）は、委員会で選定された監査委員・監査等委員が行使する（法399条の3第1項・2項、405条1項・2項）。その際、委員会で決議された報告徴求・調査すべき事項についての決議があるときは、これに従わなければならないこととされており（法399条の3第4項、405条4項）、この点においても組織的な監査が想定されている。会計監査人に対する報告徴求権（397条2項）も、選定された監査委員・監査等委員が行使する（法399条の3第1項・2項、405条1項・2項、397条4項、397条5項）。

もっとも、監査委員会・監査等委員会においても、その主な職責は違法性監査であり、違法かどうかの判断は多数決になじまないという点では監査役による監査の場合と同様である。

そのため、監査委員・監査等委員たる取締役にも、個々の監査役に認められている強力な権限の一部が認められている。監査費用請求権（法388条、399条の2第4項、404条4項）、違法行為差止請求権（法385条、399条の6、407条）、監査報告へ自らの意見を付記することができる権限（施130条2項、130条の2、131条1項）、訴訟代表権（法386条、399条の7、408条）、代表訴訟における訴訟上の和解に対して異議を述べる権限（法850条2項・3項、386条2項2号）といった権限は独自の判断で行使することができるとされている。

◆2◆　監査役等の権限

⑴　概　要

監査役会設置会社と指名委員会等設置会社および監査等委員会設置会社では、それぞれ監査の主体・方法が異なるため、監査役・監査委員・監査等委員あるいは監査役会・監査委員会・監査等委員会に認められる権限にも違いがある。その主な権限・義務は、[図表Ⅰ-2-⑴] 記載のとおりである。

(2) 監査役・監査役会の権限

監査役会設置会社では、独任制の監査機関である個々の監査役が監査の主体となる。監査役会は、監査役がお互いの役割分担を設定したり、情報共有や意見交換をするための会議である。

(i) 監査役の権限

監査役会設置会社においては、独任制の監査機関である監査役にさまざまな権限が与えられている。

監査役は、取締役の職務執行を監査するため、会社の役職員に対して事業の報告を徴求し、会社の業務・財産の状況を調査することができる（法381条2項）。連結計算書類の監査も行うため、必要がある場合は、子会社に対する報告徴求・調査権も有する（同条3項）。

監査役は、会社の重要な業務執行を決定する取締役会に出席し、意見を述べる義務も負う（法383条1項）。取締役会への参加は、監査役としての意見陳述の機会であると同時に、重要な業務執行に関する調査の機会でもある。

また、監査役は、取締役が株主総会に提出しようとする議案や書類等を調査しなければならず、違法・不当な事項を認めるときは、調査結果を株主総会に報告する義務がある（法384条）。監査役は、株主総会参考書類や添付書類の一部について電子提供措置がとられる場合、株主総会参考書類および事業報告に記載すべき事項につき電子提供措置事項記載書面に記載しないことについて、異議を述べることができる（法325条の2、325条の5第3項、施95条の4）。また、参考書類や添付書類の一部について電磁的方法により開示する場合、必要に応じて異議を述べることができる（法301条2項、施94条1項）。

そのほか、監査役は、その職務を行うために必要があるときは、会計監査人に対しても監査に関する事項の報告を求めることができる（法397条2項）。会計監査人の側でも、その職務を行うに際して取締役の職務執行に関し不正・違法な重大事実を発見したときには、遅滞なく、監査役会へ報告しなければならない（同条1項）。さらに、金融商品取引法上の監査人は、法令に違反する事実その他の財務計算に関する書類の適正性の確保に影響を及ぼすおそれがある事実（法令違反等事実）を発見したときは、遅滞なく、監査役に対して当該事実の内容等を書面で通知しなければならない（金商193条の3、監査証明府令7条）。

このような調査活動を通じて不正行為・違法行為やその疑いを発見した場合、監査役は、遅滞なく取締役会へ報告し（法382条）、対応を求めなければならない。そのために取締役会の招集を請求することもできる（法383条2項・3項）。

不正行為や違法行為に対して取締役会が適切な対応をとらない等の緊急の場面では、監査役自ら、取締役の違法行為を差し止めるよう請求する権限（法385条1項）や会社を代表して取締役に対して訴えを提起する権限（法386条。最判平成9年12月16日判時1627号144頁）、会社が原告となる責任追及訴訟における訴訟上の和解に対する同意権（法849条の2）が認められている。

監査役は、監査の結果を記載した監査役監査報告の作成義務があり（法381条1項）、監査役会は、監査役監査報告に基づき、監査役会監査報告を作成しなければならないが（施130条1項）、監査役会監査報告と異なる意見を有する監査役は、監査役会監査報告に当該意見を付記することができる（施130条2項後段、計128条2項後段）。

[図表Ⅰ-2-(1)　監査役・監査等委員会・監査委員会の主な権限・義務]

主な権限・義務	監査役	監査等委員会	監査委員会
1.　一般的な監査権限			
取締役の職務の執行の監査	法381条1項	法399条の2第3項	法404条2項
2.　調査・報告に関する権限			
(1)　取締役等に対する報告請求権、業務・財産状況調査権	法381条2項	法399条の3第1項(選定者)	法405条1項(選定者)
(2)　子会社に対する報告請求権、業務・財産調査権	法381条3項	法399条の3第2項(選定者)	法405条2項(選定者)

⑶　取締役からの報告受領権（会社に著しい損害を及ぼす虞がある事項）	法357条1項・2項（監査役会）	法357条1項・3項	なし（法419条3項）
⑷　取締役の職務執行に関する会計監査人からの報告受領権（取締役の不正行為または法令定款違反の重大な事実）	法397条1項・3項（監査役会）	法397条1項・4項	法397条1項・5項
⑸　会計監査人に対する報告請求権	法397条2項	法397条4項（選定者）	法397条5項（選定者）
3.　決算における監査に関する権限			
⑴　計算書類・事業報告・附属明細書の監査	法436条2項	法436条2項	法436条2項
⑵　連結計算書類の監査	法444条4項	法444条4項	法444条4項
⑶　監査報告の作成	法381条1項、390条2項（監査役会）	法399条の2第3項1号（委員会）	法404条2項1号（委員会）
⑷　監査報告少数意見付記権限	施130条2項	施130条の2第1項	施131条1項
4.　取締役会に関する権限・義務			
⑴　取締役会への出席義務および意見陳述義務	法383条1項	あり	あり
⑵　取締役会への報告義務（取締役に不正行為・法令定款違反・不当行為またはそのおそれがあるとき）	法382条	法399条の4	法406条
⑶　取締役会の招集請求権および招集権	法383条2項・3項	法399条の14（選定者）	法417条1項（選定者）
⑷　取締役会の招集手続の省略	法368条2項	法368条2項	法368条2項
5.　株主総会に関する権利・義務			
⑴　株主総会における説明義務	法314条	法314条	法314条
⑵　株主総会提出議案・書類等の調査・報告義務	法384条	法399条の5	なし
⑶　電子提供措置事項記載書面の不記載等への異議	施95条の4、94条1項	施95条の4、94条1項	施95条の4、94条1項
⑷　取締役の会社に対する責任の一部免除等議案の提出等	法425条3項1号、426条2項、427条3項	法425条3項2号、426条2項、427条3項	法425条3項3号、426条2項、427条3項
⑸　取締役の選任・報酬等についての意見陳述権	なし	法342条の2第4項、361条6項（選定者）	なし

6.　監査役の地位に関する権限			
⑴　監査役等選任議案の提出に関する同意権	法343条1項・3項(監査役会)	法344条の2第1項(委員会)	なし
⑵　監査役等選任に係る議題および議案の提出請求権	法343条2項・3項(監査役会)	法344条の2第2項(委員会)	なし
⑶　監査役等の選任・解任・辞任の場合の意見陳述権	法345条4項	法342条の2第1項・2項	なし
⑷　各監査役の報酬等についての協議権・意見陳述権	法387条2項・3項	法361条3項・5項	なし
⑸　監査費用等請求権	法388条	法399条の2第4項	法404条4項
⑹　監査役会の招集手続きの省略	法392条2項	法399条の9第2項	法411条2項
7.　会計監査人に関する権限			
⑴　会計監査人の選任等に関する議案決定権・会計監査人の解任権	法340条4項、344条3項(監査役会)	法340条5項、399条の2第3項2号	法340条6項、404条2項2号
⑵　会計監査人に対する報酬等の同意権	法399条1項・2項（監査役会）	法399条1項・3項	法399条1項・4項
⑶　会計監査人から報告を受ける権限	法397条3項（監査役会）	法397条4項	法397条5項
⑷　会計監査人に報告を求める権限	法397条2項	法397条4項（選定者）	法397条5項（選定者）
⑸　会計監査人の会計監査報告の内容の通知を受ける権限	計130条（特定監査役）	計130条（特定監査役）	計130条（特定監査役）
⑹　会計監査人の職務遂行に関する事項の通知を受ける権限	計131条（特定監査役）	計131条（特定監査役）	計131条（特定監査役）
8.　監督是正措置に関する権限・その他			
⑴　取締役の定款目的外行為、法令・定款違反行為差止請求権	法385条	法399条の6	法407条
⑵　会社と取締役間の訴訟の代表権	法386条	法399条の7（選定者）	法408条（選定者）
⑶　各種の訴え提起権	法828条等	法828条等	法828条等
⑷　株主代表訴訟において会社が補助参加する場合の同意権	法849条3項1号	法849条3項2号	法849条3項3号
⑸　会社が原告となる責任追及訴訟における訴訟上の和解に対する同意権	法849条の2第1号	法849条の2第2号	法849条の2第3号

このように、監査役には取締役の職務執行を監査するためにさまざまな権限が認められている。これらの権限は、すべて個々の監査役が単独で行使でき、監査役会で多数の賛成を得る必要がない（独任制）。

さらに、会社法は、[図表Ⅰ-2-⑵-(ⅰ)] 記載のとおり、全監査役の同意をもって行うことができる事項を定めている。これらの事項についても、監査役会の多数決ではなく、個々の監査役全員の同意を要する。監査役の個別報酬額の決定については、監査役の協議によって定めるとされているが（法387条2項）、全員の同意がなければ協議が成立しない。

[図表Ⅰ-2-⑵-(ⅰ)　監査役・監査等委員・監査委員の全員同意を要する事項]

	監査役	監査等委員	監査委員
会計監査人の解任	法340条1項･2項･3項･4項（監査役会）	法340条1項･2項･3項・5項	法340条1項･2項･3項・6項
監査役の報酬等についての協議	法387条2項	法361条3項	なし
取締役の責任の一部免除に関する同意	法425条3項1号、426条2項、427条3項	法425条3項2号、426条2項、427条3項	法425条3項3号、426条2項、427条3項
株主代表訴訟における会社の補助参加への同意	法849条3項1号	法849条3項2号	法849条3項3号
会社が原告となる責任追及訴訟における訴訟上の和解に対する同意	法849条の2第1号	法849条の2第2号	法849条の2第3号
取締役会の招集手続の省略	法368条2項	法368条2項	法368条2項
監査役会・委員会の招集手続の省略	法392条2項	法399条の9第2項	法411条2項

(ⅱ)　監査役会の権限

会社法は、公開会社である大会社に対し、監査役会の設置を義務づけている（法328条1項）。

公開会社である大会社（典型的には、上場企業）においては、業務範囲が広範にわたるため、監査役が各自で会社全体を監査することは困難または不可能である。そこで、監査役相互に役割分担を行い、適宜情報共有や意見交換を行うことによって、会社全体を適切に監査する態勢を整える必要がある。そのような役割分担の決定や情報共有・意見交換を行う場が監査役会である。監査役会設置会社では常勤監査役が選定されることになっているから（法390条3項）、常勤監査役が日常的な監査活動を行い、非常勤監査役は常勤監査役からそのような監査活動の報告を受け、情報共有や意見交換を行うこととなる。

監査役会においては、取締役会と異なり、書面決議が認められていない（法370条との対比）。もっとも、テレビ会議・電話会議の方法による監査役会の開催は認められる（施109条3項1号参照）。

また、監査役会には、監査等委員会や監査委員会と異なり、特別利害関係人が議決に加わることができないという旨の定めがない（法399条の10第2項、412条2項参照）。

監査役会の職務は、①監査報告の作成、②常勤監査役の選定・解職、③監査役の職務遂行に関する事項（監査方針、業務・財産状況の調査方法等）の決定とされている（法390条2項）。③監査役の職務遂行に関する事項の決定は、あくまでも個々の監査役の権限行使を適切に行うための方針・計画を決めるものであり、それによって個々の監査役の権限行使を妨げることはできない（同条2項）。

監査役会は、個々の監査役が作成した監査役監査報告（法381条1項、施129条1項、計127条）に基づき、監査役会監査報告を作成する（法390条2項1号、施130条1項、計128条）。監査役会監査報告は、監査役の多数決によって内容を決めるが、異なる意見を有する監査役は自己の意見（監査役監査報告）を付記することができる（施130条2項、計128条2項）。

このように、監査役会では、多数決によって個々の監査役の意見や権利を制約することは原則としてできない。

そのほか、会計監査人との連携・監督も、監査役会の重要な職務である。会計処理の正確性を確保するためには、会計監査人が高い専門能力を有している必要があるが、かかる専門性に関する評価・監督は、監査役会の役割とされている。また、会計監査人が経営陣から不当な圧力を受けることによってゆがんだ会計監査が行われることを防止し、会計監査人を保護することも、監査役会の役割である。

そのため、監査役会には、株主総会に提出する会計監査人の選任・解任・不再任に関する議案の内容を決定する権限（法344条1項・3項）、会計監査人の報酬等の額に同意する権限（法399条）が与えられている。CGコードにおいても、監査役会は、外部会計監査人候補を適切に選定し評価するための基準を策定し、外部会計監査人に求められる独立性と専門性を備えているかどうかの確認を行うことが求められている（補充原則3-2①）。

また、監査役会は、取締役が会社に著しい損害を及ぼすおそれのある事実を発見した場合（法357条2項）、会計監査人が取締役の職務の執行に関して不正の行為または法令定款に違反する重大な事実を発見した場合（法397条3項）における報告義務の名宛人となっている。これらは、監査役監査のための重要な情報収集ツールとなる。

監査役会設置会社においては、個々の監査役が独任制の機関として監査の主体となり、監査役会はあくまでも役割分担・情報共有のための会議体であって、いわゆる決議機関ではない。しかし、会社法は、一定の事項について監査役会の決議を必要とすると定めている。具体的には、[図表Ⅰ-2-⑵-(ii)] 記載のとおりである。

[図表Ⅰ-2-⑵-(ii)　監査役会・監査等委員会・監査委員会の決議を要する事項]

	監査役会	監査等委員会	監査委員会
監査報告の作成	法390条2項1号	法399条の2第3項1号	法404条2項1号
常勤監査役等の選定および解職	法390条2項2号・3項	（任意）	（任意）
監査方針・業務財産状況の調査方法等の決定	法390条2項3号	（法399条の3第4項）	（法405条4項）
委員である取締役以外の取締役の選任・解任または辞任、報酬等についての意見の決定	なし	法399条の2第3項	なし
委員である取締役以外の取締役の選任・解任または辞任、報酬等についての意見を述べる委員の選定	なし	法342条の2第4項、法361条6項	なし

監査役等の選任議案提出に対する同意等	法343条1項・3項	法344条の2第1項	なし
特定監査役の選定・解職	施132条5項2号、計130条5項2号	施132条5項3号、計130条5項3号	施132条5項4号、計130条5項4号
会計監査人の選任・解任・不再任	法344条1項・3項	法399条の2第3項2号	法404条2項2号
会計監査人の報酬同意	法399条1項・2項	法399条1項・3項	法399条1項・4項
一時会計監査人の選任	法346条4項・6項	法346条4項・7項	法346条4項・8項
会計監査人の解任に関する報告	法340条3項・4項	法340条3項・5項	法340条3項・6項
調査権限を有する監査委員・監査等委員の選定	なし	法399条の3第1項・2項	法405条1項・2項
取締役等との訴えにおける会社代表者の選定	なし	法399条の7	法408条
取締役会を招集することができる委員の選定	なし	法399条の14	法417条1項

(3)　監査（等）委員・監査（等）委員会の権限

指名委員会等設置会社および監査等委員会設置会社では、委員会が監査の主体となり、委員会の方針に基づき、内部統制システムを通じて組織的に監査するという方法が採られる。ただし、違法性監査という観点から、監査役に認められている強力な権利の一部は、監査委員・監査等委員にも認められている。

(i)　監査委員会・監査等委員会の権限

指名委員会等設置会社における監査委員会の職務は、①取締役・執行役の職務の執行の監査および監査報告の作成、②会計監査人の選解任等に関する議案の内容の決定である（法404条2項）。

また、監査等委員会設置会社における監査等委員会の職務は、①取締役の職務の執行の監査および監査報告の作成、②会計監査人の選解任等に関する議案の内容の決定、③取締役の指名・報酬に対する監査等委員会の意見の決定である（法399条の2第3項）。監査等委員会設置会社の場合には、社外取締役を過半数とする監査等委員会に対し、監査だけでなく、取締役の指名・報酬に対するモニタリング（③取締役の指名・報酬に対する監査等委員会の意見の決定）も期待されているのであるが、「監査」として行うべき内容は、いずれの機関設計であっても変わりがない。

指名委員会等設置会社および監査等委員会設置会社の場合には、社外取締役が過半数を占める各委員会が監査の主体となり、内部統制システムが適切に構築・運用されているかどうかを監視しながら、組織的な監査を行う。そのため、監査役会設置会社と異なり、常勤の監査委員・監査等委員を選定する必要はないが、内部監査部門等との緊密な連携が必要となる。

もっとも、内部統制システムからの報告だけでは不十分であるという場合は、委員会として調査を実施することも可能である。委員会が選定した監査委員・監査等委員は、会社の役職員に対してその職務の執行に関する事項の報告を徴収し、会社の業務・財産の状況を調査する権限がある（法399条の3第1項、405条1項）。ただし、選定された監査委員・監査等委員は、委員会で決議された報告徴求・調査すべき事項についての決議に従わなければならない（法399条の3第4項、405条4項）。

このような調査権を有する監査委員・監査等委員は、その都度選定することもできるし、そのような権限を特定の監査委員・監査等委員に継続的に付与することもできる（会社法コンメ⑼111頁〔伊藤靖史〕）。つまり、調査権を有する監査委員・監査等委員をあらかじめ選定しておくか否かについても、委員会が自由に判断することができる。また、かかる監査委員・監査等委員は複数選定することもでき、さらには、監査委員・監査等委員の全員をそのような監査委員・監査等委員として選定することも可能である。

監査委員会・監査等委員会では、委員会としての監査報告を作成すれば足り（施130条の2、131条、計128条の2、129条）、各委員が個別に監査報告を作成する必要はない。しかし、監査委員会・監査等委員会の監査報告と異なる意見を有する委員は、監査報告に自分の意見を付記することが可能である（施130条の2第1項後段、131条1項後段、計128条の2第1項後段、129条1項後段）。

以上において説明した点を含め、監査委員会・監査等委員会における決議を要する事項は、[図表Ⅰ-2-(2)-(ii)] 記載のとおりである。

これらの監査委員会・監査等委員会の決議は、原則として多数決で行われ（法412条1項、399条の10第1項）、監査役会と同様、書面決議の規定はない（法370条との対比）。

他方、監査等委員会や監査委員会の場合、監査役会と異なり、特別利害関係人が決議から除外される旨の定めがある（法399条の10第2項、412条2項）。

(ii) 監査委員・監査等委員の権限

指名委員会等設置会社および監査等委員会設置会社では、監査委員会・監査等委員会が主体となって取締役等の職務執行を監査するのであって、個々の監査委員・監査等委員はその構成員という位置づけとなる。

しかし、違法かどうかの判断は多数決にはなじまないものであるため、違法性監査のために監査役に認められている強力な権限の一部は監査委員・監査等委員にも認められている。

まず、監査委員・監査等委員は、その調査の結果、取締役が不正行為をし、もしくはそのおそれがあると認めるとき、または法令・定款違反もしくは著しく不当な事実があると認めるときは、遅滞なく取締役会へ報告しなければならない（法399条の4、406条）。

また、監査委員・監査等委員は、取締役等による違法行為またはそのおそれがある場合において、その行為によって会社に著しい損害が生ずるおそれがあるときは、取締役に対して違法行為を差し止めるよう請求することができる（法399条の6第1項、407条1項）。委員会を開催して対処するいとまがないため、委員自らの判断で差止請求できるということである。

加えて、監査委員会・監査等委員会の監査報告と異なる意見を有する委員は、監査報告に自分の意見を付記することが可能である（施130条の2第1項後段、131条1項後段、計128条の2第1項後段、129条1項後段）。

このように、違法・不正な行為を調査・是正する場面においては、監査役と同様の強い権限が個々の監査委員・監査等委員に与えられている。

それ以外に、監査委員・監査等委員は取締役であるため、取締役会における議決権行使等を通じて監督機能を発揮することも期待されている。

そのほか、指名委員会等設置会社および監査等委員会設置会社においても、[図表Ⅰ-2-(2)-(i)] に記載のとおり、監査委員・監査等委員の全員の同意をもって行うことができる事項を定めている。これらの事項については、監査委員会・監査等委員会の多数決ではなく、個々の監査委員・監査等委員全員の同意を要する。

3　監査役等の職務

(1)　会社法・金融商品取引法に基づく職務

(i)　職務の概要

監査役・監査委員会・監査等委員会は、いずれも、取締役（指名委員会等設置会社の場合には取締役・執行役）の職務執行を監査し、監査報告を作成することを職務としている（法381条1項、399条の2第3項1号、404条2項1号）。

株式会社は、事業報告および計算書類を作成し（法435条2項）、監査役・監査等委員会・監査委員会がこれらを監査する。そのため、監査の結果が記載される監査報告の記載事項は、事業報告に関する事項（施129条、130条、130条の2、131条）と計算書類に関する事項（計127条、128条、128条の2、129条）に分類できる。

このように、監査役・監査等委員会・監査委員会が行う「監査」とは、事業報告に記載されることになる事業の状況を通じて、取締役等の職務執行に不正・違法行為がないかどうかを確認すること（業務監査）、1年間行われた事業の結果が計算書類に正しく記載されているかを確認すること（会計監査）であり、かつ、これら2つの作業の過程で問題が発見された場合に、監査報告に記載し、株主へ報告することである。

しかし、大会社の場合には、その業務の範囲は広く、業務内容も複雑化して多岐にわたっているため、会計処理にも高度の専門知識が必要となる。そのため、会社法は、大会社に対して会計の専門家である会計監査人を設置することを義務づけており（法328条）、監査役等は、会計監査人の監査の方法または結果が相当であるかどうかを監査することが想定されている（計127条2号、128条2項2号、128条の2第1項2号、129条1項2号）。また、金融商品取引法の適用を受ける会社（上場企業等）の場合には、公認会計士または監査法人により、財務計算に関する書類および内部統制報告書について監査証明を受ける必要がある（金商193条の2）。

このように、会計監査においては、まずは専門家である会計監査人（公認会計士または監査法人）に監査を実施してもらい、監査役・監査委員会・監査等委員会はその監査の方法・結果が相当かどうかを検証することが想定されている。そのため、会計監査人と緊密に連携するとともに、会計監査人を監督することが求められる。

一方で、業務監査においては、会計監査人のような外部の専門家を起用することは想定されていない。しかし、大会社の場合には、取締役の職務の執行が法令・定款に適合することを確保するための体制その他会社および企業集団の業務の適正を確保するための体制（いわゆる内部統制システム）を整備することとされており（法348条4項、362条5項）、内部統制システムをモニタリングする部署として内部監査部門等が設置される。内部監査部門によって任意になされる内部監査は、業務活動全般の遂行状況の監査であり、上場要件とされている（東京証券取引所の場合、上場規程207条1項3号、213条1項3号、219条1項3号、上場審査等に関するガイドラインⅢ4(2)b）。

監査委員会・監査等委員会においては、内部統制システムが適切に構築・運用されているかどうかをモニタリングすることで組織的な監査を行うこととされており、監査役会設置会社においても、監査役の実査だけで業務範囲をカバーすることは困難であるため、内部統制システムと連携しながら監査の実効性を高めることが想定されている。

このように、業務監査においても、内部監査部門等と連携しながら監査の実効性を高めることが求められており、内部統制システムの構築・運用状況が相当かどうかを確認することが求められる（施129条1項5号、130条2項2号、130条の2第1項2号、131条1項2号）。

監査役は、その職務を適切に遂行するため、情報の収集および監査の環境の整備に努めなければならないところ（施105条）、情報収集および監査環境の整備にあたっては、内部監査部門および会計監査人との連携が必須である。これら3つの監査主体（監査役・監査委員会・監査等委員会、内部監査部門、会計監査人）による監査は、「三様監査」と総称される。

以上のとおり、会社の業務が大規模かつ複雑になっている現在、監査の実効性を確保するためには、業務監査に関しては内部監査部門と、会計監査に関しては外部専門家である会計監査人と連携しながら、監査業務を進めることが必要となる。それと同時に、監査役・監査委員会・監査等委員会には、内部統制システムの整備・運用が相当であるかどうか、会計監査人の独立性・専門性が十分に担保されているかどうかを監督することが求められる。

このような監査の状況（監査役監査の状況、内部監査の状況、会計監査の状況）については、「企業内容等の開示に関する内閣府令」（開示府令）に基づき、有価証券報告書において開示が求められている。

(ii)　業務監査

監査役・監査委員会・監査等委員会は、取締役（指名委員会等設置会社の場合には取締役・執行役）の職務の執行について、主に違法性の観点から監査を行う（法381条1項、399条の2第3項1号、404条2項1号）。

具体的な監査の対象は、取締役等の職務全般であるが、監査報告の記載事項（施129条、130条、130条の2、131条）とされている以下の点が中心となる。

①　事業報告およびその附属明細書が、法令または定款に従い当該株式会社の状況を正しく示しているかどうか。
②　取締役・執行役の職務の遂行に関し、不正の行為または法令もしくは定款に違反する重大な事実があったかどうか。
③　内部統制システムに係る取締役会決議の内容および内部統制システムの運用状況は相当かどうか。
④　買収防衛策が事業報告等の内容になっているときは、当該事項についての意見はあるか。
⑤　親会社等との取引が事業報告等の内容になっているときは、当該事項に

ついての意見はあるか。

上記①・②は、取締役において不正行為、法令・定款違反（善管注意義務・忠実義務違反を含む）や著しく不当な事実がないか、取締役が株主総会に提出しようとする議案や書類等に法令・定款違反や著しく不当な事項がないか、事業報告と附属明細書が法令・定款に従い会社の状況を正しく示しているかについての監査であり、これらは、監査役の最も基本的かつ重要な職務である。

また、組織監査を原則とする監査等委員会設置会社・指名委員会等設置会社だけでなく、監査役会設置会社においても、監査の実効性を高めるために内部監査部門との連携が必須である。業務監査の実効性を確保するためには、会社の業務に通じている業務執行ラインに位置づけられる内部監査部門からの報告の信頼性確保が重要となる。そのため、業務監査においては、内部統制システムに係る取締役会決議の内容および内部統制システムの運用状況は相当かどうかの監査（上記③）が重要となる。

(iii)　会計監査

会計監査においては、まず専門家である会計監査人が、計算関係書類（計算書類およびその附属明細書ならびに連結計算書類）を監査し、会計監査報告を作成する（法396条1項、計126条）。監査役等は、会計監査人の会計監査報告を受領し、会計監査人の行った監査の方法および結果が相当であるかどうかを検証して、自らの監査報告を作成する（法436条2項、441条2項、444条4項、計127条、128条、128条の2、129条）。

具体的な監査の対象は、計算関係書類が会社の状況を適正に表示しているかどうかであるが、監査報告の記載事項（計127条、128条、128条の2、129条）とされている以下の点が中心となる。

①　会計監査人の監査の方法と結果が相当であるか。
②　会計監査人の職務の遂行が適正に実施されることを確保するための体制が整備されているかどうか。

会計監査人設置会社の会計監査においては、会計監査人が、「計算関係書類が会社の財産・損益の状況を適正に表示しているか否か」について会計監査報告で意見を表明しなければならない（計126条1項）。監査役・監査委員会・監査等委員会は、計算関係書類について自分の意見を表明するのではなく、自らの監査結果に基づいて、「会計監査人の監査の方法・結果が相当であるか否か」について意見を表明する（上記①）。

このように、会計監査人設置会社の会計監査では、会計監査人による一次的な会計監査を前提とする以上、会計監査人において独立性・専門性が確保されていることは重要である。それゆえ、会計監査人の職務の遂行が適正に実施されることを確保するための体制が整備されているかどうかも、監査報告の記載事項にされている（上記②）。

そのため、監査役・監査委員会・監査等委員会には、会計監査人を適切に評価することが求められる。後述するCGコードでも「外部会計監査人候補を適切に選定し外部会計監査人を適切に評価するための基準の策定」および「外部会計監査人に求められる独立性と専門性を有しているか否かについての確認」を監査役会に求めている（補充原則3-2①）。

そのほか、金融商品取引法に基づく上場会社の有価証券報告書等に含まれる財務諸表等・内部統制報告書等の監査証明を出すのは、公認会計士または監査法人であり（金商193条の2）、監査役・監査委員会・監査等委員会はこれらについて監査する立場ではない。しかし、金融商品取引法の遵守は、法令・定款の遵守という取締役の職務執行である以上（法355条）、監査役・監査委員会・監査等委員会の業務監査の対象となる。有価証券報告書等の提出は取締役の重要な職務執行であるため、少なくとも、監査人の監査対象となっていない非財務情報については監査役の業務監査の対象となる。

(2)　コーポレートガバナンス・コードの求める職務

東京証券取引所は、実効的なコーポレートガバナンスの実現に資する主要な原則を取りまとめたコーポレートガバナンス・コード（CGコード）を公表している。

CG コードは、法的拘束力を有する規範ではなく、その趣旨をふまえて、各社の置かれた環境に応じた取組みを行うことが期待されている規範であり（プリンシプルベース・アプローチ）、これを実施することも実施しないこともできるが、実施しない場合には理由を説明する必要があり、その評価は市場に委ねられる（コンプライ・オア・エクスプレイン）。

CG コードは、①株主の権利・平等性の確保、②株主以外のステークホルダーとの適切な協働、③適切な情報開示と透明性の確保、④取締役会等の責務、⑤株主との対話という５つの基本原則から構成されており、その中では監査役の責務・役割についても触れられている。なお、CG コードでは「監査役」に関する記述となっているが、その趣旨は監査委員・監査等委員にも当てはまるものが多い。

したがって、監査役・監査委員・監査等委員には、CG コードの趣旨をよく理解し、各社の実情に応じて実施することが求められている。

(i)　監査役・監査役会の守備範囲

CG コードでは、監査役・監査役会に期待される重要な役割・責務には、業務監査・会計監査をはじめとするいわば「守りの機能」があるが、こうした機能を含め、その役割・責務を十分果たすためには、自らの守備範囲を過度に狭く捉えることは適切ではなく、能動的・積極的に権限を行使し、取締役会においてあるいは経営陣に対して適切に意見を述べるべきであるとされている（原則 4-4）。

会社法における一般的な整理では、監査役は主に違法性・適法性の観点から取締役の職務執行を監査し、妥当性・効率性の観点からの監督は取締役会において行うこととされている。しかし、CG コードでは、監査役に対し、自らの職責を過度に狭くとらえて守りに入るべきではなく、与えられた権限を能動的・積極的に行使して、取締役・経営陣に対して意見を述べることが期待されている。会社法においても、監査報告において内部統制システムの整備・運用状況の相当性について意見を述べることが求められる等（施 129 条１項５号、130 条２項２号、130 条の２第１項２号、131 条１項２号）、違法性と妥当性の境界はあいまいになってきており、自らの職責を違法性監査であると過剰に限定する必要はない。

また、監査役には取締役とは比較にならないほど強力な権限が付与されており、監査委員・監査等委員にも各自の判断で行使できる権限が付与されている。強力な権限が与えられているということは、それが必要とされる場面で適切に権限行使することが期待されているということであり、ひいては権限を行使しなかったことによる責任を追及される可能性があるということでもある。このような意味からも、能動的・積極的に権限を行使することが求められる。

(ii)　常勤監査役と社外監査役の役割分担

監査役会では、その半数以上を社外監査役とすることおよび常勤監査役を置くことが求められているところ（法335条3項、390条3項）、CGコードでは、前者（社外監査役）に由来する強固な独立性と、後者（常勤監査役）が保有する高度な情報収集力とを有機的に組み合わせて監査の実効性を高めるべきであるとされている（補充原則4-4①）。

監査役は各人が独任制の機関であるとはいえ、常勤監査役と非常勤の社外取締役では、期待される役割・責務が異なる。

常勤監査役は、会社に常勤して社内の重要な会議に出席し、稟議書・決裁文書等の社内資料を確認し、重要な拠点に往査する等して情報を収集し、違法行為の芽を早期に発見することが期待される。常勤監査役の多くは社内出身者であるため、社内の人的ネットワークを通じた情報収集も期待される。

これに対し、社外監査役の多くは非常勤であり、取締役会・監査役会以外の社内会議に出席したり、重要な拠点を往査したりすることは難しい。社内の人的ネットワークもないため、情報収集力という点では乏しいと言わざるをえない。その代わりに、代表取締役ら経営陣との間で上下関係がなく、独立した立場であることから、社内出身の常勤監査役からは言いにくい厳しい意見を述べることもできる。

このように、常勤監査役と社外監査役にはそれぞれの特性があり、お互いの特性を活かし、有機的に組み合わせて監査の実効性を高めることが期待されている。

なお、会社法上、常勤監査役の設置が義務づけられているのは監査役会設置会社だけであるが（法390条3項）、指名委員会等設置会社および監査等委員会設置会社においても、監査委員会・監査等委員会の過半数を社外取締役とし、社内出身の取締役を常勤の監査委員・監査等委員としている例が多い。これは、監査委員会・監査等委員会においても、内部統制システムをモニタリングするだけでなく、常勤の監査委員・監査等委員の情報収集力を期待して監査の実効性を高めようとしているものであるから、監査役会の場合と同様に社外委員の独立性と常勤の社内委員の情報収集力を組み合わせて監査の実効性を高めるように努めるべきである。

(iii)　監査役に求められる知見

CGコードでは、監査役には、適切な経験・能力および必要な財務・会計・法務に関する知識を有する者が選任されるべきであり、特に、財務・会計に関する十分な知見を有する者が1名以上選任されるべきとされている（原則4-11）。

取締役会の構成についても、取締役会の全体としての知識・経験・能力のバランス、多様性と適正規模を両立させるべきとされているが、監査役については、求められる知識について財務・会計・法務と明記されており、業務監査・会計監査を適切に実施するための知見を備えていることがより強く求められている。

また、会計監査においては、専門家である会計監査人との連携・協働が求められるところ、そのためには監査役の側においても、財務・会計に関する十分な知見が必要である。CGコードでは、監査役会が、①外部会計監査人候補を適切に選定し外部会計監査人を適切に評価するための基準の策定、②外部会計監査人に求められる独立性と専門性を有しているか否かについての確認を行うべきとしているが（補充原則3-2①）、そのような確認を適切に行うためにも、監査役の側に、財務・会計に関する「十分な知見」（原則4-11）が必要である。

ここでいう「十分な知見」とは、公認会計士等の資格を有することが必要という趣旨ではなく、会社実務で経験を積んでいること等も含まれる（「「フォローアップ会議の提言を踏まえたコーポレートガバナンス・コードの改訂について」に寄せられたパブリック・コメントの結果について」コメント番号

191～195に対する回答）。

監査役に求められる知見に関するCGコードの求めるところを踏まえると、監査役会において監査役に必要なスキルを洗い出して整理するとともに、監査役についてのスキル・マトリックスの作成や開示も検討すべきである。

ⅳ　外部会計監査人、内部監査部門、社外取締役との連携

会社の業務の範囲が広がり、複雑化している現在、監査役による監査の実効性を確保するためには会計監査人および内部監査部門との連携が必要であることは、会社法の規定からもうかがえるところであるが、CGコードでも明記されている。

まず、取締役会および監査役会は、外部会計監査人と監査役（監査役会への出席を含む）、内部監査部門や社外取締役との十分な連携の確保を行うべきとされている（補充原則3-2②）。

また、監査役または監査役会は、社外取締役がその独立性に影響を受けることなく情報収集力の強化を図ることができるよう、社外取締役との連携を確保すべきであるとされている（補充原則4-4①）。

さらに、上場会社は、内部監査部門と取締役・監査役との連携を確保するほか、たとえば、社外取締役・社外監査役の指示を受けて会社の情報を適確に提供できるよう社内との連絡・調整にあたる者の選任等、社外取締役や社外監査役に必要な情報を適確に提供するための工夫を行うべきであるとされている（補充原則4-13③）。

2021年6月改訂のCGコードでは、内部監査部門と取締役・監査役との連携を確保するにあたり、内部監査部門が取締役会および監査役会に対しても適切に直接報告を行う仕組みを構築すべき旨が加えられており（補充原則4-13③）、監査役会等にも取締役会にも同じ内容が報告される体制（報告の複線化）を整えることが求められている。

そのほか、監査役による情報収集・支援体制の整備（原則4-13、補充原則4-13①～③）、監査役の研鑽（原則4-14、補充原則4-14①、②）等についても規定されている。

(v)　株主との対話

2021年6月改訂のCGコードでは、株主との対話（面談）の対応者として、監査役等が追加された（補充原則5-1①）。監査役等に対する株主との対話の相手方としての期待の高まりを反映しているといえる。

(3)　監査役監査基準に記載されている職務

公益社団法人日本監査役協会（以下「日本監査役協会」という）は、監査役が期待される職責を十分に果たすための行動指針として「監査役監査基準」を制定し、平成16年2月、具体的かつ体系的な実務指針として内外から評価される監査実務のあり方、責任のとれる監査のあり方（ベストプラクティス）を明示すべく全面改定を行い、現在もその体系が維持されている。

また、平成19年1月の監査役監査基準の改定において、内部統制システムに関する監査については、監査役監査基準に定める事項のほか、別に定める内部統制システムに係る監査の実施基準を定め、内部統制システムに係るより具体的な監査の実施基準を別に整備することとされた。これに対応して、平成19年4月、「内部統制システムに係る監査の実施基準」が制定されている。

監査役は、自社の監査役監査基準や内部統制システム監査の実施基準に従って監査を遂行する一定の義務を負うと理解されているところ、代表取締役が違法行為を繰り返していた場合の社外監査役の責任が争われた裁判例（大阪高判平成27年5月21日判時2279号96頁）では、以下のように判示され、監査役監査基準等に準拠して自社の監査基準を定めている場合、監査役の義務違反の有無は、監査役監査基準等に準拠した当該監査基準に基づいて判断されるべきであるとされた。

> 控訴人は、本件監査役監査規程は、ベストプラクティスを含むものであり、監査役があまねく遵守すべき規範を定めたものではない旨主張するが、破産会社が、日本監査役協会が定めた「監査役監査基準」や「内部統制システムに係る監査の実施基準」に準拠して本件監査役監査規程や本件内部統制シス

テム監査の実施基準を定めていることからすると、監査役の義務違反の有無は、本件監査役監査規程や本件内部統制システム監査の実施基準に基づいて判断されるべきであるということができる。

このように、監査役監査基準等は監査役の職務・責任の判断基準とされる可能性があることから、監査役としては、監査役監査基準等の内容を理解し、その趣旨に沿って監査業務を行うように努めるべきである。

監査役監査基準には、監査役の責務や心構えのほか、会社法等の法令やCGコードの規定をふまえ、監査役が採るべき実務指針が示されている。監査役監査基準に基づき、自社の実情に合わせた監査基準を定めることが予定されており、実際、多くの企業がこの監査役監査基準に従って自社独自の基準を策定している。

監査役監査基準においては、監査役は、株主の負託を受けた独立の機関として、企業の健全で持続的な成長を確保し、社会的信頼に応える良質な企業統治体制を確立する責務を負うと規定されている（監査役監査基準2条1項）。また、そのような責務を通じて、「監査役は、会社の透明・公正な意思決定を担保するとともに、会社の迅速・果断な意思決定が可能となる環境整備に努め、自らの守備範囲を過度に狭く捉えることなく、取締役又は使用人に対し能動的・積極的な意見の表明に努める」こととされている（監査役監査基準2条2項）。

このように、監査役は、いわゆる「守りの機能」だけでなく、リスク管理の観点や経営判断が著しく不合理でないかどうかといった観点からも意見を述べることが期待されているのであり、その意味で、監査役の役割・監査役に対する期待が拡大しているといえる。

なお、日本監査役協会からは、監査委員会および監査等委員会向けの「監査基準」、「内部統制システムに係る監査の実施基準」も公表されている。

「監査役監査基準」等および「内部統制システムに係る監査の実施基準」等は、会社法の改正、CGコードの改訂、監査人の監査基準の改訂等に伴い、随時改正されている。

(4)　企業買収の場面における職務

経済産業省では、M&Aに関する原則や視点、ベストプラクティスなどを整理する指針および報告書が継続的に作成されており、2022年11月に設置された「公正な買収の在り方に関する研究会」において、経営支配権を取得する買収の場面を中心に、M&Aに関する公正なルール作りが期待される中、検討が進められた。

こうした検討においては、類型的に構造的な利益相反の問題と情報の非対称性の問題が存在するようなMBOや支配株主による従属会社の買収などの事案の場合、あるいはそれ以外の買収取引でも公正性担保措置の１つとして特別委員会の設置が有益とされているところである（経済産業省「公正なM&Aの在り方に関する指針」（2019年６月25日）、経済産業省「公正な買収の在り方に関する研究会」による「企業買収における行動指針」（2023年８月31日））。

このような特別委員会の構成としては、原則としては、会社に対して法律上の義務と責任を負い、取締役会の構成員として経営判断に直接関与することが予定された者であり、対象会社の事業にも一定の知見を有している、社外取締役を中心とすることが基本であるが、社外取締役のみで構成することが独立性等の観点から適切ではない場合には、必要に応じて社外監査役（あるいは社外有識者など）を構成員とすることも次善の策として考えられるとされており、こういったM&Aにおける場面において、社外監査役の役割が期待されている。

また、買収防衛策の導入・運用の場面でも、取締役会のみならず、監査役に対しても、その必要性・合理性の検討、適正な手続の確保、また、株主に対する十分な説明を行うことが求められている（CGコード原則1-5）。

4　監査役等をめぐる外部環境

(1)　子会社管理・連結内部統制の重要性の高まり

(i)　会社法における規律

近年の企業不祥事は、子会社・関係会社における不祥事が親会社に大きな影響を与えるというケースが多い。

子会社・関係会社において不祥事が発生する原因はさまざまであるが、その背景として、子会社・関係会社は、内部統制やコンプライアンス体制を整えるための十分な経営資源がなく、市場からの圧力がないためにコンプライアンスやリスク管理に対する意識が相対的に低くなりがちであり、親会社からの業績向上への圧力に晒されている上に、別法人であるがゆえに親会社への情報提供や親会社との連携において遅延や不十分さがあること等が原因となって、子会社・関係会社の管理が容易ではないといった事情がある。

そのため、近年では子会社管理の重要性が強く意識されるようになり、平成26年会社法改正においても、親子会社関係の規律が大きなテーマとされ、多重代表訴訟制度が導入されたほか、企業集団としての内部統制システムの構築・運用についても議論された。

その結果、会社法においてグループ内部統制の整備について明記されることとなり、大会社の取締役会は、「当該株式会社およびその子会社から成る企業集団の業務の適正を確保するために必要なものとして法務省令で定める体制の整備」を決議すべきものとされている（法348条3項4号、362条4項6号、399条の13第1項1号ハ、416条1項1号ホ）。

このような企業集団における内部統制システムを整備する必要があることは、平成26年会社法改正以前には会社法施行規則で定められていたが、同改正により会社法の規定において明記されることとなったものである。このような措置が講じられたのは、近年、グループ企業としての経営（グループ経営）が進展し、持株会社体制も一般的となっていることを受けて、親会社としても子会社の経営の効率性・適法性の確保の重要性が増しているためである。

さらに、平成26年会社法改正では、「当該株式会社並びにその親会社及び子会社から成る企業集団における業務の適正を確保するための体制」として具体的に何について定めるべきか、詳細な規定が設けられた（施98条1項5号、100条1項5号、110条の4第2項5号、112条2項5号）。

イ　当該株式会社の子会社の取締役等の職務の執行に係る事項の当該株式会社への報告に関する体制
ロ　当該株式会社の子会社の損失の危険の管理に関する規程その他の体制
ハ　当該株式会社の子会社の取締役等の職務の執行が効率的に行われることを確保するための体制
ニ　当該株式会社の子会社の取締役等および使用人の職務の執行が法令および定款に適合することを確保するための体制

これらのイ～ニの体制は、「当該株式会社及びその子会社から成る企業集団の業務の適正を確保するために必要なものとして法務省令で定める体制」の例として示されたものである。

これらの体制は、企業集団全体の内部統制についての親会社における体制であって、子会社における体制ではない。すなわち、上記会社法の規定は、親会社がその子会社における内部統制システムを整備する義務や当該子会社を監督する義務までを定めるものではないと解されている。

ただし、親会社の監査役は、子会社の業務執行の適正を確保するための体制が適切に構築・運用されているかどうかのモニタリングを行わなければならず、そのための情報入手・報告体制を整備しておくことが必要となる。

(ii)　グループガイドライン

このように、監査役等は、内部統制システムの有効性について監査する役割を担っているが、グループ全体の内部統制システムの監査については、親会社の監査役等と子会社の監査役等の連携により効率的に行うべきところである。この点を指摘する「グループ・ガバナンス・システムに関する実務指針」（グループガイドライン）が2019年6月28日付けで策定されている。

本ガイドラインにおいては、グループ経営における内部統制システムの監査における監査役等の役割のほか、内部監査部門との連携（デュアルレポートラインの確保）、不祥事対応など、グループ経営における監査役等の役割について言及している。

グループガイドラインにおける内部監査部門との連携については、内部監査部門から業務執行ラインに加えて監査役等にも直接のレポートライン（報告経路）を確保し、特に経営陣の関与が疑われる場合にはこちらを優先することを定めておくことが検討されるべきであるとしている。とりわけ、監査委員会・監査等委員会については、会社法上、常勤者を置くことは求められておらず、内部統制システムを活用した監査が基本であるため、監査委員会等を支える体制を整えた上で、内部監査部門からの報告等を通じた十分な情報提供を行うことが重要であり、こうした観点から、内部監査部門を執行ラインに加えて監査委員会等にも直結させ、さらに、内部監査部門の独立性を高めること（たとえば、監査業務に関してはその指揮命令のラインに置き、監査委員会等に内部監査部門の長に対する人事や予算についての一定の権限（たとえば、同意権）を持たせること）も有効な選択肢であるとされる。他方、監査役については、会社法上、常勤者を置くことが義務づけられているため、十分な監査リソースの確保は重要な課題であると言及するに留まる。

また、グループ内における有事対応では、当該事案に利害関係のない独立社外取締役のみならず、独立社外監査役においても、いわゆる第三者委員会の設置の要否を含めた調査体制の選択、同委員会の組成・運営において、主導的な役割を果たすことが期待されている。

⑵　会計監査のあり方の変革

(i)　不正会計をめぐる状況

企業不祥事においては、古今東西を問わず、会計・決算に関わる事例が非常に多い。

株式会社は、独立の法人格を有して取引主体となるものの、その出資者は間接有限責任を負う不特定多数の株主である。したがって、その信用力は会計・決算の正確性にかかっており、仮に決算が不正確であった場合には、取引の安全を害するとともに、株式市場にも極めて重大な影響をもたらす。

そのため、会社法、金融商品取引法および有価証券上場規程では、不正会計・粉飾決算に関与した会社・会社役員・会計監査人等に対し、重大な制裁を課している。

具体的には、会社法は、事業報告・監査報告の重要な事項に虚偽の記載をした場合における第三者に生じた損害の賠償責任の規定（法429条）、会計帳簿、貸借対照表、損益計算書、事業報告、監査報告等に虚偽の記載をした場合における過料（行政罰）の制裁（法976条7号）を設けている。金融商品取引法は、有価証券報告書・内部統制報告書等の重要な事項に虚偽の記載等がある場合における有価証券取得者への損害賠償責任の規定（金商22条、24条の4、24条の4の6）、懲役・罰金の規定（金商197条1項1号、197条の2第6号、207条1項1号・2号）、虚偽記載のある有価証券報告書等を提出した発行者等に対する課徴金の規定（金商172条の2）を設けている。東京証券取引所の有価証券上場規程は、上場会社が有価証券報告書等に虚偽記載を行った場合、特設注意市場銘柄への指定がなされうる（上場規程503条）ほか、上場廃止事由にも該当しうる（上場規程601条8号）。

にもかかわらず、近年においても、日本を代表する著名企業において、会計・決算に関わる不祥事が続いている。

このような会計不祥事を防止するためには、会計監査の実効性を高めていくしかない。会計監査は、企業の経済活動の信頼性を担保し、ガバナンスを支える重要なインフラであり、会計不正を未然に防止するためには、会計監査の品質を高めることが必要となる。

(ii)　会計監査人による監査品質の維持に向けた取組み

会計監査においては、過去の上場企業における会計不正事案の発生に対応して、公認会計士法の改正、監査基準の改訂、品質管理基準、不正リスク対応基準の策定等、種々の取組みがなされた。

しかし、それでも会計不正事案は続き、2015年に社会的な注目を集める不正会計事案が発生したことから、この事件を契機に会計監査の信頼性が改めて問い直される事態となった。

これを受けて、2015年9月、経済界、学者、会計士等の有識者からなる「会計監査の在り方に関する懇談会」（在り方懇）が金融庁に設置された。在り方懇においては、会計監査を取り巻く環境の変化や東芝事件等をふまえ、会計監査の信頼性確保のための取組みについて議論され、2016年3月、「会計監査の信頼性確保のために――「会計監査の在り方に関する懇談会」提言」（在り方懇提言）が取りまとめられ、公表された。

在り方懇提言は、会計監査の信頼性確保に向けて講ずるべき取組みを、①監査法人のマネジメントの強化、②会計監査に関する情報の株主等への提供の充実、③企業不正を見抜く力の向上、④「第三者の眼」による会計監査の品質のチェック、⑤高品質な会計監査を実施するための環境の整備の5つの柱に整理した。

中でも、監査法人のマネジメントの強化に関しては、イギリスやオランダの実務を参考に、大手上場企業等の監査を担う一定規模以上の監査法人への適用を念頭において、監査法人の組織的な運営に関する原則を規定した「監査法人のガバナンス・コード」の策定が提言された。これを受けて、2017年3月、「監査法人の組織的な運営に関する原則」（監査法人のガバナンス・コード）が取りまとめられた。

監査法人のガバナンス・コードは、監査法人の規模・特性等に応じた実効性のある内容となるよう見直しが加えられ、2023年3月に改訂された。

改訂版監査法人のガバナンス・コードは、組織としての会計監査の品質の確保に向けた5つの原則と、監査法人の規模・特性等をふまえて当該原則を適切に履行するための指針から構成されており、①監査法人がその公益的な役割を果たすため、トップがリーダーシップを発揮すること、②監査法人が、会計監査に対する社会の期待に応え、実効的な組織運営を行うため、経営陣の役割を明確化すること、③監査法人が、監督・評価機能を強化し、そこにおいて独立性を有する外部の第三者の知見を十分に活用すること、④監査法人の業務運営において、法人内外との積極的な意見交換や議論を行うとともに、構成員の職業的専門家としての能力が適切に発揮されるような人材育成や人事管理・評価を行うこと、⑤これらの取組みについて、わかりやすい外部への説明と積極的な意見交換を行うこと等を規定している。

各監査法人が監査法人のガバナンス・コードをいかに実践し、実効的な組織運営を実現するかは、各監査法人の規模・特性等をふまえた自律的な対応が求められるため、その適用については、コンプライ・オア・エクスプレインの手法によることとされている。

ⅲ　監査報告書の長文化・KAMの導入

在り方懇提言においては、会計監査の信頼性確保に向けた取組みに加え、会計監査に関する情報提供の充実の必要性についても指摘され、特に、諸外国で進められている「監査報告書の透明化」についても検討すべきこととされた。

これまで、日本のみならず国際的に採用されてきた監査報告書の形式は、標準的な記載文言と簡潔な監査人意見を記載した、短文式の監査報告書であった。しかし、これでは監査意見に至るまでの監査プロセスに関する情報が十分に提供されないとの指摘がなされていた。

そうした中、世界的な金融危機を契機として、会計監査の信頼性の確保が求められるようになった。そのような事情を背景として、従来の監査意見に加えて、監査人が財務諸表の監査において特に重要と判断した事項（「監査上の主要な検討事項」または「KAM」（Key Audit Matters））を監査報告書に記載するように監査基準を改訂する動きが国際的に生じた。このような動向をふまえ、日本においても、金融庁企業会計審議会は、2018年７月、KAMの導入等を内容とする監査基準の改訂を行い、2018年11月30日、「財務諸表等の監査証明に関する改正内閣府令」（監査証明府令）が公布・施行された。

監査上の主要な検討事項（KAM）とは、監査を実施した公認会計士または監査法人が、当該監査の対象となった事業年度に係る監査の過程で、監査役等と協議した事項のうち、監査および会計の専門家として当該監査において特に重要であると判断した事項をいう（監査証明府令４条５項）。

監査人は、監査上の主要な検討事項について、意見不表明の場合を除き、監査報告書に次の事項を記載する（監査証明府令4条1項1号ニ・5項）。

① 財務諸表等において監査上の主要な検討事項に関連する開示が行われている場合には、当該開示が記載されている箇所
② 監査上の主要な検討事項の内容
③ 監査上の主要な検討事項であると決定した理由
④ 監査上の主要な検討事項に対する監査における対応

KAMを記載しなければならない監査報告書の範囲は、監査証明を受けようとする者が、金融商品取引所に上場している会社等（監査証明府令3条5項各号）であって、当該者が提出する以下の届出書または有価証券報告書に記載された財務諸表等に添付される監査報告書である（監査証明府令4条10項）。

① 金融商品取引法5条1項の規定により提出される届出書（訂正届出書を含む）
② 金融商品取引法24条1項の規定により提出される有価証券報告書（訂正報告書を含む）

KAMは、2021年3月31日以後に終了する連結会計年度等の監査証明から強制適用されている。米国においては、2019年12月15日以降に終了する事業年度の監査から監査上の重要な事項（Critical Audit Matter/CAM）の記載が求められることから、米国式連結財務諸表を米国証券取引委員会に登録している会社（米国上場会社等）については、監査証明府令のすべての規定を2019年12月31日以後に終了する連結会計年度等の監査証明から適用することが可能となっている。

他方、監査役等の監査報告におけるKAMの取扱いであるが、監査役等の監査報告において、KAMについての記載を追加する必要が必ずしもあるわけではない。しかし、KAMは、投資家や株主といった監査報告の利用者から、監査の透明性の向上、監査や財務諸表に対する理解を深めるための手段として大きな期待を寄せられていることから、こうした期待に応え、

説明責任を果たすべく、監査役等の監査報告において、明示的にKAMに言及することは十分に検討に値する（日本監査役協会「監査上の主要な検討事項（KAM）及びコロナ禍における実務の変化等を踏まえた監査役等の監査報告の記載について」(2021年2月26日公表)）。また、2021年6月の「投資家と企業の対話ガイドライン」の改訂においても、監査役等が、KAMの検討プロセスにおける外部会計監査人との協議を含め、適正な会計監査の確保に向けた実効的な対応を行っているかについても、機関投資家と会社との対話で重点的に議論することが期待されている（対話ガイドライン3-11)。

KAMの実務対応については、第2章6⑸ⅲで詳しく述べる。

ⅳ　倫理規則

日本公認会計士協会は、公認会計士が職責を果たす上で遵守することが求められる職業倫理に関する自主規制規範として「倫理規則」を定めている。2022年7月25日に「倫理規則」の改正がなされたが、この改正倫理規則（以下「2022年改正倫理規則」という）では、監査人の独立性に係る規制の強化が図られており、そのうち主に以下の2点は、監査役等の実務に影響するものである（日本監査役協会「日本公認会計士協会「倫理規則」の改正を踏まえた監査役等の実務に関するQ&A集」(2023年1月18日）参照)。

① 監査人の報酬に関し、「ガバナンスに責任を有する者」である監査役等とのコミュニケーションが求められる事項が拡充された
② 監査人の非保証業務の提供に関し、監査役等による「事前の了解」が求められることになった

倫理規則は、公認会計士が遵守すべき規範であるが、監査役等としても、自らの職責であるところの会計監査人の監査の方法および結果の相当性を判断する際の考慮要素の1つとしての会計監査人の独立性を確保するために、2022年改正倫理規則への対応が必要となる。

①の報酬に関連するコミュニケーションの対象となる情報は、監査報酬、非監査報酬、報酬依存度の3つに大別されるが、依頼人たる会社が「社会的影響度の高い事業体」(Public Interest Entity（PIE)。国内上場会社は全て対

象となる）である場合、監査報酬、非監査報酬それぞれについて、監査人から監査役等に対してコミュニケーションがなされる必要がある。報酬依存度についても、監査役等に提供すべき情報の範囲が従来の倫理規則に比べて拡大されている。

②の「非保証業務」における「保証」とは、「誰かが一定の規準で作成した情報に対して、別の利用者のために信頼性を付与すること」であり、監査業務との対比における「非監査業務」の範囲は以下のとおりである。

<table>
<tr><td>監査業務（レビュー業務を含む）</td><td>監査以外の保証業務</td><td>アドバイザリー業務、コンサルティング業務等</td></tr>
<tr><td>監査業務</td><td colspan="2">非監査業務</td></tr>
<tr><td colspan="2">保証業務</td><td>非保証業務</td></tr>
</table>

（日本公認会計士協会「監査及びレビュー業務以外の保証業務に係る概念的枠組み（実務ガイダンス）」（保証業務実務指針 3000 実務ガイダンス第 2 号）（最終改正：2022 年 10 月 13 日）4 頁、日本監査役協会「日本公認会計士協会「倫理規則」の改正を踏まえた監査役等の実務に関する Q&A 集」（2023 年 1 月 18 日）14 頁）

監査人である会計事務所等は、当該会社、その子会社または親会社等に非保証業務を提供する場合、監査役等に情報提供を行った上で、「事前の了解」を得なければならない。かかる事前の了解は、監査役等にとっては、非保証業務の提供が倫理規則に抵触しないかをチェックすることを通じて、会計監査人の独立性を確認する行動の一環と位置づけられる。

(3)　社内外連携の重要性

(i)　三様監査

監査役による「監査」とは、業務監査および会計監査を通じて、取締役等の職務執行が適正に行われているかどうかをチェックすることである。

しかし、上場会社の業務は極めて膨大・複雑であるから、業務監査・会計監査の実効性を高めるためには、業務監査に関しては内部監査部門と、会計監査に関しては外部専門家である会計監査人と緊密に連携しながら監査業務を進めることが必要となる。

監査役の監査報告には内部統制システムの整備・運用の相当性についての意見（施129条1項5号、130条2項2号）および会計監査人の職務遂行の適正を確保するための体制に関する事項（計127条4号、128条2項2号）を記載することとされている。これは、監査役による監査が内部監査部門や会計監査人との連携を前提としているからこそ、これらの事項についての監査が必要となるということである。この点は、監査委員会・監査等委員会においても同様である（法130条の2第1項2号、131条1項2号、計128条の2第1項2号、129条1項2号）。

CGコードにおいても、監査役（会）は、外部会計監査人との連携（補充原則3-2②(iii)）および内部監査部門との連携（補充原則4-13③）を確保するよう求めている。

監査役監査基準においても、監査役および監査役会は、会計監査人と定期的に会合をもち、必要に応じて監査役会への出席を求めるほか、会計監査人から監査に関する報告を適時かつ随時に受領し、積極的に意見および情報の交換を行う等、会計監査人と緊密な連携を保つこととしている（監査役監査基準48条1項）。また、内部監査部門からも、定期的に監査計画および監査結果について報告を受けるべきとされている（監査役監査基準38条2項）。

このように、業務監査を担当する監査役、会計監査を担当する会計監査人、経営監査を担当する内部監査人（内部監査部門等）は、それぞれ立場・目的が異なるものの、積極的な情報・意見交換を図り、三者が連携して監査を行うことが必要である（三様監査）。

これら三者が保有する断片的な情報・意見を交換することによって、監査計画の策定・変更、監査方法・重点監査項目の確認、リスク・懸念事項の抽出・共有、新たな問題点の発見、リスク感覚・問題意識の向上、不正の端緒のあぶり出し等が可能となる。こうして、三者の連携により、それぞれの監査の効率性・実効性を高めることができる。

監査役は、業務監査・会計監査を職務としており、会社法上強力な権限が与えられていることから、この三様監査において主導的な役割を果たすべき地位にある。内部監査部門・会計監査人とそれぞれ緊密に連携しながら監査業務を進めることによって、監査の実効性を確保することが期待されており、その意味で、三様監査のハブとしての役割を担っている。

また、監査委員会・監査等委員会においては、内部統制システムを通じた組織監査を原則としており、内部監査部門と緊密に連携することは大前提であり、それに加えて会計監査人とも緊密に連携し、三様監査のハブとしての役割を担うことが期待されている。

(ii)　社外取締役との連携

監査役・監査委員・監査等委員は、業務執行者（および子会社の業務執行者）を兼任できないとされており（法331条3項、335条2項、400条4項）、業務執行者から独立した立場で、主に違法性・適法性の観点から取締役等の職務執行を監査する（法381条1項、399条の2第3項1号、404条2項1号）。

これに対し、社外取締役も、業務執行者から独立した立場で監督することを責務としている。会社法では、社外取締役の職務について定めた規定は置かれていないが、CGコードでは、独立社外取締役の役割・責務として、以下の点が掲げられている（原則4-7）。

① 経営の方針や経営改善について、自らの知見に基づき、会社の持続的な成長を促し中長期的な企業価値の向上を図る、との観点からの助言を行うこと
② 経営陣幹部の選解任その他の取締役会の重要な意思決定を通じ、経営の監督を行うこと
③ 会社と経営陣・支配株主等との間の利益相反を監督すること
④ 経営陣・支配株主から独立した立場で、少数株主をはじめとするステークホルダーの意見を取締役会に適切に反映させること

以上のとおり、社外取締役に期待されている役割は、経営方針・経営改善への助言、経営陣幹部の選解任を通じた監督（いわゆる業績をふまえたモニタリング）、利益相反の監督等であり、主に効率性・妥当性の観点からの監督である。

監査役・監査委員・監査等委員と社外取締役の役割は、監査・監督の視

点（違法性・適法性の監査か、効率性・妥当性の監督か）は異なるものの、どちらも業務執行者から独立した立場で監査・監督することを職務としている点で共通している。さらに、違法性と効率性の境界は明確に区別できるものではなく（著しく不合理な経営判断は善管注意義務違反に該当する）、違法性・適法性に関する情報は効率性・妥当性を検討する上でも必要であること等を勘案すると、監査役・監査委員・監査等委員と社外取締役が連携することは、お互いの監査・監督の実効性を高めるために非常に有益である。

また、監査役・監査委員・監査等委員の中には長らく当該会社に勤めてきた社内出身の常勤監査役・監査委員・監査等委員がおり（監査委員会・監査等委員会では、常勤委員の選定は必須ではないが、実務では常勤委員を置くことが多い）、彼らの情報収集能力は非常に高い。社外監査役は、監査役会において常勤監査役から報告を受けることができるが、社外取締役は、せいぜい取締役会の事前説明の場でしか報告を受ける機会がなく、それも議案の説明に限られるため、社外監査役よりも情報量が少ないという現実がある。

このような現実をふまえ、社外取締役への情報提供を充実させて監督の実効性を高めるためには、監査役・監査委員・監査等委員と社外取締役との情報共有や意見交換を活性化させ、社内出身者の強みである情報収集能力を、社外監査役だけでなく社外取締役とも連携させることが求められる。CG コードでも、監査役または監査役会は、社外取締役が、その独立性に影響を受けることなく情報収集力の強化を図ることができるよう、社外取締役との連携を確保すべきであるとされている（補充原則 4-4①）。

このように、監査役・監査委員・監査等委員には、経営陣による業務執行から離れているという点で同じ立場である社外取締役とのハブとしての役割が期待されている。

第2章　監査役会等の運営

※　本章では、監査役・監査等委員・監査委員を「監査役等」、監査役会・監査等委員会・監査委員会を「監査役会等」と略している。
監査役会設置会社における監査の主体は監査役、監査等委員会設置会社・指名委員会等設置会社における監査の主体は監査等委員会・監査委員会であり、監査報告についても、監査役会設置会社では監査役および監査役会、監査等委員会設置会社・指名委員会等設置会社では監査等委員会・監査委員会が作成するといった違いがあるが、本章では、読みやすさという見地から、監査の主体を「監査役会等」と表記しているところが多いことにご留意いただきたい。

1　はじめに

資本金5億円以上または負債総額200億円以上の大会社（法2条6号）は、非公開会社、監査等委員会設置会社および指名委員会等設置会社を除き、監査役会および会計監査人を置かなければならない（法328条1項）。また、上場会社は、取締役会および会計監査人のほか、監査役会、監査等委員会または指名委員会等のいずれかの機関を置かなければならない（上場規程437条1項）。

したがって、全ての上場企業（公開大会社）は、監査役会設置会社、監査等委員会設置会社、指名委員会等設置会社のいずれかの機関設計となる。そして、取締役（指名委員会等設置会社の場合には取締役・執行役）の職務執行の監査および監査報告の作成といった監査業務については、監査役会、監査等委員会または監査委員会が中心となって進められる。

もっとも、監査役会設置会社において監査業務を担当するのは、監査役会ではなく個々の監査役であり（法381条1項）、監査等委員会設置会社および指名委員会等設置会社において監査業務を担当するのは、監査等委員会・監査委員会とされている（法399条の2第3項、404条2項）。この違いは、監査役制度の大きな特徴といえる（監査役の独任制）。

一方、近年では、内部統制システムの相当性や買収防衛策を含む株式会社の支配に関する基本方針に対する意見なども監査報告に含まれるようになり、監査の対象は広範かつ複雑になっている。そのため、監査の主体は独任制の機関である監査役であったとしても、監査役会でお互いに協議して監査方針を決定し、監査役間で役割分担しながら、効率的に監査を進めることが不可欠である。

また、社外出身の監査役への情報提供も監査の実効性向上の観点からは肝要であり、常勤監査役から社外監査役への情報提供および意見交換の場としても、監査役会の重要性が増している。

以上のとおり、昨今の監査実務は、監査役の独任制を前提とする監査役会設置会社であっても、監査役会という会議体が中心となって進められている。組織監査を前提とする監査等委員会・監査委員会では、当然ながら、委員会が主体となって監査を行う。

そこで、以下では、監査役会・監査等委員会・監査委員会の運営実務に沿って、監査における留意点を論じることとする。

◆2◆　監査役会等の招集・運営・権限等

(1)　監査役会等の招集

監査役会等は、各監査役等が招集する（法391条、399条の8、410条）。実務上は、招集通知作成等の事務手続の必要性から、定時株主総会直後の監査役会等において、特定の監査役等を招集権者として定めることが多いものと思われる。日本監査役協会の監査役会規則（ひな型）（2021年7月13日最終改正）でも、監査役会の決議によって監査役会の議長を定め（監規8条1号）、議長が監査役会を招集および運営するものと定めている（監規5条1

項)。また、指名委員会等設置会社・監査等委員会設置会社においては、監査委員会等の決議によって監査委員会等の長を定め(監査委員会規則・監査等委員会規則8条1号)、監査委員会等を招集および運営するものと定めている(同規則5条1項)。

ただし、招集権者についての定めを置いた場合でも、それ以外の監査役等が必要と考える場合には、議長あるいは監査委員会・監査等委員会の長に対し監査役会等を招集するよう請求することができ(監規5条2項)、議長等が監査役会等を招集しない場合には、自らこれを招集し運営することができる(同条3項)。

会社法では、監査役会等を招集するには、監査役等は、監査役会等の日の1週間(これを下回る期間を定款で定めた場合にあっては、その期間)前までに、各監査役等に対してその通知を発しなければならないとされているが(法392条1項、399条の9第1項、411条1項)、多くの会社では、定款において1週間を下回る期間を定め、緊急の必要あるときはさらにこの期間を短縮することができる旨の定めをおくことにより、機動的に監査役会等を開催できるようにしている。また、監査役等の全員の同意があるときは、招集の手続を経ることなく開催することができる(法392条2項、399条の9第2項、411条2項)。

監査役会等の招集通知に議題を記載することは会社法上要求されていないが、監査役等の事前準備のために議題を記載することが多いものと思われる。もっとも、招集通知に記載されていない議題について監査役会等で一切審議することができないとすることは、機動性・実効性の高い監査役会等の開催を妨げる。監査役等の事前の準備の必要性に配慮しつつ、監査役等の全員の同意ある場合には、その場で提案された議題であっても決議または報告の対象とすることを認めるのが適当である。

(2) 監査役会等の運営

(i) 監査役会等の運営

監査役会等の運営については、会社法上特段の定めなく、各社の定款および監査役会規則等に委ねられている。定款上は監査役会等に関する事項は監査役会規則等で定めるものとし（株懇定款33条参照）、監査役会規則等において、監査役会等の議長や特定監査役の選定、監査役会等の開催頻度、招集手続、議事録および事務局に関する定めなど、監査役会等の運営実務において必要となる規定を置くことが多いものと思われる。

監査役会等については、取締役会のように3ヶ月に1回以上等の開催を求める会社法上の規定（法363条2項）は置かれていない。しかし、監査役会等には、あらかじめ定められた役割分担に従って行った監査の結果を報告し、特に常勤監査役から社外監査役に対して収集した情報を提供して意見交換を行う場としての役割が期待されている。会社法においても、組織監査を行う監査等委員および監査委員はもとより（法399条の3、405条）、監査役についても、監査役会の求めがあるときはいつでもその職務の執行の状況を監査役会等に報告しなければならないと定められている（法390条4項）。このような報告等を円滑に行うためには、定期的に開催しつつ、必要に応じて機動的に監査役会等を開催できる体制が必要である。

したがって、監査役会規則等においては、監査役会等の開催については「原則として毎月1回」と定め、「必要あるときは随時開催する」等の規定を置いて機動性を持たせることが一般的である。

(ii)　運営に関する実務上の課題

(a)　監査役会等の長時間化への対応

近年の監査役等に対する社会の期待の高まりに応じて、監査役会等で審議すべき事項が増えており、多くの企業で監査役会等の長時間化の傾向が見受けられる。また、社外役員候補の絶対数が少ない現状では、複数の兼任先を有している社外監査役等も多いため、監査役会等が長時間化し監査役等の拘束時間が長くなると、複数兼任先間でのスケジュール調整が必須となる。繁忙期となる期末監査の時期（特に3月決算の会社で株主総会に向けて監査報告を作成する5月中旬頃）などは、このスケジュール調整が困難を極めることも少なくない。

そのため、監査役会等の効率的な運営のための実務上の工夫を行うとともに、取締役会事務局や各委員会事務局と緊密に連携をとって社外監査役等が関与する役員会全体の効率的な開催に向けての工夫を行うことが重要である。

また、議決権行使助言機関において社外監査役選任（再任）議案への反対推奨の指標としている出席率への配慮も必要である。Institutional Shareholder Services「2023年版日本向け議決権行使助言基準」およびグラス・ルイス「2023 Policy Guidelines 日本語版」では取締役会・監査役会等への年間出席率75%という指標が示されている。たとえば、監査役会等としての決議や審議が必要な場合と社外監査役等への情報提供の充実のために開催する場合を区別して整理し、前者については監査役会等として開催し、後者については説明会といった位置づけで開催するなど、監査役会等の出席率へも配慮した運営実務上の工夫が今後一層必要となるものと思われる。

(b)　社外監査役等への情報提供方法

昨今のコーポレート・ガバナンス強化の流れを受けて、社外監査役等（社外監査役・社外監査委員・社外監査等委員）の役割に対する期待も高まっており、社外監査役等に対する情報提供・事前説明の充実が課題となっている。

そのため、監査役会等の開催に先立って社外監査役等に対して議題や関連資料等を送付し、特に複雑・重要なテーマがある場合には事前説明を行うなど、監査役会等における議論を効率的に進めるための運営上の工夫が必要である。

また、監査役会等においては、決算関係書類やコンプライアンスに関する問題案件の情報などセンシティブな情報を取り扱うことも多いため、情報セキュリティへの配慮も必要である。事前に書面で資料送付を行う場合には、個々の社外監査役等の側で当該資料を監査役会等に持参することのリスクや当該資料を保管することのリスク等が生じることも勘案する必要がある。新型コロナ感染症によりリモートでの監査役会等の開催が一般的になり、資料の電子化・ペーパーレス化が進展したことで、同時に情報セキュリティについても、書面の管理から、サーバーの所在・堅固さのチェックや、情報格納フォルダ等へのアクセス権および各書類のパスワードの管理など多岐に及ぶようになっている。

会社全体の情報セキュリティ対応方針に沿って、事後の情報管理体制まで含めて検討した上で、社外監査役等への情報提供方法を工夫し、監査役会等における情報共有の実効性とともに効率性を向上させる工夫をさらに進めるべきである。

(3) 監査役会等の職務・権限

(i) 監査報告の作成

会社法は、監査役の職務について、取締役の職務執行を監査することと定め（法381条1項）、監査役会の職務について、監査報告の作成と定めている（法390条2項1号）。

また、監査等委員会の職務について、取締役の職務の執行の監査および監査報告の作成と定め（法399条の2第3項1号）、監査委員会の職務について、執行役および取締役の職務の執行の監査および監査報告の作成と定めている（法404条2項1号）。

監査役会設置会社の場合には、監査主体となるのが監査役会ではなく監査役であるため、監査役と監査役会の双方が監査報告を作成するのに対し、監査等委員会設置会社および指名委員会等設置会社の場合には、監査等委員会・監査委員会が監査報告を作成すれば足りる。そのような違いはあるにせよ、いずれの機関設計を採用したとしても、監査役会等の主たる職務は、取締役等の職務執行を監査し、その結果をまとめた監査報告を作成することである。

監査役会等における監査報告は、多数決によって決定するが、それと異なる意見を有する監査役等は、自らの意見を付記することができる（施130条2項、130条の2第1項、131条1項、計128条2項、128条の2第1項、129条1項）。この点は、いずれの機関設計においても同様である。

(ii) 会計監査人の選任・解任・不再任議案の決定

会社法は、監査等委員会および監査委員会の職務として、監査報告の作成と並んで、会計監査人の選任・解任・不再任議案の内容の決定、と定めている（法399条の2第3項、404条2項）。また、監査役会設置会社においても、監査役会が会計監査人の選任・解任・不再任議案の内容を決定することとしている（法344条1項・3項）。

平成26年改正前の会社法においては、監査役会設置会社では、取締役会が会計監査人の選任等に関する議案の内容を決定し、監査役会は当該議案を株主総会に提出することに同意権を有するという規律になっていた（なお、指名委員会等設置会社では、監査委員会が会計監査人の選任等に関する議案の内容を決定するとされていた）。

しかし、会計監査人による会計監査を受ける立場の取締役会が会計監査人の選任等に関する議案を決定することは、会計監査人の取締役に対する立場を弱めるという指摘（いわゆる「インセンティブのねじれ論」）があり、平成26年会社法改正により、会計監査人の選任・解任・不再任議案を決定する権限が監査役会等に帰属することとされた。

会計監査人の報酬等についても、同様の指摘が当てはまるところであるが、報酬等の決定については財務に関する経営判断と密接に関連するため、従前どおり、取締役会が会計監査人の報酬等を決定し、監査役会等は同意権を有する（法399条1項・2項、同条1項・3項、同条1項・4項）という規律が維持される一方で、事業報告において会計監査人の報酬等に同意した理由を記載しなければならないこととされている（施126条2号かっこ書き前段、同中段、同後段）。

このように、監査役会等は、会計監査人の独立性を確保するという趣旨から、会計監査人の選任・解任・不再任議案の内容を決定しなければならず、毎年の株主総会の議案決定前のタイミングで、会計監査人の資質・実績等を評価した上、当該会計監査人に継続して依頼してよいかどうか（＝不再任としなくてよいかどうか）を決定しなければならない。

そのためには会計監査人を評価するための判断基準が必要であり、CGコードにおいても、監査役会に対し、「外部会計監査人候補を適切に選定し外部会計監査人を適切に評価するための基準の策定」および「外部会計監査人に求められる独立性と専門性を有しているか否かについての確認」が求められている（補充原則3-2①）。

ⅲ　決議・同意を要する事項

ⓐ　監査役会等の決議事項

監査役会等は、監査役会等の監査報告を作成し、会計監査人の選任・解任・不再任議案の内容を決定するほかにも、一定の事項について決議を行う。その内容は、[図表Ⅱ-2-(3)-(iii)-(a)] 記載のとおりである。これらの事項については、監査役会等において審議した上、多数決による決議が必要となる。

[図表Ⅱ-2-(3)-(iii)-(a)　監査役会等の決議を要する事項]

	監査役会	監査等委員会	監査委員会
監査報告の作成	法390条２項１号	法399条の２第３項１号	法404条２項１号
常勤監査役等の選定および解職	法390条２項２号・３項	(任意)	(任意)
監査方針・業務財産状況の調査方法等の決定	法390条２項３号	(法399条の３第４項)	(法405条４項)
委員である取締役以外の取締役の選任・解任または辞任、報酬等についての意見の決定	なし	法399条の２第３項	なし
委員である取締役以外の取締役の選任・解任または辞任、報酬等についての意見を述べる委員の選定	なし	法342条の２第４項、法361条６項	なし
監査役等の選任議案提出に対する同意等	法343条１項・３項	法344条の２第１項	なし
特定監査役の選定・解職	施132条５項２号、計130条５項２号	施132条５項３号、計130条５項３号	施132条５項４号、計130条５項４号
会計監査人の選任・解任・不再任	法344条１項・３項	法399条の２第３項２号	法404条２項２号
会計監査人の報酬同意	法399条１項・２項	法399条１項・３項	法399条１項・４項
一時会計監査人の選任	法346条４項・６項	法346条４項・７項	法346条４項・８項
会計監査人の解任に関する報告	法340条３項・４項	法340条３項・５項	法340条３項・６項
調査権限を有する監査委員・監査等委員の選定	なし	法399条の３第１項・２項	法405条１項・２項
取締役等との訴えにおける会社代表者の選定	なし	法399条の７	法408条

取締役会を招集することができる委員の選定	なし	法399条の14	法417条1項

(b)　監査役等の同意事項

そのほか、監査役等の全員の同意が必要となる事項も定められている。その内容は、[図表Ⅱ-2-(3)-(iii)-(b)] 記載のとおりである。これらの事項については監査役会等の決議が求められているわけではないため、全員一致による監査役会等の決議ではなく、各監査役等からの個別の同意取得でも足りるが、多数決ではなく全員の同意が必要である。

[図表Ⅱ-2-(3)-(iii)-(b)　監査役等の全員同意を要する事項]

	監査役会	監査等委員会	監査委員会
会計監査人の解任	法340条1項・2項・3項・4項(監査役会)	法340条1項・2項・3項・5項	法340条1項・2項・3項・6項
監査役の報酬等についての協議	法387条2項	法361条3項	なし
取締役の責任の一部免除に関する同意	法425条3項1号、426条2項、427条3項	法425条3項2号、426条2項、427条3項	法425条3項3号、426条2項、427条3項
株主代表訴訟における会社の補助参加への同意	法849条3項1号	法849条3項2号	法849条3項3号
会社が原告となる責任追及訴訟における訴訟上の和解に対する同意	法849条の2第1号	法849条の2第2号	法849条の2第3号
取締役会の招集手続の省略	法368条2項	法368条2項	法368条2項
監査役会・委員会の招集手続の省略	法392条2項	法399条の9第2項	法411条2項

(4)　監査役会等の決議要件

(i)　決議要件

監査役会等は3人以上の監査役等によって構成され、そのうちの半数以上（監査役会）または過半数（監査等委員会・監査委員会）は社外監査役等でなければならない（法335条3項、331条6項、400条3項）。

監査役会等の決議は、監査役等の過半数をもって行う（法393条1項、399条の10第1項、412条1項）。独任制である監査役が監査の主体となる監査役会設置会社の場合は、監査役会の定足数の定めはなく、その出席数にかかわらず全監査役の過半数をもって決議を行うのに対して、監査等委員会・監査委員会の場合は、取締役会同様に定足数の定めがあり（議決に加わることができる監査等委員・監査委員の過半数。法399条の10第1項前段、412条1項前段）、その過半数をもって決議を行う（法399条の10第1項後段、412条1項後段）。

また、監査役会の場合には、特別利害関係のある監査役についての定めは置かれていないが、監査等委員会・監査委員会の場合には、特別利害関係のある監査等委員・監査委員は決議に加わることができないと定められている（法399条の10第2項、412条2項）

(ii)　報告の省略

会社法では、監査役会等の決議の省略に関する規定が設けられていない。これは、独任制の機関として監査役が監査を行う監査役会設置会社はもとより、組織的に監査主体として監査を行う監査等委員会・監査委員会の場合であっても、監査役会等については決議の省略、いわゆる書面決議を認めない趣旨と解されている。適時に質疑や意見交換を行いながら監査役等の間で情報共有および意見交換をすることによって実効性の高い監査を行うという監査役会等の趣旨に照らして、監査役会等を全く開催しない持ち回りでの書面決議ではその趣旨を没却してしまうからであろう。

ただし、監査役会等の開催場所に存しない監査役等も同時に情報の共有を受けタイムリーに質疑応答や意見交換などを行うことができ、監査役会等を実開催した場合と同水準での情報共有および意見交換ができる方法（テレビ会議・電話会議等）であれば、監査役会等の開催は可能である（施109条3項1号、130条3項、110条の3第3項1号、111条3項1号）。

監査役会等の決議の省略は認められないが、監査役会等への報告の省略は可能である。取締役、会計参与、監査役または会計監査人が監査役等の全員に対して監査役会等に報告すべき事項を通知したときは、当該事項を監査役会等へ報告することを要しない（法395条、399条の12、414条）。取締役等は一定の場合に監査役会等への報告義務を負うが（法397条1項・3項、同条1項・4項、同条1項・5項等）、取締役等は自ら監査役会等を招集することができないため、監査役等の全員に対する通知によって監査役会等への報告義務の履行を認めるものである。

(5)　監査役会等の議事録

(i)　議事録の作成

監査役会等の議事については、書面または電磁的記録をもって議事録を作成しなければならない。議事録には、書面の場合には出席した監査役等の署名または記名押印が、電磁的記録の場合には出席した監査役等の電子署名が必要となる（法393条2項および3項・施109条2項、法399条の10第3項および第4項・施110条の3第2項、法412条3項および4項・施111条2項）。

監査役会等の議事録には、以下の事項を記載しなければならない（施109条3項、110条の3第3項、111条3項）。そのひな型は、[図表Ⅱ-2-(5)-(i)]のとおりである。

① 開催日時・場所（遠隔地からの出席者がいるときは、その出席方法）
② 議事経過の要領・結果
③ 監査等委員会または監査委員会の決議事項に特別の利害関係を有する監査等委員または監査委員があるときは、その氏名
④ 監査役会等に対する報告義務に基づく意見・発言があるときは、その概要
⑤ 出席した取締役・会計参与・会計監査人の氏名または名称
⑥ 監査役会等の議長があるときは、その氏名

また、書面報告の場合の監査役会等の議事録には、以下の事項を記載しなければならない（施109条4項、110条の3第4項、111条4項）。

[図表Ⅱ-2-(5)-(i)　監査役会議事録ひな型]

監 査 役 会 議 事 録

1.　日時：　○○年　○○月　○○日（○曜日）　○時○分　開会

2.　場所：　東京都○○区○○丁目○番○号
○○会議室（議題1.　につき）*1
○○会議室（議題2.　につき）*1

3.　出席監査役：　○ ○ ○ ○　○ ○ ○ ○　○ ○ ○ ○
○ ○ ○ ○　○ ○ ○ ○　○ ○ ○ ○
なお、監査役○○○○はウェブ会議システムにより出席した。

4.　その他出席者：　○○部長　○ ○ ○ ○
（議題2.　のみ）*1

5.　会議の方法

開会にあたり、議長である監査役○○○○は、本日の監査役会はウェブ会議システムを利用して開催する旨述べ、ウェブ会議出席者の間で即時・双方向の通信が確保され、出席者全員が一堂に会するのと同等に相互に意見表明ができる状態になっていることを確認した。

6.　議事経過要旨及び結果：

議長である監査役○○○○は、○時○分開会を宣言し、直ちに招集通知に記載の議題に入る旨を告げた。

議題1.　○○○○○○の件：

[決議事項の場合の記載例]
○○○○○○の件につき、議長より……旨説明し、議場に諮ったところ、出席監査役全員異議無く承認可決した。*2

[協議事項の場合の記載例]
○○○○○○の件につき、議長より……旨説明し、議場に諮ったところ、出席監査役全員がこれを承認した。

[報告事項の場合の記載例]
○○○○○○の件につき、議長より……旨説明したところ、出席監査役全員がこれを了承した。

以上の議事を終え、○時○分、監査役○○○○は○○委員会出席のため退席した。○時○分に中断、取締役会を経て、監査役○○○○参加の上、○時○分に再開した。*3

議題2. ○○○○○○の件：

○○部長より、……に関して説明がなされた。*4

<主な議論の内容>

○○○○に関連し、監査役○○○○より、……旨の意見があった。*5

7. 閉会：　○時○分

上記の議事の経過及び結果を明確にするため、出席監査役次に記名捺印する。

○○年　○○月　○○日

常勤監査役　○　○　○　○　㊞
常勤監査役　○　○　○　○　㊞
監　査　役　○　○　○　○　㊞
監　査　役　○　○　○　○　㊞
監　査　役　○　○　○　○　㊞

*1　監査役会が長時間化する傾向があるため、監査役会の内容により出席者が異なったり、異なる会議室を使用することもある。そのような場合には、議題ごとに書き分けるのも一案である。

*2　監査役会での決議が求められている事項については、「可決」と明記する必要がある。
ここでは、全員出席・全員同意による可決の例を記載しているが、監査役会の決議要件を満たしていることが明らかとなればよいのであり「監査役の過半数の承認あり可決した」といった記載もありうる。監査役会の場合には、「出席監査役の過半数」ではなく「監査役の過半数」と明記することに留意すべきである。
また、全監査役の承認が得られなかった場合には、承認しなかった監査役の意見を記載するなど、その際の審議の内容・経過も丁寧に記載することが望ましい。

*3　実務では、社外監査役の予定調整等の理由から、監査役会の開催日と同日に取締役会や諮問委員会等が開催されることも多いものと思われる。監査役会と他の委員会が重なった場合など、一部の監査役が監査役会の途中で退席していたときには、誰がどこまでの議事に参加していたかを明記する必要がある。
また、取締役会を挟んで監査役会が開催される場合など、監査役会を一度中断する場合もあるが、そのような場合も監査役会の開催時間、それぞれの議事に出席していた監査役等を明記し、監査役会の経過について疑念ないように記載するように留意すべきである。

*4　近年の監査役会においては、内部監査部門や会計監査人からの定例報告等は勿論のこと、社内各部門からの報告が必要となる場合が増えている。監査役会で必要と考える報告を求めた場合には、その内容等についても記載することが望ましい。

*5　監査役会の決議事項について監査役から反対意見があった場合はもとより、それ以外の場合でも、監査役からの有用な意見についてはなるべく記載することが望ましい。特に、企業不祥事等の場合など監査役の責任が問われる可能性が高い議案について監査役から意見が出た場合には、その内容を、議事録に留めるべきであろう。

①　報告を省略した事項の内容（書面報告事項の内容） ②　報告を省略した日（書面報告の日） ③　議事録の作成に係る職務を行った監査役等の氏名

監査役会等の決議に参加した監査役等であって議事録に異議をとどめないものは、その決議に賛成したものと推定される（法393条4項、399条の10第5項、412条5項）。議事録作成にあたっては、どの監査役等が監査役会等のどの決議に参加したのか明確に示すべく、監査役会等の途中からの出席または退席があった場合などには決議事項との先後関係がわかるように記載するべきである。

さらに、監査役会等の議事経過の要領や監査役等の意見・発言の概要を記載する際には、監査役等の監査業務の遂行の適法性および妥当性を示す証跡を残すことを意識するべきである。昨今では企業不祥事において監査役等が果たすべきであった役割・責任を論じられることが増えており、監査役等の義務違反が問われる事態に備えて、監査役等がその職責を全うしていることを立証する証拠書類として、監査役会等の議事録や資料等を整備する必要性は高くなっている。監査業務の中でも、内部統制システムの構築・運用のモニタリングは特に重要性を増している。広範かつ不断の注意を要する業務であることから、内部統制システムに関わる事項について監査役等の意見・発言があった場合には、法令上の報告義務の有無に関わらず、議事録や監査調書等に記録すべきである。

(ii)　議事録の備置

書面または電磁的記録をもって作成された監査役会等の議事録は、監査役会等の日から10年間、その本店に備え置かなければならない（法394条1項、399条の11第1項、413条1項）。

株主、債権者および親会社の株主は、株主の権利を行使するため（株主、親会社の株主）または取締役等の責任を追及するため（債権者）に必要があるときは、裁判所の許可を得た上で、監査役会等の議事録の閲覧または謄写の請求をすることができる（法394条2項および3項、399条の11第2項および第3項、413条3項および4項）。

これらの許可の申立てを受けた場合、裁判所は、当該会社またはその親会社もしくは子会社に著しい損害を及ぼすおそれがあると認めるときは、許可をすることができない（法394条4項、399条の11第4項、413条5項）。

3　監査報告の作成

(1)　監査報告の記載事項

会社法上、監査役会等による監査の対象は「取締役（・執行役）の職務の執行」と定められているが、これは非常に広範であり外延を把握し難い。

一方、監査報告については、計算書類および事業報告ならびにこれらの附属明細書を監査すべきこととされ（法436条1項・2項）、その監査報告に記載すべき事項が法令上詳細に定められている（施129条、130条、130条の2、131条、計127条、128条、128条の2、129条）。

そのため、監査役会等が1年間に行うべき監査活動を具体的にイメージするには、監査報告の記載事項として何が求められているのかを確認しておくことが有益である。

まず、事業報告等についての監査報告に記載すべき事項は、以下のとおりである（施129条、130条、130条の2、131条）。

(1)　監査役および監査役会等の監査（計算関係書類に係るものを除く）の方法およびその内容
(2)　事業報告およびその附属明細書が法令または定款に従い当該会社の状況を正しく示しているかどうかについての意見
(3)　当該会社の取締役・執行役の職務の遂行に関し、不正の行為または法令もしくは定款に違反する重大な事実があったときは、その事実
(4)　監査のため必要な調査ができなかったときは、その旨およびその理由
(5)　内部統制体制の整備についての取締役会決議がある場合において、当該事項の内容が相当でないと認めるときは、その旨およびその理由

(6)　財務および事業の方針の決定を支配する者のあり方に関する基本方針が事業報告の内容となっているときは、当該事項についての意見
(7)　親会社等との取引において会社の利益を害さないように留意した事項等が事業報告の内容となっているときは、当該事項等についての意見
(8)　監査報告を作成した日

次に、計算書類等についての監査報告に記載すべき事項は、以下のとおりである（計127条、128条、128条の2、129条）。

(1)　監査役および監査役会等の監査の方法およびその内容
(2)　会計監査人の監査の方法または結果を相当でないと認めたときは、その旨およびその理由（会計監査報告を受領していない場合は、その旨）
(3)　重要な後発事象（会計監査報告の内容となっているものを除く）
(4)　会計監査人の職務の遂行が適正に実施されることを確保するための体制に関する事項
(5)　監査のため必要な調査ができなかったときは、その旨およびその理由
(6)　監査報告を作成した日

この記載事項をみればわかるとおり、計算書類等の監査については、まず会計監査人が監査を行い、監査役会等は会計監査人の監査の方法および結果を検証する形で監査を行うこととされている。

会計監査人の会計監査報告に記載すべき事項は、以下のとおりである（計126条）。

(1)　会計監査人の監査の方法およびその内容
(2)　計算関係書類が当該会社の財産および損益の状況を全ての重要な点において適正に表示しているかどうかについての意見
　①　無限定適正意見（計算関係書類が一般に公正妥当と認められる企業会計の慣行に準拠して、当該計算関係書類に係る期間の財産および損益の状況を全ての重要な点において適正に表示していると認められる旨）

　② 除外事項を付した限定付適正意見（除外事項を除き、計算関係書類が①と同様に適正に表示していると認められる旨）
　③ 不適正意見（計算関係書類が不適正である旨およびその理由）
(3) 前号の意見がないときは、その旨およびその理由
(4) 継続企業の前提に関する注記に係る事項
(5) 第2号の意見があるときは、事業報告およびその附属明細書の内容と計算関係書類の内容または会計監査人が監査の過程で得た知識との間の重要な相違等について、報告すべき事項の有無および報告すべき事項があるときはその内容
(6) 追記情報（以下の事項等のうち、会計監査人の判断に関して説明を付す必要がある事項または計算関係書類の内容のうち強調する必要がある事項）
　① 会計方針の変更
　② 重要な偶発事象
　③ 重要な後発事象
(7) 会計監査報告を作成した日

(2) 監査報告ひな型

法令で定められた監査報告記載事項を具体的にどのように監査報告書にまとめるべきかについては、[図表Ⅱ-3-(2)] 記載のとおり、日本監査役協会から監査役会監査報告ひな型（平成27年9月29日最終改正）が公表されている。

この監査役会監査報告ひな型（機関設計が「取締役会＋監査役会＋会計監査人」の会社の場合）を見ると、その構成は、①監査の方法及びその内容、②監査の結果、③少数監査役の意見（監査役会監査報告の内容と異なる監査報告を作成した監査役があった場合）、④後発事象（重要な後発事象がある場合）のパートに分かれている。

(i) 監査の方法およびその内容

監査役会等の業務監査および会計監査について、株主に監査の結果を報

告するために監査役および監査役会等が1年間行ってきた監査活動を概括的に記載するのが「1．監査役及び監査役会の監査の方法及びその内容」である。

監査役会監査報告においては、1年間の各監査役の監査活動につき監査役会で把握したところを記載するため、監査役個別の監査活動に即して詳細に記載するのではなく、やや抽象化して記載するものが多くならざるをえない。しかし、それぞれの記載事項の背景には、会議や面談等での意見交換、書面報告や定例会等による情報収集、内部監査部門や会計監査人との情報共有など多岐にわたる監査活動がある。

以下では、[図表Ⅱ-3-(2)] 記載の監査役会監査報告ひな型の「1．監査役及び監査役会の監査の方法及びその内容」に記載された内容をグルーピングして整理し、その記載事項の背景にある具体的な監査活動を列挙する。ただし、ここに列挙したのはあくまでも例示であり、実際には、各社において実施した1年間の監査役等の監査活動内容を記載することとなる（個々の具体的活動に際しての留意点については、本章4・5参照）。

[図表Ⅱ-3-(2)　監査役会監査報告のひな型（機関設計が「取締役会＋監査役会＋会計監査人」の会社の場合）]

監　査　報　告　書

当監査役会は、平成○年○月○日から平成○年○月○日までの第○○期事業年度の取締役の職務の執行に関して、各監査役が作成した監査報告書に基づき、審議の上、本監査報告書を作成し、以下のとおり報告いたします。

1. 監査役及び監査役会の監査の方法及びその内容
(1)　監査役会は、❶監査の方針、職務の分担等を定め、❷各監査役から監査の実施状況及び結果について報告を受けるほか、❸・❹取締役等及び会計監査人からその職務の執行状況について報告を受け、必要に応じて説明を求めました。
(2)　各監査役は、❶監査役会が定めた監査役監査の基準に準拠し、❶監査の方針、職務の分担等に従い、❸・❺取締役、内部監査部門その他の使用人等と意思疎通を図り、情報の収集及び監査の環境の整備に努めるとともに、以下の方法で監査を実施しました。
ⅰ)　❻取締役会その他重要な会議に出席し、❸取締役及び使用人等からその職務の執行状況について報告を受け、必要に応じて説明を求め、❼重要な決裁書類等を閲覧し、❽本社及び主要な事業所において業務及び財産の状況を調査いたしました。また、子会社については、❾子会社の取締役及び監査役等と意思疎通及び情報の交換を図り、必要に応じて子会社から事業の報告を受けました。

ii）事業報告に記載されている⑩取締役の職務の執行が法令及び定款に適合することを確保するための体制その他株式会社及びその子会社から成る企業集団の業務の適正を確保するために必要なものとして会社法施行規則第100条第1項及び第3項に定める体制の整備に関する取締役会決議の内容及び当該決議に基づき整備されている体制（内部統制システム）について、取締役及び使用人等からその構築及び運用の状況について定期的に報告を受け、必要に応じて説明を求め、意見を表明いたしました。

iii）事業報告に記載されている会社法施行規則第118条第3号イの基本方針及び同号ロの各取組み(注1)並びに会社法施行規則第118条第5号イの留意した事項及び同号ロの判断及び理由(注2)については、取締役会その他における審議の状況等を踏まえ、その内容について検討を加えました。

iv）④会計監査人が独立の立場を保持し、かつ、適正な監査を実施しているかを監視及び検証するとともに、会計監査人からその職務の執行状況について報告を受け、必要に応じて説明を求めました。また、④会計監査人から「職務の遂行が適正に行われることを確保するための体制」（会社計算規則第131条各号に掲げる事項）を「監査に関する品質管理基準」（平成17年10月28日企業会計審議会）等に従って整備している旨の通知を受け、必要に応じて説明を求めました。

以上の方法に基づき、当該事業年度に係る事業報告及びその附属明細書、計算書類（貸借対照表、損益計算書、株主資本等変動計算書及び個別注記表）及びその附属明細書並びに連結計算書類（連結貸借対照表、連結損益計算書、連結株主資本等変動計算書及び連結注記表）について検討いたしました。

2. 監査の結果

(1) 事業報告等の監査結果

i）事業報告及びその附属明細書は、法令及び定款に従い、会社の状況を正しく示しているものと認めます。

ii）取締役の職務の執行に関する不正の行為又は法令若しくは定款に違反する重大な事実は認められません。

iii）内部統制システムに関する取締役会決議の内容は相当であると認めます。また、当該内部統制システムに関する事業報告の記載内容及び取締役の職務の執行についても、指摘すべき事項は認められません。

iv）事業報告に記載されている会社の財務及び事業の方針の決定を支配する者の在り方に関する基本方針については、指摘すべき事項は認められません。事業報告に記載されている会社法施行規則第118条第3号ロの各取組みは、当該基本方針に沿ったものであり、当社の株主共同の利益を損なうものではなく、かつ、当社の会社役員の地位の維持を目的とするものではないと認めます。(注3)

v）事業報告に記載されている親会社等との取引について、当該取引をするに当たり当社の利益を害さないように留意した事項及び当該取引が当社の利益を害さないかどうかについての取締役会の判断及びその理由について、指摘すべき事項は認められません。(注4)

（2）計算書類及びその附属明細書の監査結果
会計監査人○○○○の監査の方法及び結果は相当であると認めます。
（3）連結計算書類の監査結果
会計監査人○○○○の監査の方法及び結果は相当であると認めます。

3. 監査役○○○○の意見（注5）

4. 後発事象（注6）

○年○月○日

○○○○株式会社　監査役会

常勤監査役	○○○○ 印
常勤監査役（社外監査役）	○○○○ 印
社外監査役	○○○○ 印
監査役	○○○○ 印
	（自　署）

（注1）会社が買収防衛策を策定しており、事業報告に当該記載がある場合の記載事項
（注2）会社に親会社等との取引があり、事業報告に当該記載がある場合の記載事項
（注3）（注1）の場合の意見
（注4）（注2）の場合の意見
（注5）監査役会の決議で決定された監査役会監査報告の内容と異なる監査報告を作成した監査役があった場合の記載事項（施130条2項、計128条2項）
（注6）法令上、監査役会の監査報告書に記載すべき後発事象は、計算関係書類に関するものに限られる（ただし、会計監査人の監査報告書の内容となっているものを除く。計127条3号）。

①　監査役監査基準、監査の方針・計画（ひな形❶参照）

株主総会直後の監査役会において、当該監査年度の監査方針・監査計画や各監査役の間の職務の分担など、監査役の監査のフレームワークを決定する。

②　監査役からの監査実施状況報告（ひな形❷参照）

監査役会における常勤監査役から社外監査役への報告や監査役間の意見交換、日々の業務における常勤監査役間での報告・意見交換、常勤監査役から社外監査役への書面・メール等による報告・情報共有など、監査役間において密に監査実施状況に関する情報交換を行う。

③　取締役等からの報告・意見交換（ひな形❸参照）

取締役会での報告・意見交換のほか、監査役と社長・会長との定例面談、取締役・執行役員等との定例報告会等における意見交換、CCOとのコンプライアンスに関する定例報告会等における意見交換などを行う。そのほか、取締役の競業取引・利益相反取引に関する報告など

執行部門との間で特に報告を受けるべき事項について、その報告を受け、必要に応じて意見交換を行う。

④　会計監査人からの報告・意見交換（ひな形4参照）

期末における会計監査人の監査の状況および監査結果についての報告、会計監査人の職務の遂行に関する報告のほか、会計監査人との定例報告会、会計監査人の評価・再任に関連して行う独立性・職務執行体制・品質管理体制等についての定例面談・意見交換、会計監査人の往査報告など、会計監査人から職務の執行状況についての報告を受け、必要に応じて意見交換を行う。

⑤　内部監査部門からの報告・意見交換（ひな形5参照）

内部監査部門からの内部監査の方針・計画の報告、内部監査の状況および監査結果についての報告・意見交換、内部監査部門との定例報告会など、内部監査部門から職務の執行状況についての報告を受け、必要に応じて意見交換を行う。

⑥　重要な会議への出席（ひな形6参照）

取締役会、経営会議、各種諮問委員会（指名報酬委員会・ガバナンス委員会・内部統制委員会等）のほか、執行部門における各種の会議（たとえば、各種部長会、個別案件に関する審議会、内部監査結果のフィードバック会議等）など、会社の経営状況・取締役の職務執行状況を把握するために重要な会議に出席する。

⑦　重要な決裁書類の閲覧（ひな形7参照）

重要案件についての審議プロセスを把握・確認し、当該プロセスに瑕疵がないことをチェックするべく、重要な決裁書類を閲覧する。

⑧　監査役の往査（ひな形8参照）

本社における各部署のほか、国内外の支社支店・事業所・関係会社等を往訪し、支社支店長・事業所長・関係会社社長等のトップとの意見交換等を行うほか、現場の統制状況を確認するなどの往査を行う。

⑨　子会社の取締役・監査役等からの報告・意見交換（ひな形9参照）

上記⑧の往訪時の意見交換等のほか、グループ会社連絡会、グループ会社監査役意見交換会等を開催し、また書面での報告などを通じて子会社の取締役の職務執行状況および子会社の監査役の監査状況についての報告を受け、必要に応じて意見交換を行う。

⑩　**内部統制体制に関する報告（ひな形⑩参照）**

取締役会における内部統制体制運用状況報告・コンプライアンス体制運用状況・内部監査結果報告・J-SOX 評価報告等のほか、会計監査人による内部統制監査の状況および監査結果の報告、内部統制委員会への出席および意見交換など、内部統制体制の運用状況についての報告を受け、必要に応じて意見交換を行う。

(ii)　監査の結果

[図表Ⅱ-3-(2)] 記載の監査役会監査報告書ひな型の「2. 監査の結果」では、「(1)事業報告等の監査結果」、「(2)計算書類及びその附属明細書の監査結果」および「(3)連結計算書類の監査結果」として、以下の意見を記載している。

(1)　事業報告等の監査結果
- ①　事業報告等が法令及び定款に従って会社の状況を正しく示していること
- ②　取締役の職務の執行に関する不正行為・法令または定款に違反する重大な事実がないこと
- ③　内部統制システムに関する取締役会決議の内容の相当性および当該システムに関する事業報告の記載内容・取締役の職務執行について指摘すべき事項がないこと
- ④　（事業報告に買収防衛策についての記載がある場合）
買収防衛策に関する基本方針について指摘すべき事項がないこと
- ⑤　（事業報告に親会社等との取引についての記載がある場合）
親会社等との取引に当たり当会社の利益を害さないように留意した事項、利益を害さないかどうかについての取締役会の判断およびその理由について指摘すべき事項がないこと

(2)　計算書類及びその附属明細書の監査結果
- ・会計監査人の監査の方法および結果が相当であること

(3)　連結計算書類の監査結果

・会計監査人の監査の方法および結果が相当であること

これをみればわかるとおり、①事業報告およびその附属明細書（以下、「事業報告等」という）、②計算書類およびその附属明細書ならびに連結計算書類（以下、「計算関係書類」という）という2種類の監査対象について、監査結果としての意見が記載されている。

監査役会等は、この監査意見を株主に対して報告するため、1年間を通じて取締役等の職務の執行を監査するのであり、これがいわゆる「業務監査」と「会計監査」である。また、事業報告等の監査結果として、内部統制システムの整備および運用状況についての意見も記載されており、近年では「内部統制システムの監査」も極めて重要な監査業務となっている。

4　業務監査・会計監査・内部統制監査

(1)　業務監査

(i)　取締役の職務執行の適法性

取締役（・執行役）の職務の執行が法令・定款に適合しているか、内部統制システムの整備および運用について問題がないかなどを監査するのが業務監査である（このうち「内部統制システムの監査」については、近年重要性が増しているため、項を改めて後述する）。

ここでいう「法令」には、会社法だけでなく金融商品取引法や独占禁止法、その他会社の事業に関連する業法なども含まれる。海外において事業活動を行っている場合には、当該国の現地法令も遵守しなくてはならない「法令」に含まれると解されているため（大阪地判平成12年9月20日判時1721号3頁）、注意が必要である。

また、善管注意義務違反も法令違反に該当するとされており、著しく不合理な経営判断は取締役の善管注意義務違反として法令違反に該当する。そのため、監査役会等としては、取締役が行うさまざまな業務執行の決定について、経営判断の原則に照らして適法なものかどうか、善管注意義務に違反していないかどうかを確認しなければならない。近年では、CGコードにおいて、監査役等が自らの守備範囲を過度に狭くとらえることは適切ではなく、能動的・積極的に権限行使し、取締役会においてあるいは経営陣に対して適切に意見を述べるべきと指摘されており（原則4-4）、監査役会等が行うべき業務監査は非常に広範なものとなる。

監査役会等としては、複雑多様な事業活動における法令遵守状況を確認しなければならないが、そこで問題となる法令の範囲は非常に広く、事業活動の変化に応じて遵守すべき法令も変化する。また、社会経済情勢の変化に伴い、法令自体も改正されていくため、数年前には問題のなかった事業活動の実態が現在の法令に照らすと違法の疑いがあるといった事態も起こりうる。

監査役会等には、自社の事業活動の内容およびそれに適用される法令・規制の動向を把握し、特に注目するべき法令・規制は何かをよく考えながら当社の重点監査項目を検討し、より実効性ある適法性監査を実施することが求められている。

(ii)　旧133条監査

監査役会等の業務監査は取締役の職務の執行について法令・定款に反する行為や不正行為がなかったかを確認するという非常に広範なものであるが、会社法制定前においては、その中でも以下の事項について取締役の義務違反があるときは、監査役会の監査報告書においてその事実に関する記載を各別にしなければならないと定められていた（旧商法施行規則133条）。

①　取締役の競業取引・自己取引、取締役・会社間の利益相反取引
②　会社が無償でした財産上の利益の供与
③　会社がした子会社または株主との通例的でない取引
④　自己株式の取得および処分、または株式執行の手続き

現在の会社法および関連法令では、上記の4項目について各別の記載を求めるような規定は存在しない。しかし、上記の事項を監査対象とする必要がなくなったということではなく、監査役会等の行う適法性監査は当然

に上記4項目にも及ぶものであり、これらの事項だけではなく他の事項も広く対象としてチェックすべきものであることから、4項目の例示列挙を廃したにすぎない。すなわち、旧133条が制定された当時の時代背景からの社会の変化もふまえ、各企業がそれぞれの事業の現状に鑑みて適法性監査におけるプライオリティを個別に判断しなくてはいけなくなったためと考えられる。

上記の4項目が示しているのは、主に取締役と会社の間の利益相反関係から生ずるリスクであり、ここに列記された取引等が不正・違法のリスクをはらむものであることは、現在においても変わりない。

したがって、監査役会等としては、取締役の競業取引・利益相反取引が会社法所定の承認を受けているかどうか、取締役に忠実義務違反はないかという点について、特に注意して確認しておくべきである。

⑵　会計監査

ⅰ　会計監査とは

ⓐ　計算関係書類の監査

会社法は、資本・負債の額の大きい大会社に対し、その計算関係書類の信頼性を確保するため、職業的専門家である会計監査人（公認会計士または監査法人）を置くことを義務づけている（法328条、327条5項、337条）。

株式会社では、事業年度ごとに計算書類および事業報告ならびにこれらの附属明細書を作成しなければならず（法435条2項）、有価証券報告書提出の大会社においては、連結計算書類も作成しなければならない（法444条3項）。そして、会計監査人設置会社においては、計算書類および附属明細書ならびに連結計算書類について、監査役会等および会計監査人の監査を受けなければならないとされている（法436条2項、444条4項）。

会計監査人の行う会計監査と監査役会等の行う会計監査は、以下のように役割分担がなされ、重層的な監査となっている。

会計監査人は、会計の専門家としての立場から、①企業の作成した計算関係書類が、関係法令および「一般に公正妥当と認められる企業会計の慣行」（法431条）に従って作成されており、②会社の財産・損益の状況を適正に表示しているかについて監査を行い、会計監査報告を作成して意見（無限定適正意見・限定付適正意見・不適正意見）を表明する（計126条1項）。なお、会社（経営者）の計算関係書類の作成責任と監査人の意見表明責任は区別されている（二重責任の原則）。

そして、監査役会等は、会計の専門家である会計監査人の会計監査の相当性を確認するという方法で監査を実施する。具体的には、会計監査人の会計監査報告を受領し、①会計監査人の監査の方法が、職業的専門家としての善管注意義務を尽くして適正に行われているか、②会計監査人の監査結果が、監査役等自らの監査をふまえて相当といえるかについて監査を行い、監査報告を作成する（計127条2号、128条2項2号、128条の2第1項2号、129条1項2号）。

監査役会等の会計監査は、会計監査人の会計監査の相当性を判断することを通して、計算関係書類が会社の財産・損益の状況を適正に表示しているということを確保するという会計監査の最終責任を負っている。

そのため、監査役等には、会計監査人の監査の方法および結果が相当であるかどうかを検証することができる知見・経験が求められる。特に、監査役会等のメンバーの中に財務および会計の知見を備えている者が含まれていることは重要である。会社法では、監査役等が「財務及び会計に関する相当程度の知見を有しているものであるときは、その事実」（施121条9号）を事業報告に記載することが求められており、CGコードにおいても「監査役には、適切な経験・能力及び必要な財務・会計・法務に関する知識を有する者が選任されるべきであり、特に、財務・会計に関する十分な知見を有している者が1名以上選任されるべきである」と要請されている（原則4-11）。株主に代わって会計監査人の会計監査の適正性を判断し、会計監査の最終責任を負うという監査役等の会計監査の重要性に鑑みて、監査役等には財務・会計に関する知見を備えていることが要請されているものといえよう。

(b)　財務報告の監査

上場企業においては、会社法上の計算関係書類の作成だけでなく、金商法に基づく有価証券報告書・四半期報告書、金融商品取引所の上場規則に基づく決算短信・四半期決算短信など、株主・一般投資家等のステークホルダーの保護および投資判断に資することを目的とする財務報告が義務づけられている（なお、四半期報告書の廃止などを内容とする「金融商品取引法等の一部を改正する法律案」が2023年3月14日に閣議決定され、通常国会に提出されたが、成立が先送りとなり、同年秋の臨時国会で成立する予定とされている。この法案が成立した場合には、四半期報告書は廃止され、四半期決算短信に一本化されるほか、上場会社には半期報告書の提出を義務づけられる）。

有価証券報告書の記載事項のうち、連結財務諸表および財務諸表には独立監査人の監査報告書が添付されている。ここでいう独立監査人と会社法に基づく会計監査人は、同じ監査法人が務めており、会社法に基づく監査と金商法に基づく監査を同時並行的に行っていることがほとんどである。

しかしながら、金商法に基づく監査においては、監査役会等の監査を求める規定はなく、上場規則に基づく決算短信等については、独立監査人または監査役会等のいずれの監査も求められていない。

このように、金商法あるいは上場規則に基づく財務報告については、監査役会等の監査を義務づけられる規定はない。しかし、有価証券報告書等は、企業グループの事業内容および財務内容を正確、公平かつ適時に開示するため、金商法によって提出が義務づけられている法定書類であり、決算短信等は、会社がもっとも早期に開示する財務情報である。いずれも株主・投資家等のステークホルダーに与える影響が大きく、これらの作戦は取締役の重要な職務執行である。したがって、これらの財務報告が正確に作成されているかどうかについても、取締役の重要な職務執行として、監査役会等の監査の対象となる。

もっとも、これらの財務報告の内容（財務諸表等）は会社法における計算関係書類の内容とほぼ同一であるため、その内容が会社の財産および損益の状況を適正に示すものであるかを監査するという観点においては、両者の間に実質的な区別は不要である。

監査役会等としては、財務諸表等の内容について適切に監査を行うとともに、企業グループの事業内容および財務内容を適時的確に開示し、株主・一般投資家等のステークホルダーの保護および投資判断に資するという財務報告の目的に照らして、有価証券報告書等において投資家の投資判断に影響を与えるような虚偽の記載がないか、あるいは投資判断への影響度に鑑みて必要な記載が欠けてはいないかを確認することも重要である。

(ii)　会計監査のポイント

監査役会等は、監査報告において「会計監査人の監査の方法および結果」が相当であるかどうかについての意見を述べることが求められている。そのためには、期中監査の段階から、(a)会計監査人の監査の方法が相当であるかどうか、(b)会計監査人の監査結果が相当であるかどうかについて、随時確認しておくことが必要となる。

さらに、監査役会等による会計監査は、会計監査人による監査の方法および結果が相当かどうかを検証して行うことが認められている以上、会計監査人が当会社の会計監査を適切に行うことができる独立性・専門性を備えていることが前提条件となる。そのため、監査役会等には、(c)会計監査人の職務の遂行が適正に行われることを確保するための体制（独立性・専門性）を備えているかどうかについて確認することも求められる。

(a)　監査の方法の相当性

会計監査人の監査の方法が相当であることを確認するには、会計監査人からその職務の遂行に関する事項の通知（計131条）を受けるほか、会計監査人との定例報告会における報告および意見交換、会計監査人の評価・再任に関連して行う独立性・職務執行体制・品質管理体制等についての定例面談・意見交換、会計監査人の往査に関する報告など、年間を通じて会計監査人から職務の執行状況についての報告を受け、意見交換を行うことが肝要である。

会計監査人の監査の方法が相当であるかどうかについては、次のような視点から検証することが有益である。

(1)　期初に確認した監査計画と期末に報告を受けた監査実施状況に差異がないか
　①　差異がある場合、その理由を確認したか
　②　その理由につき指摘すべき事項はないか

(2)　重点監査項目の監査、その他の重要な監査手続きの実施状況はどうか
(3)　会計方針、会計処理および表示、経営者の見積もりについての監査人の意見を確認したか
　①　監査人が監査上特別な検討を要すると判断した事項はなかったか
　②　当該事項についての執行部門の意見・対応状況を確認したか
　③　監査人と執行部門の双方の意見を確認した上で指摘すべき事項はないか
(4)　継続企業の前提、後発事象、内部統制の評価等についての監査人の意見を確認したか
　①　監査人が監査上特別な検討を要すると判断した事項はなかったか
　②　当該事項についての執行部門の意見・対応状況を確認したか
　③　監査人と執行部門の双方の意見を確認して指摘すべき事項はないか

(b)　監査の結果の相当性

会計監査人の監査結果が相当であることを確認するには、監査役会等が自ら行ってきた監査の結果と会計監査人の監査結果とを照らし合わせて、齟齬や違和感がないかを確認することが必要となる。

会社法で求められている計算関係書類の監査は、当該事業年度における業績が計算関係書類として正しく記載されているかどうかを確認するものであり、会計監査人の「監査」の結果は期末に報告される。また、金商法上の有価証券報告書に記載される財務諸表・連結財務諸表についても、1年間の業績が記載されたものであり、その「監査」の結果は期末に報告される。

「監査」においては、計算関係書類または財務諸表等が全ての重要な点において会社の資産・損益の状況を適正に表示しているかについて監査人が積極的に意見を表明することが求められており、監査役会では、会計監査人との意見交換を通じて、財務諸表・連結財務諸表に関する論点の帰結を確認することが大切である。

そのほか、会計監査人からの報告・意見交換の機会に先立って、経理・会計部門等の財務諸表等作成の担当部署から、会計監査人から指摘を受けた事項や会計監査人との間で見解の相違が発生した論点などをあらかじめ

聴取しておき、会計監査人の意見と照らし合わせて会社の財務諸表等の作成状況を確認することも重要である。新たな基準が導入される際など、会計処理上の問題の発生が予測されるような場合には、事前に社内の財務諸表等作成担当部署および会計監査人の双方から意見を聴取しておくといった工夫があると望ましい。

会計監査人と経理・会計部門等の間で会計基準の解釈の対立がある場合、詳細な論点解釈について監査役会等で逐一確認する必要はないが、同一の論点（会計監査人と会社側の見解の相違）が繰り返されるような場合、または同一もしくは類似の論点が多数または多額に及ぶような場合には、その背後に何か共通する原因があるのではないかという健全な懐疑心をもって双方の見解を聴取して確認すべきであろう。たとえば、収益の計上のタイミングについての誤りが多数発生していたような場合、単なる計上ミスなのか、それとも当該期間の収益目標の達成可否に部門の存続がかかっているといった事情があり、短期的収益増のプレッシャーから会計処理の原則を多少歪めても今期中に計上したいといった理由によるものなのか、といったところを見極める必要がある。そして、後者のように統制環境の問題が疑われるような場合には、財務諸表等作成担当部署のみならず経営陣ともよく意見交換を行うなど、積極的な監査活動を行うことが望ましい。

会計監査人の監査の結果が相当であるかどうかについては、次のような視点から検証することが有益である。

(1)　計算関係書類について、執行部門および会計監査人から十分な説明を受けたか
- ①　監査人と執行部門の間で意見の調整が行われた事項はないか
- ②　当該事項についての執行部門の対応状況を確認したか
- ③　監査人と執行部門の双方の意見を確認して指摘すべき事項はないか

(2)　計算関係書類について、監査役等の自らの監査に照らして適切に表示されていない懸念があるものはないか
- ①　懸念点についての監査人の意見を確認したか
- ②　当該事項についての執行部門の対応状況を確認したか

③　監査人と執行部門の双方の意見を確認して指摘すべき事項はないか

(c)　会計監査人の職務遂行の適正確保のための体制（独立性・専門性）

監査役会等の監査報告の記載事項の中には、「会計監査人の職務の遂行が適正に実施されることを確保するための体制に関する事項」という項目が掲げられている（計127条4号、128条2項2号、128条の2第1項2号、129条1項2号）。

日本監査役協会から公表されている監査役会監査報告ひな型には、特にこの点について独立の項目を立てていないが、「1. 監査役及び監査役会の監査の方法及びその内容」として、「会計監査人が独立の立場を保持し、かつ、適正な監査を実施しているかを監視及び検証するとともに、会計監査人からその職務の執行状況について報告を受け、必要に応じて説明を求めました」と記載しており、それをふまえて、「監査の結果」として、計算書類等および連結計算書類における「会計監査人の監査の方法及び結果は相当である」と記載している。仮に会計監査人の職務遂行の適正確保体制について特に指摘しておくべき事項を認めたときには、この「監査の結果」として具体的に記載しておくべきとされている。

ここでいう「会計監査人の職務の遂行が適正に実施されることを確保するための体制に関する事項」とは、端的にいえば、適正な会計監査を行うだけの専門性と独立性が担保されているかどうかということである。

監査役会等の会計監査は、会計監査人による監査の方法および結果の相当性を検証するという方法で行われる以上、前提となっている会計監査人の監査の品質・水準が一定レベル以上に維持されていなければ、会計監査全体の適切性に疑義が生じてしまう。そのため、監査役会等は、会計監査人が一定の監査品質・水準を維持しているかどうか、そのための管理体制を備えているかどうかを確認する必要がある。

会計監査人が備えるべき水準については、企業会計審議会の公表している「監査に関する品質管理基準」（2021年11月16日）、日本公認会計士協会が公表している「監査事務所における品質管理」（品質管理基準委員会報告書第1号）、「監査業務に係る審査」（品質管理基準委員会報告書第2号）および「監査業務における品質管理」（監査基準委員会報告書220）などの実務指針のほか、倫理規則（2022年７月25日）が参考となる。2022年７月に改正された倫理規則では、報酬関連情報のコミュニケーション範囲の拡大等が求められるほか、会計監査人が提供する非保証業務について、監査役等による事前了解を得なければならないこととされた。

監査役会等は、会計監査人との定例面談・意見交換などを通じて、上記基準および指針に沿った品質管理体制の有無や独立性について確認しなければならない。

⑶　内部統制システムの監査

(i)　コーポレート・ガバナンスと内部統制システム

「コーポレート・ガバナンス（企業統治）」という言葉はさまざまな意味で使われているが、広義では、社会の公器たる企業の運営・管理のあり方をいうものと理解されている。企業不祥事の防止・企業のコンプライアンス意識の向上（適法性ガバナンス）および企業の生産性・収益性の持続的向上（効率性ガバナンス）という目的のために、経営陣の業務執行が適正に行われるように監督する枠組みである。一般的には、監査役会等が前者の適法性ガバナンスを担い、取締役会および社外取締役を中心とする諮問委員会が後者の効率性ガバナンスを担うものとして整理されている。

適法性ガバナンスと効率性ガバナンスというコーポレート・ガバナンスの目的に照らし、取締役・従業員の業務執行が適正に行われるように構築され、業務執行の適法性・効率性をきちんと監督できるように整備された仕組みが、内部統制システム（[図表Ⅱ-4-⑶-(i)]）である。

[図表Ⅱ-4-⑶-(i)　監査役会等から見た内部統制システム]

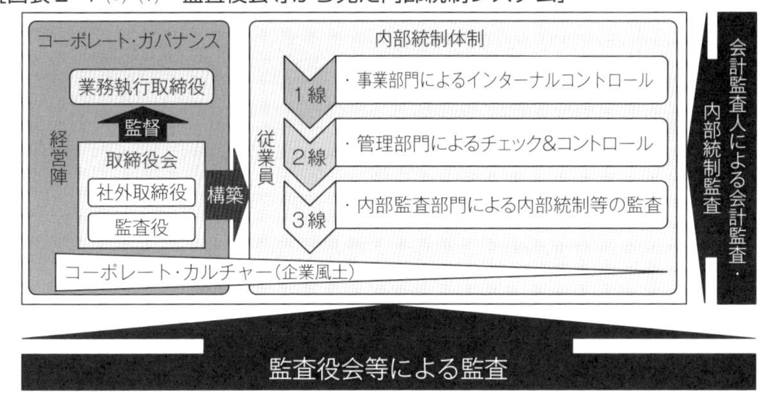

内部統制システムは、コーポレート・ガバナンスの目的に基づくシステムであるとともに、コーポレート・ガバナンスを支えるシステムでもあることから、取締役会において決定するものとされており、その決定を取締役に委任することはできない（法362項4項6号・5項、399条の13第1項1号ロおよびハ・2項、416条1項1号ロおよびホ・2項）。

また、内部統制システムを構築するだけでは不十分であり、当該システムによる業務執行の適法性・効率性の監督が機能しているか（内部統制システムの運用状況）についても、取締役会でしっかりと継続的にモニタリングを行い、改善が必要と思われた場合には内部統制システムの見直しを行うことが必要である。内部統制システムについては、取締役会での決定内容について事業報告に記載することとされていたが、平成26年会社法改正により運用状況についても事業報告への記載が義務づけられるようになり（施118条2号）、その「構築」にとどまらず「運用」における実効性向上へと焦点が移っているといえよう。

(ii)　2つの内部統制システム

監査役等が留意すべき内部統制システムとしては、上記の取締役の職務の執行にかかる内部統制（会社法上の内部統制）と財務報告にかかる内部統制（金商法上の内部統制）がある。

⒜　会社法上の内部統制

会社法上、内部統制システムについては「取締役（・執行役）の職務の執行が法令及び定款に適合することを確保するための体制その他株式会社の業務並びに当該株式会社及びその子会社から成る企業集団の業務の適正を確保するために必要なものとして法務省令で定める体制」（法362条4項6号、399条の13第1項1号ロおよびハ、416条1項1号ロおよびホ）と定められており、その詳細は［図表Ⅱ-4-⑶-(ii)-⒜］記載のとおりである（施100条1項・3項、110条の4）。

［図表Ⅱ-4-⑶-(ii)-⒜　業務の適正を確保するための体制］

⑴　取締役の職務の執行に係る情報の保存および管理に関する体制
⑵　損失の危険の管理に関する規程その他の体制
⑶　取締役の職務の執行が効率的に行われることを確保するための体制
⑷　使用人の職務の執行が法令および定款に適合することを確保するための体制
⑸　当該会社およびその企業グループにおける業務の適正を確保するための体制
①　子会社の取締役、執行役、業務執行社員等の職務の執行に係る事項の当該会社への報告に関する体制
②　子会社の損失の危険の管理に関する規程その他の体制
③　子会社の取締役等の職務の執行が効率的に行われることを確保するための体制
④　子会社の取締役等および使用人の職務の執行が法令および定款に適合することを確保するための体制
⑹　監査役等がその職務を補助すべき使用人（監査スタッフ）を置くことを求めた場合における当該スタッフに関する事項
⑺　監査スタッフの当該会社の取締役からの独立性に関する事項
⑻　監査役等の監査役等スタッフに対する指示の実効性の確保に関する事項
⑼　会社の監査役等への報告に関する体制
①　取締役および使用人が当該会社の監査役に報告をするための体制
②　子会社の取締役・監査役・業務執行社員等および使用人またはこれらの者から報告を受けた者が監査役に報告をするための体制
⑽　監査役等に報告をした者が当該報告をしたことを理由として不利な取扱いを受けないことを確保するための体制
⑾　監査役等の職務の執行について生じる費用の前払または償還の手続その他の費用または債務の処理に係る方針に関する事項
⑿　その他監査役等の監査が実効的に行われることを確保するための体制

上記の(1)〜(5)は企業グループ経営に関するものだが、(6)〜(12)は監査役会等の監査環境の充実に関するものである。会社法は、内部統制システムの重要な一部として監査役会等の監査環境を整えることで、監査の実効性が向上することを期待しているものと考えられる。

(b)　金商法上の内部統制

金商法上の内部統制システムについては「当該会社の属する企業集団及び当該会社に係る財務計算に関する書類その他の情報の適正性を確保するために必要なものとして内閣府令で定める体制」(金商24条の4の4第1項)、「当該会社における財務報告が法令等に従って適正に作成されるための体制」(内部統制府令3条) と定められている。これは、エンロン事件などの会計不祥事を受けて、米国において財務報告に対する市場の信頼を取り戻すために企業の経営者に厳しい罰則とともに財務報告の信頼性についての保証を求めるサーベンス・オックスレー法 (SOX法) が制定されたのと同様の規定であることから、日本版SOX法 (J-SOX法) と呼ばれている。もっとも、J-SOX法という名称の法令があるわけではなく、あくまでも金商法の一部の規定を指す俗称である。

金商法上、代表取締役 (CEO) および財務担当取締役 (CFO) は、財務報告に係る内部統制の基本的枠組み、内部統制の評価手続および評価結果等を内容とする「内部統制報告書」を作成し、監査人 (原則として会計監査人と同一) の監査を受けた上で、有価証券報告書と合わせて提出および開示することが義務づけられている (金商24条の4の4第1項、193条の2第2項)。

監査役会等は、金商法に基づく財務報告に係る内部統制の監査等を義務づけられているものではない。しかし、内部統制報告書の作成も取締役の重要な職務であるため、「取締役の職務の執行に対する監査の一環として、独立した立場から、内部統制の整備及び運用状況を監視、検証する役割と責任を有している」とされている (金商実施基準Ⅰ.4.(3))。取締役の職務の執行に対する監査、すなわち業務監査の一環としての監視・検証であるが、金商法における財務諸表は会社法における計算関係書類とほぼ同一内容であるため、財務諸表を適正に作成するための内部統制と計算関係書類を適正に作成するための内部統制は共通するものであって、両者の間に実質的な区別は不要である。

(iii) 内部統制監査のポイント

(a) 内部統制システムに係る取締役会決議の内容の相当性監査

会社法上、「取締役（・執行役）の職務の執行が法令及び定款に適合することを確保するための体制その他株式会社の業務並びに当該株式会社及びその子会社から成る企業集団の業務の適正を確保するために必要なものとして法務省令で定める体制」（法362条4項6号）については、取締役会で決議しなければならないと定められている（法362条5項、399条の13第2項、416条2項）。

そして、かかる決議がある場合において、その決議内容が相当でないと認めるときは、理由とともにその旨を監査報告に記載することとされている（施118条2号、129条1項5号、130条2項2号、130条の2第1項2号、131条1項2号）。

したがって、監査役会等の内部統制監査は、まずは内部統制システムに係る取締役会の決議の内容が相当であるかどうかという点からスタートすることとなる。

業務執行の適正性を確保するための体制は、会社の事業内容等によってさまざまに異なりうる。前述の［図表Ⅱ-4-(3)-(ii)-(a)］記載のとおり、法令からは、情報管理体制・損失危険管理体制・効率性確保体制・適法性確保体制（法令遵守体制）・企業グループ内部統制体制・監査役監査実効性確保体制といったそれぞれの分野について体制整備が求められているが（施100条1項・3項）、その具体的な内容までは定められていない。

かかる広範な体制の構築に際して重要となるのは、その会社に最も相応しい形で効率性と適法性のバランスをとるべく、その事業の種類・性質・内容をよく検討して優先事項を定めることである。適法性に過剰な重点を置いて体制を構築すると、コストが嵩むだけでなく、企業の成長の重しとなる危険性もあるが、一方で、効率性を過度に追求して適法性を軽視した体制を構築すると、その歪みにより持続的な成長が不可能となる。それぞれの会社に適したバランスを見つけるためには、その会社の事業に関するリスクの実態を的確に把握することが肝要である。その上で、リスクが顕在化した場合のインパクトの大きさと、当該リスク顕在化の蓋然性とを併せて考量するリスクアプローチの手法により、優先事項を定めていくのが一般的であろう。リスク状況の実態把握とその評価は、体制を構築した後の濃淡管理やPDCAサイクルによる検証にもつながる重要な前提となる。

したがって、監査役会等の監査に際しては、内部統制体制構築の基本となる事業リスクについての取締役による実態把握が的確か、リスクアプローチに際しての各リスクのインパクトや蓋然性の評価が適切かといった点がポイントとなる。なお、内部統制システムに係る取締役会の決議については、経営上の意思決定であるから、「経営判断の原則」が適用されるべき場面であることも勘案して、相当性を検証することとなろう。

(b)　内部統制システムの運用状況の相当性監査

内部統制システムに係る取締役会の決議がある場合において、その運用状況が相当でないと認めるときは、理由とともにその旨を監査報告に記載することとされている（施118条2号、129条1項5号、130条2項2号、130条の2第1項2号、131条1項2号）。

取締役会において決議された内部統制システムの内容は、決議された当時において相当であったとしても、会社の事業を取り巻く環境は刻々と変化しており、事業に関するリスク状況も変わっていく。また、企業不祥事等が発生する都度、かかる不祥事が再び発生することのないようにとの反省から、企業に求められるリスク管理体制の水準も時代とともに変化していく。したがって、取締役会において決議された内部統制システムの内容については、毎年定期的に内部統制システムの運用状況の報告を受けて、見直しが必要ではないか、さらに改善すべき点はないかといった観点から検証を重ねる必要がある。

内部統制システムの運用状況が相当かどうかを監査するためには、内部統制システムに係る取締役会決議の内容の相当性の監査と同様に、事業リスクについての実態把握、各リスクの評価の相当性を検証することが必要であり、それに加えて事業に伴うリスク状況の経年変化を確認する必要がある。

そのためには、取締役会における内部統制システムの運用状況の報告のみならず、各リスクについて概況および変化を把握できるように努めなければならない。具体的には、監査役等と取締役との面談において事業を取り巻くリスクについての認識を確認し、コンプライアンス体制運用状況・内部監査結果報告・J-SOX評価報告等の内部統制体制の運用の状況について取締役または内部監査部門等から直接報告を受けるほか、会計監査人による内部統制監査の状況および監査結果の報告・意見交換、内部統制に関する重要会議への出席・経営陣との意見交換等、不断の情報収集が必要となろう。

どのように優れた体制であっても、時間の経過とともに必ず形骸化のリスクが発生する。情報収集の際には、形式的な報告を受けるに留まらず、報告を上げる営業部門の現場で内部統制システムの意義が理解されているか、報告が形骸化していないか、健全な懐疑心をもって確認することが大切である。

また、内部統制上の問題が発生した場合には、当該部署において問題を解決するだけでなく、その問題の原因が他の事業とも共通するものではないか、他の事業・部門・体制にも影響を及ぼすようなことがないか、といった点も検討し、再発防止策も組み込んだ形で新たに全社的な内部統制システムの整備について決議する必要がないかという観点で、現状の内部統制システムをしっかりと見直すことが必要となる。

たとえば、与信管理が規程どおりになされていないという損失危険管理体制の運用上の問題が発覚した場合、その問題の真の原因を追究し、それが経営陣からの営業成績に対する過度のプレッシャーといった統制環境にあると判明したならば、そのような不備ある統制環境が及んでいる他の事業分野においても、同様の不祥事リスクが発生している可能性がある。1つの事案における原因分析にとどまらず、全社的な内部統制・コンプライアンス体制にも問題が発生しているのではないかと懸念をもって、内部統制システムの見直し・再整備に向けて監査役等自らが積極的かつ能動的に情報収集にあたるべきであろう。

昨今の企業不祥事では、内部統制に関する個別の問題事案の背後に統制環境の問題があったとされる例が散見される。個別部門における統制環境のみならず、全社に影響を及ぼす経営トップの認識に問題があるために全社の統制環境が劣化しているような場合（マネジメント・オーバーライド）には、その兆候を認識した時点で、監査役会等としては、ガバナンス上の重要なリスクと認識して調査にあたらなくてはいけない。

監査役等には、調査・報告を求める強大な権限が与えられているが（法381条2項・3項、399条の3第1項・2項、405条1項・2項）、権限と表裏の関係にある責任の観点からみると、これらの権限を行使すべき場合に適切に行使しなかったときには善管注意義務違反の責任を問われかねない（法429条）。企業不祥事等による社会全体の反省・再発防止の機運によって求められる水準が高度化していくのは、内部統制体制の整備状況だけではなく、監査役会等の監査についても同様であることに留意されたい。

(c)　連結内部統制システムの監査

会社法上、内部統制システムとは「株式会社の業務並びに当該株式会社及びその子会社から成る企業集団の業務の適正を確保するために必要なもの」（法362条4項6号）と定められており、会社単体のみならず企業集団における内部統制システムの整備が必要とされている。

連結内部統制システムを監査するに際しては、会社単体の内部統制体制の監査におけるポイントに加えて、親会社とは別法人である子会社の独立性の尊重、親会社との事業内容・規模等の違いに配慮した費用対効果の考慮なども必要となり、高度な経営上の判断を要することに十分留意する必要がある。企業グループの中には大小さまざまな規模の会社があり、効率性・適法性の適切なバランスのとれた体制が構築・維持されているかといった、いわば「メタ内部統制体制」の確認を行うことも必要と思われる。

内部統制システムは単体のものであっても広範なものとなりがちであるが、連結内部統制システムはさらに広範かつ複雑なものとなり、その全てを監査役等が直接監査することが現実的ではない場合も多い。そのような場合には、組織的監査を効率的に実施している内部監査部門と緊密な連携をとって監査にあたることが肝要となる。

⒟　財務報告に係る内部統制システムの監査

財務報告に係る内部統制とは、会社およびその企業グループの財務諸表等が、法令および一般に公正妥当と認められる企業会計の慣行に従って適正に作成されるための体制をいう。

J-SOX 法導入時に、米国の COSO（The Committee of Sponsoring Organizations of the Treadway Commission・トレッドウェイ委員会支援組織委員会）が公表している内部統制モデルに従って、財務報告に係る内部統制を構築した会社も多いものと思われる。

COSO の内部統制フレームワーク（2013 年）では、内部統制とは、事業体の取締役会、経営者およびその他の構成員によって実行され、業務、報告およびコンプライアンスに関連する目的の達成に関して合理的な保証を提供するために整備された１つのプロセスであると定義され、①業務、②報告、③コンプライアンスという３つのカテゴリーの目的を達成するため、①統制環境、②リスク評価、③統制活動、④情報と伝達、⑤モニタリング活動という５つの要素から構成される。

また、日本版 COSO フレームワークでは、上記のほかに目的として「資産の保全」、構成要素として「IT（情報提供）への対応」が加えられ、４つの目的と６つの要素から構成されるとされている。このようなフレームワークは、企業会計審議会内部統制部会が公表している「財務報告に係る内部統制の評価及び監査の基準」（令和６年４月１日以後開始する事業年度における財務報告に係る内部統制の評価および監査から適用予定）でも採用されており、内部統制とは、基本的に、①業務の有効性および効率性、②財務報告の信頼性、③事業活動に関わる法令等の遵守、④資産の保全の４つの目的が達成されているとの合理的な保証を得るために、業務に組み込まれ、組織内の全ての者によって遂行されるプロセスをいい、①統制環境、②リスクの評価と対応、③統制活動、④情報と伝達、⑤モニタリング（監視活動）、⑥ IT（情報技術）への対応の６つの基本的要素から構成されるとされている。

この COSO の内部統制モデルは実務的に良く機能しており、全社的な財務報告に係る内部統制の評価および業務プロセスに係る内部統制の評価においても、「42 項目評価」（評価項目の例として示されている 42 項目を参考にして実施する全社的内部統制の評価)、「3点セット」(業務フロー図、業務記述書およびリスク・コントロール・マトリックスの3点の書面など図・表を活用して整理する業務プロセス評価の方法)または「ウォークスルー」(一定の手順に従って実際に使用する証憑等を示しながら確認する業務プロセス整備状況評価の方法)など、実務上の手法が確立されている。

監査役会等の監査に際しては、このような実務上の評価方法を逐一確認する必要はさほどなく、むしろ、これらの評価方法が形骸化していないか、当会社においては6つの基本的要素のうちどれにさらに重点を置くべきか、といった観点から内部統制体制の見直しの要否を検討することが望ましい。

また、COSOの内部統制モデルが実務的に良く機能しているあまり、実務上のテクニカルな確認プロセスと認識されてしまい、本来は経営トップも含め組織内の全ての者が遂行すべきプロセスであるにも関わらず、経営トップにその認識が薄弱である懸念がある。監査役等と代表取締役または財務担当取締役との面談の際に金商法上の内部統制報告書の内容およびその意義についての認識を確認するなど、6つの基本的要素のうち、監査役等に最も関わりの深い「統制環境」を意識したチェックを心掛けるのも一案であろう。

5　監査役会等の年間スケジュール

(1)　年間スケジュール

監査役会等では、定時株主総会で監査役等が選任された後、監査役会等の体制(各監査役等の役割分担など)を取り決め、監査計画・重点監査項目等を定めた上、その計画に沿って監査に取り掛かることとなる(期中監査)。事業年度が終了すると、事業報告等および計算関係書類の監査を経て監査報告書を作成し(期末監査)、次回の定時株主総会に出席して監査報告を行う。

監査役等の任期は株主総会を区切りとしているため、監査役会等の運営についても、事業年度基準ではなく、株主総会基準でスケジュールを整理する方がわかりやすい。

以下では、[図表Ⅱ-5-⑴] において株主総会直後から始まる1年間（3月決算の会社を想定し、6月下旬～翌年6月）の監査役会等のスケジュールの概要を示し、その流れに従って、監査役会等の行うべき監査業務について説明する。なお、監査役会等の年間スケジュールについては、巻末に掲載した「年間監査等実施計画表」も参照されたい。

[図表Ⅱ-5-⑴　監査活動年間スケジュール]

	会社	監査役会等
6月下旬	定時株主総会 有価証券報告書提出 内部統制報告書提出	▷監査役会等の開催（株主総会直後） ・　監査役会等議長・招集権者の選定 ・　常勤監査役等の選定 ・　特定監査役等の選定 ・　監査方針・監査計画の決定 ・　報酬協議書作成　等
7月～翌3月	取締役会の開催（定例） 会計監査人の報酬案作成（7月頃） 四半期報告書等提出（8月･11月･翌2月）	▷監査役会等の開催（定例） ・　常勤監査役等からの報告（期中監査の遂行状況・コンプライアンス事案等） ・　取締役会付議・報告案件についての審議 ・　三様監査連絡会（監査役会等・内部監査部門・会計監査人）　等 ▷監査役会等の開催（期中） ・　会計監査人の報酬同意（8月頃） ・　監査役選任議案への同意（1～3月頃） ・　会計監査人の評価（1～3月頃）　等 ▷会計監査人との連携 ・　会計監査人との定例会 ・　四半期レビュー報告書概要説明 非保証業務に関する報告・了解 ・　監査品質に関する報告 ・　会計監査人の職務の遂行に関する事項の報告（計131条） (独立性･法令遵守に関する事項、監査業務等の契約の受任・継続の方針に関する事項、会計監査人の職務の遂行が適正に

		行われることを確保するための体制に関する事項） ・　往査同行　等 ▷内部監査部門との連携 ・　内部監査部門との定例会 ・　内部監査部門の監査報告書の検討 ・　内部監査部門による営業部門へのフィードバック状況のモニタリング ・　営業部門からのフォローアップ報告　等 ▷期中監査（日常監査） ・　取締役等との定例会（意見交換・情報収集） ・　重要会議出席 ・　重要書類閲覧 ・　本社・事業所・子会社等の往訪・調査 ・　法令遵守状況・内部統制システム構築運用状況の調査 ・　グループ監査役等との連絡会（意見交換・情報収集） ・　常勤監査役等連絡会（常勤監査役等間での各所掌事項の報告・意見交換）　等
4月～5月	計算関係書類・事業報告等提出 決算承認取締役会 株主総会招集通知発送	▷期末監査 ・　計算関係書類・事業報告・会計監査報告の受領および検討 ・　株主総会招集通知・提出議案等の検討 ・　開示書類の検討（有価証券報告書等） ▷監査役会等の開催（期末） ・　会計監査人の再任決議（5月頃） ・　監査報告作成・監査役会等監査報告の提出（5月頃）
6月	株主総会事前準備 定時株主総会	▷株主総会事前準備 ・　提出議案再確認 ・　想定問答準備　等 ▷株主総会 ・　株主宛監査報告

⑵　株主総会直後における新体制の決議

定時株主総会により取締役・監査役が選任された後、取締役会・監査役会等が開催され、議長等の選定や所掌事項分担の決定等の新体制の整備が行われる。

新体制整備のために総会直後の監査役会等で審議されるべき事項は、[図表Ⅱ-5-⑵] 記載のとおりである。

[図表 Ⅱ-5-⑵　株主総会直後の監査役会等での審議事項]

	監査役会	監査等委員会	監査委員会
1）　議長・招集権者の選定	法391条	法399条の8	法410条
2）　常勤監査役等の選定	法390条2項2号・3項	（任意）	（任意）
3）　監査役等の報酬等の協議	法387条2項	法361条3項	なし
4）　特定監査役等の選定	施132条5項2号、計130条5項2号	施132条5項3号、計130条5項3号	施132条5項4号、計130条5項4号
5）　監査方針・業務財産状況の調査方法等の決定	法390条2項3号	（法399条の3第4項）	（法405条4項）
6）　調査権限を有する監査委員・監査等委員の選定	なし	法399条の3第1項・2項	法405条1項・2項

(i)　議長・招集権者の選定

会社法上、株主総会の議長の権限についての規定（法315条）や、取締役会の招集権者を定款または取締役会の決議によりあらかじめ定めておくことを予定する規定（法366条1項）はあるが、監査役会等の議長・招集権者についてはそのような定めはない。しかし、実務上は監査役会等のスムースな進行および事務手続の必要性から、監査役会等の議長および招集権者をあらかじめ定めておくことが一般的である。

監査役会等の議長が招集権者として定められていることが多いが（監査役監査基準8条2項、監規5条1項）、事務手続の効率性の観点からは、議長である監査役等に差障りがある場合の招集権者も定めておくとよい。もっとも、会社法上は各監査役等に招集権が認められており、監査役会等において招集者を定めても、招集権の行使をその者に限定することは認められないため、これらの定めは便宜的なものである。

新体制下での最初の監査役会等においては、監査役会等の円滑な運営のためにまず議長を選定する必要があるが、その前に監査役会等の開催宣言や議長選定の議題の提示等がある。これらについては、監査役等全員の同意によって、暫定的に議長役を務める監査役を選定し、その者に監査役会等の運営・進行を委嘱することとなる。

(ii)　常勤監査役の選定

監査役会設置会社においては、監査役の中から常勤の監査役を選定することが会社法上求められている（法390条3項）。一方、監査等委員会設置会社および指名委員会等設置会社においては、常勤の監査等委員・監査委員の選定は義務づけられていない。これは、監査等委員会設置会社および指名委員会等設置会社では、監査等委員会・監査委員会が監査業務の主体となる組織監査が前提とされているためである。もっとも、任意で常勤の監査等委員・監査委員を選定することは妨げられない。

常勤監査役の権限や責任等についての会社法上の定めはなく、会社法上の役割・権限・義務・責任等については常勤・非常勤の別はない。ただし、常勤監査役は、常勤者としての特性をふまえ、監査の環境の整備および社内の情報の収集に積極的に努め、内部統制システムの構築・運用の状況を日常的に監視・検証するとともに、これらの職務の遂行上知り得た情報を、他の監査役に共有することが期待される（監査役監査基準4条2項・3項）。

常勤監査役の「常勤」性については、会社法上の定義がなく解釈に委ねられている。会社の営業時間中原則としてその会社の監査役の職務に専念しているかどうかによって決まるとするのが通説（江頭562頁）であるが、通説は厳格に過ぎるとして、日常継続的に業務監査および会計監査を遂行するに必要と考えられる相当の時間を当てうることをもって足りるとする説もある。

これらの「常勤」性は社内監査役にしか認められないものではなく、社外監査役が常勤監査役を務めることも可能である。日本監査役協会の調査によると、常勤監査役の３割弱は社外監査役である（月刊監査役648号別冊）。

(iii)　監査役・監査等委員の報酬等の協議

監査役・監査等委員の報酬等の額は、取締役の報酬等とは区別して定款または株主総会の決議によって定めるものとされており（法387条１項、361条１項・２項）、多くの会社では株主総会の決議によって報酬等の額を定めている。

ただし、株主総会決議によって定められるのは報酬等の総額の上限であり、その範囲内における個別の監査役・監査等委員の報酬額の決定は監査役・監査等委員の協議によって定めるものとされている（法387条２項、361条３項）。これは、株主総会の決議を要するものとして適正な報酬等を確保し、さらにその分配について取締役会の関与を排除することで、監査役・監査等委員の独立性を保障し、取締役の職務執行に対する監査役・監査等委員の監査の実効性を確保するためのものである。

報酬等の協議に際しては、常勤・非常勤の別、職務分担状況等を勘案の上、監査役・監査等委員間で異なる報酬額を設定することもできる。

個別の監査役・監査等委員の報酬等の決定において必要なのは、監査役・監査等委員の協議であって監査役会・監査等委員会の決議ではない。監査役・監査等委員の全員の同意を得て協議が整わない限り、報酬等の額が決定せず、実際の支払いを行うこともできない。実務においては、株主総会直後の監査役会・監査等委員会の議題に個別報酬等の協議を入れ、監査役・監査等委員の全員の同意を得て報酬等協議書を作成するのが通例である。報酬等の協議に関する議事録を作成する際には、監査役会・監査等委員会の決議（多数決）と区別して、全員の同意を得て協議が整ったことを明らかにして記載する必要がある。

これに対し、指名委員会等設置会社においては、取締役の個別の報酬等の額については、報酬委員会で決定することとされているため（法404条３項）、監査委員たる取締役の報酬等の額についても報酬委員会で決議される。

ⅳ　特定監査役の選定

特定監査役とは、事業報告等の作成に関する職務を行った取締役や会計監査人との間で監査報告の内容の通知のやり取り等を行う監査役等のことを指す（施132条5項、計130条5項）。

定時株主総会で株主に供される資料のうち、計算関係書類については監査役会等および会計監査人の監査、事業報告等については監査役会等の監査を受けなければならない（法436条2項）。株主総会の準備に間に合わせるためには、事業年度が終了した後、担当取締役が計算関係書類および事業報告等を作成し、監査役等はそれらを受領してから監査を行い、監査報告の内容の通知を行うこととなり、非常にタイトなスケジュールとなる。そこで、その厳しい時間的制約の中で計算関係書類および事業報告等の受け渡しや監査報告の内容の通知のやりとりを効率的に行えるように、あらかじめ書類の受け渡し等を担当する監査役等を定めたのが特定監査役である（施132条5項、計130条5項）。あらかじめ担当の監査役等を定めなかった場合、特定監査役とは全ての監査役等を意味する。

ⅴ　監査方針・監査計画・監査役間の業務分担の決定

監査役会設置会社における監査の主体は独任制の機関である個々の監査役である。しかし、グループ企業も含めた内部統制システムの運用についてもモニタリングを求められるなど、監査の対象が拡大している現在、いかに独任制であっても、監査役間で分担しながら効率的に監査を進めることが不可欠となる。

複数の監査役で分担して監査を効率的に進めるためには、期初に監査方針を決定し、監査重点項目や監査計画等を協議し、相互に懸念点や問題意識を共有することが望ましい。そのため、監査役会では、監査の方針、会社の業務および財産の状況の調査の方法その他の監査役の職務の執行に関する事項を決定することとされている（法390条2項3号）。

実務では、株主総会直後の監査役会において、当該年度の監査方針・監査計画を協議し、新体制での監査上の問題意識を共有した上で、監査役間の業務分担について決定することが一般的である。監査役間の業務分担とは、社内出身の常勤監査役と社外監査役の役割分担や、常勤監査役間での所掌範囲の分担などが想定される。

もっとも、監査役間でどのように監査業務を分担しようとも、会社法上、監査役は独任制の機関であって、その責任の範囲を分担範囲に限定することはできない。したがって、監査役相互での情報共有・意見交換はより一層重要となろう。

監査等委員会設置会社および指名委員会等設置会社の場合には、監査の主体は監査等委員会・監査委員会であり、組織的に監査を行うことが想定されている。そのため、監査等委員会・監査委員会における情報共有・意見交換は極めて重要である。

監査等委員会・監査委員会では、調査権を行使する監査等委員・監査委員を選定することになるが（法399条の３第１項・２項、405条１項・２項）、選定された監査等委員・監査委員が報告を受けるべきまたは調査すべき事項についての監査等委員会・監査委員会の決議があるときは、これに従わなければならない（法399条の３第４項、405条４項）。

⑶　監査方針・監査計画

ⅰ　監査方針・監査計画の決定

監査を行うに際しての一般的な枠組みは、会社法ならびに定款および監査役会規則等のガバナンスに関する社内規程や監査役監査基準などに定められている。

新年度における監査活動の基本方針は、これらの法令や社内規程・監査基準に定められる一般的な枠組みに沿って、監査体制の変更・事業上の重点領域の変更・事業展開の推移等の会社の現状に応じて当該年度における重要事項を見定め、監査年度開始後早期に定めることとなる。会社法でも、「監査の方針、監査役会設置会社の業務及び財産の状況の調査の方法その他の監査役の職務の執行に関する事項の決定」は、監査役会の職務とされている（法390条２項３号）。

監査活動の基本方針・監査計画を決定するに当たっては、重点監査項目・重要子会社を検討し、監査役間の職務分担を協議し、監査日程等を検討する必要がある。また、必要に応じて会計監査人および内部監査部門との協議・意見交換を行い、会計監査人および内部監査部門に対して決定された監査計画の内容を説明しておくほか、取締役に対しても監査方針や重点監査項目等のポイントについて説明しておくことが望ましい。取締役会における監査方針等の説明は、報告ではなく、業務執行側に対する注意喚起という位置づけである。

また、監査方針・監査計画については、必要に応じて期中においても見直し・修正を行うことが多いものと思われるが、見直し・修正を行った場合には、改めて取締役会、会計監査人および内部監査部門に対して見直し・修正の理由およびその内容について説明を行うことが望ましい。

(ii) 重点監査項目・重要子会社の検討等

監査方針・監査計画を決定するに際しては、それぞれの会社の現状に応じて重点監査項目を定めることが必要となる。さらに、監査役等に対する期待の高まりを反映して監査すべき対象も年々増加していること、昨今の企業不祥事の多くが子会社・関係会社に関わる問題を含んでいることに鑑みると、グループ全体のガバナンスに着目し、企業グループ全体を対象として重点監査項目を定める場合も多いと考えられる。

監査役会等における協議により監査方針を策定し、当該方針に基づいて会社およびグループ全体の事業の中から重要度が高いと思われる項目を絞り込み、当該年度の重点監査項目を決定していく。監査対象の増加傾向に鑑み、各対象項目についてリスク顕在化の蓋然性と顕在化した場合の定量的および定性的インパクトを勘案し、監査の実効性と効率性の両方を追求するリスクアプローチによって重点監査項目を決定する方法が一般的と思われる。

企業グループ全体を対象として重点監査項目を定めるとなると、子会社・関係会社数が多い場合には何らかの方法で対象を絞り込まなければならない。子会社の規模・業態等を加味したリスクアプローチにより、監査対象とする子会社のうち特に着目して監査を行う重要子会社を定めることも実務的であろう。重要子会社を定める際には、業務執行としての子会社管理上の濃淡管理と平仄を合わせる必要はなく、監査役会等が保有する情報に基づき、監査の必要性という観点から、監査方針に沿って総合的に勘案して決定することとなる。子会社の規模や売上高等が小さくとも、業態等によっては当該規模以上のリスクを包含する可能性があり、監査役会等の監査ではかかる可能性にも配慮することが重要である。

また、重点監査項目・重要子会社の検討とともに、監査役等の間における職務分担も定める必要がある。実務的には、常勤監査役と社外監査役の別、各監査役等の専門性（財務・会計・法務など）に配慮の上、各監査役等の知見を活用するような職務分担を定め適切な連携体制を整えることが、監査の実効性と効率性の向上の観点から望ましい。ただし、監査役の場合にはあくまでも独任制であって各監査役が独自に監査する権限を保有しており、監査役会の決定であっても各監査役の権限の行使を妨げることはできない。なお、監査役等の間の役割分担の例として、巻末に掲載した「監査役業務分担表」も参照されたい。

監査日程・監査費用等については、必ずしも期初に定めることが必須ではないが、重要子会社の検討と併せて、往査のスケジュール・費用見積もり等の概略を期初に定めることは実務的であろう。なお、新型コロナ感染症の影響によりWEB等を通じたリモート監査も活用されるようになっており、実際に現地に赴く往査とリモート監査を組み合わせて監査日程・監査費用等を検討することになる。

(iii)　会計監査人・内部監査部門との意見交換

監査方針・監査計画について会計監査人および内部監査部門との協議・意見交換を行うことは、監査の重複を避けるため、さらには重要な監査対象の抜け漏れがないことを確認する観点からも大切であり、組織的・効率的監査に資するものである。

もっとも、会計監査人は、監査法人自らのポリシーとして堅持すべき監査方針・監査基準を保有することも多い。また、内部監査部門も、社長直轄組織として独自の命を帯びていることも多く、必ずしも監査役会等で定める監査方針・監査計画と会計監査人・内部監査部門の監査方針・監査計画を一致させる必要はない。

しかし、監査対象部署・監査対象会社の負担を増大させないように監査時期を調整したり、監査の実効性向上のために事前に情報交換・情報共有し、あるいは往査等を共同実施するといった対応は、組織的監査の実効性・効率性を上げるものである。

かかる観点から、監査役会等としては、期初に会計監査人・内部監査部門との間で意見交換を行い、それぞれの監査方針・監査計画を相互に把握しておくことが望ましい。

⑷　取締役会への出席

(i)　取締役会への出席義務

監査役は、取締役会に出席し、必要があると認めるときは、意見を述べなければならない（法383条1項）。監査等委員・監査委員たる取締役が、取締役会に出席して決議に参加しなければならないことは当然であるが、監査役も、取締役会における議決権は有していないものの、取締役会に出席することが義務づけられている。

これは、当該会社の重要な業務執行について決定し、取締役の業務執行の状況について定期的な報告を受ける場である取締役会に出席することで、監査役が取締役の職務執行の状況を直接確認するとともに、監査に必要な情報を収集できるようにするための規律である。

そのため、監査役は、漫然と取締役会に出席するのではなく、取締役会に上程される決議事項および報告事項についてよく理解し、必要があれば質問し、反対意見を述べるなどして、違法な業務執行を防止するように努めなければならない。

(ii)　取締役会の決議事項

⒜　重要な業務執行の決定（経営判断）

監査役会設置会社の場合には、重要な業務執行の決定は必ず取締役会で行わなければならない（法362条4項）。そのため、取締役会では、重要な業務執行に関するさまざまな議案が上程され、取締役は各議案について審議した上、実行するかどうかを決議する必要がある。

取締役会における重要な業務執行の決定については、いわゆる「経営判断の原則」が適用される。「経営判断の原則」とは、適切なリスクテイクを必要とする事業経営において、結果責任を問われることを懸念して経営陣が萎縮してしまうことのないように、経営判断を行う取締役に広い裁量を認めるという原則であり、その判断のプロセスおよび内容につき、当該判断時点における当該業界の通常の経営者の有すべき知見に照らして著しく不合理な点がない限り、取締役としての善管注意義務に反するものとは判断されない。これは、裁判例の積み重ねによって築かれた判断基準であり、以下の要件を満たしていれば、原則として善管注意義務違反には該当しないとされている。

①　意思決定の内容が法令・定款に違反していないこと
②　取締役の忠実義務違反がないこと
③　経営判断の前提となる事実認識の過程（情報収集とその分析・検討）における不注意な誤りに起因する不合理な点がないこと
④　事実認識に基づく意思決定の推論過程および内容に著しく不合理な点がないこと

違法性監査を職責とする監査役は、取締役の経営判断に善管注意義務違反がないかどうかを監視する必要がある。具体的には、取締役会に出席して取締役の議論の状況や提出された資料の内容を確認し、必要があれば追加資料の提出や補足説明を求め、仮に万一取締役会の決定が善管注意義務違反に該当する場合には反対意見を述べるなどして、取締役の違法行為を未然に防ぐことが求められる。

そのため、監査役としては、取締役会に出席するに当たり、事前に配布された取締役会資料をよく読み、疑問点等があれば担当部署に質問し、追加資料や補足説明を求めるなどして、議案の内容や問題点・課題を理解しておくように努めるべきである。

重要な業務執行については、取締役会に上程される前に経営会議等でも議論されていることが多く、常勤監査役は社内の重要会議に出席しているから、経営会議等での議論の状況も把握しているはずである。したがって、経営会議等の場で業務執行取締役の間で意見が対立した議案や強い反対意見が出た議案など、取締役会においても判断に悩むであろう議案については、取締役会資料に経営会議等での議論の過程が反映されているかを確認し、判断のプロセスが適正なものとなるように確認をするほか、監査役会の場において、常勤監査役から社外監査役に対して議案の内容・問題点や経営会議で出された反対意見を説明し、情報共有しておくべきである。

また、監査役会における議論の結果、当該議案を決議し実行することが善管注意義務違反に該当する可能性が高いと考えられた場合には、監査役は、当該議案が上程される取締役会に出席して反対意見を述べる必要がある。常勤監査役の立場からは厳しい反対意見を述べにくく、あるいは述べても経営トップが聞き入れない可能性も懸念されるため、そのような場合には社外監査役から厳しい反対意見を述べるといった形で役割分担することも有益である。

(b) 競業取引・利益相反取引の承認

取締役は、競業取引・利益相反取引をしようとするときは、取締役会において当該取引の重要な事実を開示し、その承認を受けなければならない（法356条、365条1項）。また、競業取引・利益相反取引をした取締役は、当該取引後遅滞なく、当該取引についての重要な事実を取締役会に報告しなければならない（法365条2項）。競業取引・利益相反取引については、取締役と会社の間で利害が一致せず、構造的に善管注意義務・忠実義務違反に該当するおそれが高いため、取締役会での承認や事後報告が義務づけられているものである。この点は、指名委員会等設置会社・監査等委員会設置会社においても同様である。

このように、競業取引・利益相反取引は構造的に善管注意義務・忠実義務違反に該当するおそれがあるとされている以上、監査役等としては、競業取引・利益相反取引の承認議案については特に注意を払い、善管注意義務・忠実義務違反がないように監査しなければならない。

また、親会社以外の少数株主が存在する子会社においては、親会社との取引に利益相反関係が内在していることが多く、子会社取締役会において、当該取引をするに当たり子会社の利益を害さないかどうかを検討しなければならない。しかも、「当該取引をするに当たり子会社の利益を害さないように留意した事項」「当該取引が子会社の利益を害さないかどうかについての子会社取締役会の判断及びその理由」「取締役会の判断と社外取締役の判断が異なる場合には、社外取締役の意見」を子会社の事業報告に記載しなければならず（施118条5号）、子会社監査役は事業報告に記載された各事項についての意見を監査報告に記載する必要がある（施129条1項6号）。

そのため、子会社監査役は、親会社との取引に係る議案についても、注意してみておく必要がある。

(iii)　取締役会の報告事項

(a)　職務執行状況の報告

取締役は、3ヶ月に1回以上、自己の職務の執行状況を取締役会に報告しなければならない（法363条2項）。

会社法上、取締役会は、重要な業務執行の決定機関であるとともに監督機関として位置づけられており、業務執行に対する監督を行うための前提として、業務執行の状況について報告を受けなければならない。そのため、業務執行取締役には、3ヶ月に1回以上の割合で職務執行状況を報告することが義務づけられている。

しかし、監査役会設置会社では、重要な業務執行について必ず取締役会で決議しなければならないため、取締役会に上程されるのは決議事項が中心となり、報告事項については軽視される傾向が強い。実際、取締役会付議基準においても、決議事項については項目ごとに金額基準が明確に定められているのに対し、報告事項については曖昧な基準となっている会社が多いように思われる。

しかし、職務執行の状況について定期的に報告を受けて情報を収集していなければ、適切な監督を行うことはできない。取締役会における報告事項は業務執行に対する適切な監督を行うための前提条件であるから、監査役としては、取締役会に上程される報告事項が取締役の職務執行を監査するために必要十分な内容となっているかどうかを確認し、不十分な場合には追加の説明・報告を求めるべきである。

もちろん、常勤監査役は、取締役会以外の重要会議等に出席し、重要な役職員と定期的に面談して報告を受けるなどの日常の監査活動を通じて、取締役の職務執行の状況について報告を受けている。その内容を監査役会に報告することにより、非常勤・社外監査役も取締役の業務執行を監査するために必要な情報を収集することは可能である。

とはいえ、常勤監査役からの間接的な報告ではなく、取締役会の場で業務執行取締役から直接報告を受け、質疑応答することができる機会は貴重であり、取締役会における報告事項についても、監査のために必要な情報を中心として充実させていくことが望まれる。

(b) 内部統制システムの運用状況報告

取締役会における報告事項のうち、監査役等の立場から見て特に重要なのは、内部統制システムの運用状況の報告である。

内部統制システムは、会社および企業集団の業務の適法性・効率性を確保するための社内体制であり（法362条4項6号、施100条）、この体制が適切に整備・運用されていることは、違法性監査の観点からも極めて重要である。

監査等委員会設置会社・指名委員会等設置会社の場合には、監査等委員会・監査委員会が内部統制システムの整備・運用状況をモニタリングすることで組織的な監査を行うことが想定されており、監査の実効性を確保する上でも内部統制システムが適切に運用されていることが大前提となっている。監査役会設置会社であっても、独任制の監査役による実査で会社および企業集団全体の業務範囲をカバーすることは不可能であり、内部監査部門との連携が必須となっている。

そうだとすれば、監査役等としては、内部統制システムの整備・運用状況に関する取締役会への報告、具体的にはコンプライアンス担当部門・リスク管理部門や内部監査部門からの報告事項については、特に注意を払い、必要があれば質問し、追加の説明を求めるなどして、内部統制システムの相当性が確保されているかどうかを確認しておく必要がある。

監査役会等は、事業報告に記載された内部統制システムの整備・運用状況について、相当でないと認めるときはその意見を監査報告に記載しなければならないため（施129条1項5号、130条2項2号、130条の2第1項2号、131条1項2号）、取締役会における内部統制システムの整備・運用状況の報告や監査役会等における内部監査部との情報共有・意見交換の機会を通じて、内部統制システムの整備・運用状況が相当かどうかを確認しておくことが求められる。

⒞　不祥事等に関する報告

当該会社において不祥事あるいはコンプライアンス違反の事実が発生した場合、これを取締役会に報告するべきかどうかについては、明確な基準が定められていないことが多い。

しかし、重大な不祥事・コンプライアンス違反が発生した場合には、発覚後速やかに適切な調査体制を組んで、事実関係・原因の調査および再発防止策の検討を行い、適時開示を行わなければならない。会社から公表する前にマスコミ等で報道されてしまうと、バッシングを受ける可能性が高いため、広報対応も慎重に進める必要がある。

このように社会的な注目を集める可能性のある不祥事への対応は、いわば全社を挙げて対応しなければならない事案であり、当然ながら取締役会へ報告する必要がある。

報告のタイミングについては、事案の内容・性質に応じて検討する必要があるものの、不祥事・コンプライアンス違反が発生したことを把握した段階でまず報告し、どのような調査体制を組むのか、どのように調査を進めるのか、適時開示の時期・内容やマスコミ対応などの広報体制等について、審議しておくべきであろう。

監査役会等は、不祥事・コンプライアンス違反の事実について報告を受ける立場にあり、取締役会よりも早いタイミングである程度報告を受けていることが多いが、取締役会における報告事項が十分かどうか、報告された内容（調査体制・調査手続や情報開示のあり方など）が適切かどうかを確認し、不十分・不適切であると感じた場合には意見を述べる必要がある。

この点に関しては、日本監査役協会の定める監査役監査基準でも、監査役は、企業不祥事が発生した場合、直ちに取締役等から報告を求め、必要に応じて調査委員会の設置を求め、調査委員会から説明を受け、当該企業不祥事の事実関係の把握に努めるとともに、原因究明、損害の拡大防止、早期終息、再発防止、対外的開示のあり方等に関する取締役および調査委員会の対応の状況について監視し検証しなければならないとされている。

また、かかる取締役の対応が、独立性、中立性または透明性等の観点から適切でないと認められる場合には、監査役会における協議を経て、取締役に対して第三者委員会の設置の勧告を行い、あるいは必要に応じて自ら第三者委員会を立ち上げるなど、適切な措置を講じることとされている（監査基準28条1項・2項）。

代表取締役など業務執行を担う立場の取締役は、不祥事について責任を追及される立場にあるため、どうしても不祥事に関する情報開示には消極的になりがちである。しかし、情報開示が遅れたがために必要以上のバッシングを受けてレピュテーションが大きく毀損した事例も散見されるところであり、監査役会等としては、取締役・経営陣による不祥事調査や情報開示が適切に行われているかどうかを監督することが求められる。

⑸ 期中監査

(i) 監査環境の整備

⒜ 複数の監査役等の間の役割分担

監査役等の職務である監査業務は広範なものである。取締役の職務の執行について不正行為・違法行為がなかったか、事業報告等および計算関係書類に会社の状況が正しく示されているか、連結内部統制システムの整備についての方針やその運用状況に指摘すべき点はないか等といった点をもれなく確認して株主に対する監査報告を作成するためには、期末監査に限らず年間を通じて監査を行わなければならず、確認を要する事項は多岐にわたる。

監査役等の個々人の努力によってその広範な監査業務を全うすることはおよそ現実的ではなく、だからこそ会社法は、大会社に対して3名以上の監査役等を選任して会議体（監査役会・監査等委員会・監査委員会）を設置することを求めている。

そして、監査等委員会設置会社および指名委員会等設置会社においては、監査等委員会・監査委員会が主体となった組織監査を原則とし、監査役会設置会社においても、独任制の機関であるとはいえ、複数名の監査役が役割分担して広範な監査業務をカバーすることを想定している。

したがって、監査役会等では、監査の方針、調査の方法その他の監査役の職務の執行に関する事項（法390条2項3号）あるいは報告徴求・調査に関する事項（法399条の3第4項、405条4項）として、監査役等の間の役割分担について決定しておくべきである。

その際に重要となるのは、監査役会等への報告体制の窓口となり、報告徴求・調査権限を行使して日常的な監査業務を行う常勤監査役等の業務内容や役割分担（常勤監査役が複数名いる場合）である。監査等委員会設置会社および指名委員会等設置会社では、常勤者の選定が義務づけられていないものの、社内出身者を報告徴求・調査権限を行使する監査等委員・監査委員に選定し、常勤としている例が多い。非常勤の社外監査役等は常勤監査役等から日常的な監査業務の報告を受けて意見交換を行うなどの取り決めをするのが一般的である。

さらに、近年では、社外監査役等も重要な案件については直接報告を受けることができるような体制を整備し、内部監査部門や会計監査人との定例会議に出席し、場合によっては主要な拠点に往査するなど、監査業務に積極的に関与する例も増えている。社外監査役等にそのような活動を依頼する場合には、事前に資料等を提供して説明するなどの情報提供を行い、監査の実効性を高める工夫が必要である。

(b)　社外監査役等への情報共有

監査役等は、自社またはその子会社の取締役等の業務執行者を兼ねることができない（法335条2項、331条3項）。これは、取締役の職務執行を適法性の観点から監査することを職務とする監査役等の立場を、監査対象である取締役またはその指揮命令系統下にある業務執行者から離れた独立したものとして確保することで、監査の実効性を向上させることを目的とするものである。

しかし、いかに業務執行から離れた独立した立場であるとしても、終身雇用を基本とする日本企業において社内から監査役等を登用する場合には、強大な権限を有する経営トップに対して厳しく意見を述べることは困難である。そこで、会社法は、監査役会等の半数以上または過半数を社外監査役等とすることを義務づけている（法335条3項、331条6項、400条3項）。

経営トップから独立した社外者を監査役等に選任することで、経営トップに対する厳しい意見具申を期待するものである。

かかる会社法の規律に基づき、監査役会設置会社における監査役会は、社内から登用される監査役と社外出身の監査役によって構成され、社内出身者が常勤監査役に選定されるのが一般的である。常勤者を選定することが義務づけられていない監査等委員会設置会社または指名委員会等設置会社においても、社内出身者を常勤の監査等委員または監査委員に選定することが多い。

常勤監査役等は、社内との結びつきが強くなりやすく、そのために独立性という点では弱い一方で、情報収集力が高いという強みがある。そのため、CG コードでは、社外監査役の強固な独立性と常勤監査役が保有する高度な情報収集力とを有機的に組み合わせて監査の実効性を高めることが提唱されている（補充原則 4-4①）。

社外監査役等は、取締役等からの独立性がより強固であるという点において優れており、取締役の職務執行について不正・違法のおそれがある場合に、毅然とした姿勢でその追及を行うことが期待できる。しかしながら、広範な取締役の職務執行について不正・違法の兆候をつかむには、当会社の事業内容・社内の組織体制を十分に把握し、適時的確に情報を収集することが不可欠であり、この情報収集力については、会社に常駐し、事業内容および社内体制に通暁した社内出身の常勤監査役が秀でている。

そのため、監査役会等が期待される役割・機能を果たすためには、高度な情報収集力を有する常勤監査役等が適時適切に社内の情報を集めて不正・違法の兆候を把握し、経営トップらから独立した立場の社外監査役等に当該情報を共有して意見交換を行い、必要があれば経営トップに厳しく意見を申し述べるという形で、お互いの特性・強みを活かしながら監査を行うことが求められる。CG コードにあるとおり、その「有機的な組み合わせ」により監査の実効性を高められるように運営すべきである。

具体的には、当会社の事業や内部統制体制等の現況につき、社外監査役等が十分に理解し、問題点を把握できるように、常勤監査役等および監査スタッフが能動的に情報収集した上で監査役会等での報告事項等を検討し、社内各部署と連携の上で社外監査役等への情報共有を図る工夫を不断に行うことが必要となろう。

⒞　監査スタッフの整備

会社法は、内部統制システムの一環として、⒜監査役等がその職務を補助すべき使用人を置くことを求めた場合における当該使用人に関する事項、⒝当該使用人の取締役からの独立性に関する事項、⒞監査役等の当該使用人に対する指示の実効性の確保に関する事項、などを定めることを求めている（施100条3項1～3号、110条の4第1項1～3号、112条1項1～3号）。

これらの規定が想定しているのは、監査役等の要望があれば、監査役等の下に監査業務を補助するために活動する従業員を置き、彼ら（監査スタッフ）が監査役等の指示を受けて取締役から独立した立場で活動することで監査の実効性を高めていくことである。

ただし、監査役会等の専属スタッフとして複数名を配置することのできる大企業もあれば、そこまで人員を配置することはできず、内部監査部門などと兼務する形で配置するだけの企業もある。限りある人的資源をどのように配分するかという点はまさに経営判断に属する事項であり、会社法のスタンスとしては、必ず専属の監査スタッフを置くことを求めているわけではない。だからこそ、監査役等が「求めた場合」というフレーズが入っている。

しかし、監査の品質を維持しながら、効率的・効果的に広範な監査業務を全うするためには、取締役等の業務執行者からの独立性を確保し、監査役等の指揮命令に服するスタッフがいることが望ましい。

監査役会等としては、監査の実効性という観点から、監査業務を補助する使用人を置くべきかどうか、専属とすべきか他部署との兼務とすべきか、何名の使用人を置くべきか、どのような経歴の者が望ましいのか（財務・会計、法務、内部監査などの経歴が必要か）、監査役等へのレポート・監査役等からの指示のあり方はどうあるべきかといった点を検討し、現在の体制に不足があるようであれば、要望事項として執行サイドに伝え、協議するべきである。経営陣ら執行サイドでは、どうしても営業・事業部門に多く人を配置し、監査などの間接部門にはなかなか人を配置しないという傾向になりがちであるから、監査を支える使用人その他の体制については監査役会等の側から積極的に意見を述べる必要がある。

なお、日本監査役協会が実施した「役員等の構成の変化などに関する第22回インターネット・アンケート集計結果（監査役（会）設置会社版）」（月刊監査役736号別冊付録）によれば、上場会社において監査役スタッフ（監査業務を補助する使用人）がいる会社は48.2%（655社）、いない会社は51.8%（704社）である［問2-1］。

監査スタッフがいる会社のうち、専属スタッフのみの会社は31.0%（203社）、専属スタッフと兼任スタッフがいる会社は7.3%（48社）、兼任スタッフのみの会社が61.7%（404社）とのことである［問2-2］。

また、監査スタッフの兼務部署としては、総務系が20.4%（155社）、法務系が9.4%（71社）、経理・財務系が8.4.%（64社）、経営企画系が5.7%（43社）、内部監査部門系が51.0%（387社）、その他が5.1%（39社）ということであり［問2-3］、内部監査部門の職員が監査スタッフを兼務する例が多いようである。

そのほか、監査スタッフ（監査業務を補助する使用人）を置いた場合に彼らの人事評価の査定を誰が行うのかという問題がある。

会社法施行規則は、内部統制システムとして監査スタッフの取締役からの独立性に関する事項を定めることを求めているが（施100条3項2号、110条の4第1項2号、112条1項2号）、この趣旨は、監査業務を担うこととなる監査スタッフは営業・事業部門から煙たがられる活動もしなければならず、それによってマイナスの人事評価を受けることになると、適切かつ十分な監査をしなくなるおそれがあるという点にある。

そうだとすれば、監査スタッフの人事査定については、専属・兼務を問わず、監査役等が積極的に関与し、不当な評価を受けていないかどうかをチェックする必要がある。

(d)　外部アドバイザー等の起用

監査役および選定された監査委員・監査等委員は、その職務執行上必要とする費用について会社に請求することができる（会社法388条、399条の2第4項、404条4項）。

ここでいう監査費用には、監査に必要な一切の費用が含まれ、たとえば、実地調査等に要する費用、訴訟提起に必要な費用、補助者として弁護士・公認会計士等を依頼する費用、スタッフを雇用する費用などが含まれるとされている（江頭539頁）。

昨今は、企業不祥事等の場面で監査役等が適切に監督機能を発揮していたかどうかが問われることも多く、今後は、監査役会等においてどのような審議がなされていたのか、執行サイドにどのような意見を具申していたのかといった点について後から争われる可能性も高くなると予想される。実際、役員責任追及訴訟においても、経営トップら業務執行を担当する取締役の責任だけでなく、監査役等の責任も厳しく追及されるケースが散見される（第５章参照）。

そのため、不祥事等が発覚した場合はもとより、悩ましい経営判断に際して違法性監査の観点から執行サイドに意見具申しなければならない場合などには、監査役会等で十分な審議を尽くすため、会社の顧問弁護士とは別に、監査役等として独自に法律・会計に関する外部アドバイザーを起用することも検討すべきである。

また、新型コロナ感染症により、移動を伴う実地調査・往査に制約があり、特に海外の関係会社における実査が困難な場面で、海外を含めたネットワークを有する外部アドバイザー起用の重要性がクローズアップされた。実査は基本かつ重要な監査手法であることから、監査役等が自ら行うことが原則であり望ましいものであるが、日常的に目を配ることが難しい遠隔地の実査や、専門的知見を要する実査（IT関連等）など、外部アドバイザーと連携して効率的・実効的に実査を行う工夫も大切である。

(ii)　監査役会等への報告体制

(a)　報告体制の整備

監査役および選定された監査委員・監査等委員は、いつでも取締役等に対して事業の報告を求め、または会社の業務および財産の状況の調査をすることができる（法381条２項、399条の３第１項、405条１項）。また、その職務を行うため必要があるときは、子会社に対しても、事業の報告を求め、業務および財産の状況を調査することができる（法381条３項、399条の３第２項、405条２項）。さらに、その職務を行うため必要があるときは、会計監査人に対しても、監査に関する報告を求めることができる（法397条2項、同条4項、同条5項）。

取締役（指名委員会等設置会社の場合には執行役）の側でも、会社に著しい損害を及ぼすおそれのある事実があることを発見したときは、直ちに当該事実を監査役会等に報告しなければならない（法357条1項〜3項、419条1項・3項）。また、会計監査人は、その職務を行うに際して取締役の職務の執行に関し不正の行為または法令もしくは定款に違反する重大な事実があることを発見したときは、遅滞なく、監査役会等に報告しなければならない（法397条1項・3項、同条4項、同条5項）。

しかし、監査役等にこのような調査権が認められており、取締役および会計監査人に監査役会等に対する報告義務があるといっても、それだけでは現場で行われている不正・違法行為の兆候がつかめるとは限らない。

不正・違法行為を防止するためには、実際に不正・違法行為が発覚してから動くのではなく、不正・違法行為のリスクが高い事項については監査役等へ報告するという社内ルールを定め、監査業務において必要かつ重要な情報が自ずと収集できる仕組みを構築しておくことが重要である。

具体的には、内部通報や懲戒事案等のコンプライアンスに関連する報告について管掌する取締役（CCO）からの定期的な報告や、取締役と会社の間の利益相反取引など善管注意義務違反等の法令違反が発生しやすい事項（旧133条監査）に関する報告を定期的に受けるといった体制・ルールを定めておくことなどが考えられる。

また、このような監査役会等への報告に関する社内ルールを決めていたとしても、こうした報告プロセスは形骸化しやすいものであることから、これらの報告体制が機能しているかどうか、実効性があるかどうかを確認しておくことが重要である。

さらに、多岐にわたる会社の業務執行のうち、何を報告してもらうべきなのかという点についても、定期的に見直すことが必要である。会社の事業・業務の内容は変化していくものであり、監査役等が把握しておくべきリスク情報もそれに応じて変わるはずである。すでに存在する報告ルールについても、監査業務のうち何を確認することを目的として当該ルールを定めたものであるのかを意識して、定期的に見直しを行い、効率的かつ実効性の高い報告体制を維持することが大切である。

以上のとおり、監査役会等としては、監査業務に必要かつ重要な情報とは何かを検討しながら、①監査役会等に報告すべき事項を定める、②監査役会等への報告ルートを確保する（社内の主要な報告ルートに監査役等を入れることも含む）、③あらかじめ定めた①および②の報告プロセスが現在も機能しており実効性があることを確認するといったステップにより、報告体制を構築・維持・運用することが肝要であろう。

なお、適法性監査の一環として、「取締役職務執行確認書」といった取締役の自己申告書類を徴求し、当該書面上で、取締役に善管注意義務違反・忠実義務違反その他の法令・定款に違反する行為や不正な行為がなかったことを宣誓させる運用も広く行われている。ただし、これは法定の書類ではなく、また監査の証跡となる書類でもないことに留意が必要である。取締役の自己申告書類のみによって、当該取締役の職務の執行に違法行為・不正行為がなかったと判断することはできず、監査役会等として職務を全うしたとはいえない。「取締役職務執行確認書」は、取締役に自らの職責の理解の醸成を促し自己牽制を狙うという効果はあるかもしれないが、それ以上のものではなく、取締役の職務の執行に際しての法令遵守状況は、監査役等と取締役との意思疎通の機会や重要な会議の出席、さまざまな書類の閲覧等の地道な日常監査の積み重ねによって実態を把握しなくてはいけない。

監査役会等としては、上記のような自らの監査活動によって取締役の職務執行の法令遵守状況の実態を把握するほか、「取締役の職務の執行が法令及び定款に適合することを確保するための体制」（法362条４項６号）の整備・運用状況を確認することで、間接的に法令遵守状況を把握することも重要である。

⒝　取締役等との意思疎通

上記の報告体制の整備に加えて、監査役等と代表取締役を含む取締役その他の経営陣・幹部社員との意思疎通を密にするために、定期的な面談・対話の機会を設定することも有益である。

忌憚ない意見交換ができるような信頼関係の醸成はもちろん重要である

が、業務執行者と業務監督者という立場、すなわち監督される者と監督する者という立場の違いから自ずと生まれる緊張感と、それぞれの役割期待および独立性への尊重を保つことも大切である。馴れ合いの関係になることなく、会社を取り巻く環境の変化、会社が対処すべき課題や諸種のビジネスリスクの認識、グループのガバナンス・コンプライアンス・内部統制体制に対する認識および課題など、さまざまなテーマについて意見交換し、取締役等と監査役等の間の意思疎通を密に実施されたい。

法令上、取締役等から監査役等に報告をするための体制の整備を決定することが義務づけられており、監査役等と取締役等が定期的な会合の機会を確保することは、かかる報告体制の一環としても有益である。また、取締役との意思疎通は、取締役等の職務執行上の法令遵守状況を確認するというだけでなく、会社の統制環境や企業風土にも大きく影響を与える取締役の認識を確認するためにも重要な監査業務である。

取締役等の経営トップによるマネジメント・オーバーライドを監視し、それを防止することができるのは、株主の負託を受け、業務執行を行う経営陣から独立した立場から経営陣の監督を行う監査役等と社外取締役だけである。その点を考慮すると、監査役等としては、代表取締役を含む取締役その他の経営陣・幹部社員との意見交換の機会に加えて、社外取締役との意見交換も行い、連携して取締役等の監督にあたることが望ましい。

(iii)　重要な会議への出席・重要な決裁書類等の閲覧

(a)　重要な会議への出席

監査役等は、会社法上出席が義務づけられている取締役会だけでなく（法383条1項）、経営会議や常務会などの業務執行取締役や執行役員らによる会議、各種諮問委員会（指名報酬委員会・ガバナンス委員会・内部統制委員会等）、部長会など、会社の経営上重要な意思決定に係る会議や会社の内部統制に関する会議等の重要な会議に出席することで、会社の事業および損益状況等の実態や取締役の職務執行状況を把握するべきである。出席しない場合には、会議資料や議事録等を閲覧し、取締役その他の経営陣・幹部社員との定例面談の際に詳細を確認するなど、会社の経営状況をタイムリーに把握するように努めることが必要である。

これらの活動は、監査役および選定された監査委員・監査等委員による業務・財産の調査権の行使であり（法381条２項、399条の３第１項、405条１項）、実際には常勤監査役等が出席することが多いものと思われる。

常勤監査役等は、監査役会等の場で社外監査役に対して自らが出席した重要な会議の状況を報告するとともに、資料や議事録等のうち監査上重要と思われるものについては随時社外監査役等にも共有するなどして、監査役会等における監査の実効性を向上させるための工夫をすることが望ましい。

(b) 重要な決裁書類等の閲覧

監査役等が、取締役の職務の遂行に関し法令・定款等に反する行為がないかを確認する基本的な監査方法の１つとして、稟議書等の決裁書類の閲覧がある。

とはいえ、企業の業務範囲が拡大する中、経営判断に関する決裁書類は無数にあるため、通常の業務の執行の範囲内の決裁書類については、定量的なインパクト（契約金額・投融資金額の大きさ等）によって閲覧する範囲を限定することが一般的と思われる。

しかしながら、通常の業務執行の範囲外の事項については、定性的なインパクトも考慮する必要がある。たとえば、事故・労災・訴訟等のコンプライアンス関連の報告、役職員からの内部通報、顧客・消費者・地域住民からのクレーム等の場合、１件の金額的インパクトは小さくとも、その内容によっては慎重にモニタリングする必要があることも考えられる。

その全てに関する決裁書類に監査役等自らが目を通すことは時間的に難しい場合も多いと思われるため、監査スタッフに個別案件の決裁書類・報告書類等の閲覧・調査を依頼し、その調査結果によるスクリーニングを経て、定量面・定性面双方を勘案した「重要な」決裁書類等の閲覧を行うといった効率的な監査の工夫が必要である。

(iv) 実査・往査の実施

(a) 実地調査・往査の計画

業務・財産調査権（法381条２項・３項、399条の３第１項・２項、405条１

項･2項）の行使として最も基本的かつ重要な監査方法の１つが、実地調査･往査である。

これは、本社の各部署・支社支店・工場などの事業所および国内外の子会社･関係会社を監査役等が往訪して、現場で役職員から話を聞いて営業･操業の実態や資産・設備の現況等を実地調査するものである。

独任制である監査役は、各自の判断で業務・財産調査権を行使することが可能であるが、事前準備や現地往訪に時間を要する実地調査・往査に関しては、組織的・効率的に行う必要性が特に高い。

そのため、実務においては、監査方針・監査計画・重点監査項目・重要子会社等を決定するのと同じタイミングで、実地調査・往査を行うべき対象を決定するのが一般的である。なお、組織監査を原則とする監査等委員会・監査委員会においては、調査権を行使する監査等委員・監査委員が実地調査・往査を行う場合には監査等委員会・監査委員会の方針に従って行うこととなるため、同様に監査方針・監査計画等を決定するタイミングで実地調査・往査を行うべき対象を決定することになる。

監査役等が国内外の全拠点を往訪するのが非現実的である場合には、重点監査項目や重要子会社を定めた際と同様のリスクアプローチに基づき、業種・業態といった事業の性質や会社の成り立ち、所在国の政情・カルチャー等を考慮の上、リスク顕在化の蓋然性と顕在化した場合のインパクトを勘案して、当該監査年度における実地調査対象・往査対象を決定するのが合理的であり、実地調査・往査を受け入れる側からしても納得性が高い。

組織的・効率的な監査の観点からは、実地調査・往査のタイミングについても、監査計画や監査役間の職務分担等を定める監査年度開始早々に目途を立てるのが望ましい。特に社外監査役が実地調査・往査を行う際には、社外監査役のスケジュールと対象先のスケジュールの摺合せをスムースに進めるためにも、余裕あるタイミングで設定したい。

また、実地調査・往査のタイミングを決定するに際しては、あらかじめ内部監査部門や会計監査人の年間監査計画も確認しておくことが有益である。内部監査部門等の往査時期との重複を避けることで、実地調査を受け入れる側の負担を軽減し、スムースな実地調査・往査が可能となる。また、事前に往査等を行った内部監査部門または会計監査人からヒアリングを行うことで、監査役等の実地調査・往査をより実効性の高いものとすることができる。そのためにも、内部監査部門および会計監査人との事前摺合せは不可欠である。

さらに、2020年以降、新型コロナ感染症の影響により実際に現地往査を行うことが困難だったため、WEB等を通じたリモート監査が活用されるようになっている。このようなリモート監査は、限られたメンバー（当該拠点のトップや幹部社員）との面談という形を取ることが多く、一般職員とのコミュニケーションを取ることができず、拠点の雰囲気・様子（いわゆる統制環境・企業風土）を把握することができない等、情報収集に限界があるというデメリットもあるものの、現地までの移動の時間を省略することができ、多くの拠点を監査対象とすることができるほか、日程調整が比較的容易であるため社外監査役等も参加しやすいなどメリットも大きい。新型コロナ感染症による往来制限等がなくなった後であっても、かかるメリット・デメリットを考慮した上でWEB等を通じたリモート監査を活用するべきであり、往査対象を決定する際には、拠点ごとに実際に現地に赴くべきかリモート監査で対応すべきかを検討し、それらを組み合わせて実効性のある往査計画を立てることが求められる。

⒝　実地調査・往査の準備

実地調査・往査の前には、主管部や内部監査部門・コンプライアンス部門・経理部門・会計監査人等から入手できる資料を読み込み、現地で見るべき対象・確認すべき事項・面談すべき対象者等をあらかじめ整理し、必要に応じて主管部その他からヒアリングを行う等、効率的に実地調査・往査を実施できるように準備を行うことが肝要である。

組織・人員・営業（操業）実績等の対象先基本情報のほか、週報・月報、対象先関連社内決裁文書、コンプライアンス関連の報告や内部通報等の記録、過去の内部監査報告書・（当該会社の）監査役（会）監査報告書・会計監査人監査報告書・マネジメントレター等を入手して確保し、懸念点等がある場合にはそれぞれの担当部署からヒアリングを行い、現地で確認すべき事項を整理しておくべきである。

さらに、確認すべき事項に応じて、現地での面談や視察の計画を立てるべきである。たとえば統制環境が懸念されるようであれば経営トップとの面談を、コンプライアンス状況に不安があるようであればCCOやコンプライアンス担当者との面談をそれぞれ設定することで、実地調査・往査の実効性の向上が望めるものと思われる。

(c) 往査対象会社の監査役等・会計監査人との連携

企業グループ内の子会社・関係会社への往査において、往査対象会社に監査役やCFOその他出向者を派遣している場合には、往査に先立って意見交換を行うことも非常に有益である。当該会社の監査役等の監査状況を事前に把握し、または出向者から当該会社の取締役の職務執行状況や内部統制状況などを聴取することで、往査時に確認すべき事項を整理することができ、効率的かつ実効性の高い往査実施が望めるものと思われる。

なお、親会社の監査役等には、往査前に限らず、年間を通じてグループ会社の監査役等との報告・意見交換を密に行うことが求められている。グループ会社連絡会・グループ会社監査役意見交換会、監査実績報告書の受領などを通じて当該会社における業務執行状況を把握し、懸念がある場合には当該会社を重要子会社に指定し往査を行う等、グループベースでの監査計画策定の実効性を高め、効率的に往査を実施することも望ましい。

また、往査時に往査対象会社の会計監査人（または海外提携先監査法人）との面談を行い、当該会社に関する社外からの情報収集を行うことも有用である。日頃接点のある自社の会計監査人（または担当監査チーム）以外の会計監査人のプラクティスを知ることは、グローバルグループベースでの会計監査人評価の参考情報の入手にも繋がり、有益なことが多い。

(d) 実地調査・往査のポイント

事前に十分な資料を入手し、必要に応じて事前ヒアリングも行い、確認すべき事項を整理し、話を聞くべき対象者との面談を設定して実地調査・往査に臨む場合でも、現地でしか把握できないことは残る。その最たるものは統制環境・企業風土であろう。

統制環境・企業風土といったものは、そもそも資料等の書面だけでは把握し難いものであるが、統制環境・企業風土に問題がある場合には、定期的な書面報告が滞ったり、コンプライアンス関連の報告が上がってこなかったり、監査役等のところまで十分に情報が届かないことが多い。実地調査・往査は、書面報告等では確保できない現地の情報を積極的・能動的に収集することができる機会であるから、実地調査・往査の際には、各拠点のトップや幹部役職員だけでなく、できる限り多くの現場の職員から直接話を聞き、往査対象の事業所・子会社内部の様子をよく観察することが大切である。

実地調査・往査においては時間的な制約が厳しいため、どうしても拠点のトップや幹部役職員と，面談が優先され、現地の職員と監査役等の間で直接の対話を行う時間を確保することは難しい。しかし、拠点のトップや幹部役職員との面談であれば、WEB等を通じたリモート監査でも十分に意見交換等をすることができる一方で、現場の職員から直接話を聞いて統制環境・企業風土に問題がないかどうかを確認することは、現地に赴かないと行うことができない。そのような観点から、実地調査・往査の際にはなるべく現地の職員との意見交換・懇談の機会を持ち、問題点の改善に向けての助言・勧告を行うといったことも有用と思われる。

実地調査・往査終了後は、監査役会等に報告して実地調査・往査の内容を共有するとともに、問題点のフォローアップ等の継続的モニタリングに繋げる工夫がなされることが望ましい。また必要に応じて、主管部や管掌取締役等に対してフィードバックを行い、改善に向けての助言を行うといった対応も検討すべきである。それにより、監査役監査の有用性に対する認識を高め、現場に対する抑止・改善効果をもたらすのみならず、監査役監査の環境整備に向けての理解を深める効果も期待される。

ただし、経営陣から独立した監査役等であればという前提で対象先役職員が話をしてくれたような場合には、その信頼を裏切ることのないように最大限の配慮が必要である。また、業務執行に対する干渉と受け止められかねないような助言は厳に慎むべきである。

ⓔ　実地調査・往査対象先へのモニタリングの実施

実地調査・往査対象先の決定は、実質的に当該監査年度における重点監査項目・重要子会社の決定と同一であり、監査年度開始早々の監査方針・監査計画の決定時から、当該対象先のモニタリングを実施しているに等しい。

往査対象となりうる拠点や関係会社について、その基本情報、週報・月報、関連社内決裁文書、コンプライアンス関連報告・内部通報等の記録、過去の内部監査報告書・監査役（会）監査報告書・会計監査人監査報告書・マネジメントレター等を格納する管理システムが整備されているならば、対象先への負担をミニマイズした継続的なモニタリングが可能であり、連結内部統制システムの監査の観点からも望ましい。こういった管理システムが整備されていない場合でも、グループ会社連絡会・グループ会社監査役意見交換会、監査実績報告書等による子会社監査役等との連携体制を構築することで、対象先への継続的なモニタリングを可能とするような工夫がなされることが望ましい。

なぜならば、実地調査・往査前の準備段階からの情報収集、実地調査・往査、往査終了後の監査役会等への報告、引き続いて開始される監査役会等におけるフォローアップ、といったモニタリングを次年度の監査方針決定時まで継続することで、実効性あるモニタリング監査に繋がるものと思われるからである。

監査役会等において、管理システム上で資料を入手したり、当該懸念先の監査役等との連携体制を構築して情報収集を行うことにより、当該監査年度を通じてモニタリングを継続し、次年度の監査方針の決定時に「フォローアップ完了」または「引き続き要モニタリング」との判断を行って重点監査項目・重要子会社の継続または入替えを行い、さらに実地調査・往査に向けての情報収集等を行うならば、監査年度を越えた懸念先の内部統制体制モニタリング・サイクルが構築されることになる。このようなサイクルを確立することが、連結内部統制システムにおける１つの「メタ内部統制体制」として機能することも期待できるだろう。

⒱　会計監査人との連携等

⒜　会計監査人との連携の必要性

監査役会等の職務は、取締役等の職務執行の適法性を監査することであり、その内容は業務監査・会計監査・内部統制監査と整理されているが、特に会計監査については、監査役会等だけで行うものではなく、専門家である会計監査人と緊密に連携しながら進めることが求められる。

会計監査においては、まず専門家である会計監査人が監査を行い、監査役会等は会計監査人の監査の方法および結果が相当かどうかを確認するという方法で監査を行うこととされている。監査役会等としては、監査報告の作成に当たり、自らの監査をふまえて会計監査人の監査方法および監査結果の相当性を判断する必要があるが、そのためには、期中の定例報告会などを通じて会計監査人から報告される会計監査の実施状況を自らの会計監査の結果と照らし合わせて検証することが必要となる。

会計の専門家としての知見および職業的懐疑心を有し、社外の独立した立場から会社の問題点を把握しうる会計監査人と、執行側から独立した立場を有しながらも会社の業務および社内事情に通暁した常勤監査役等も擁する監査役会等の連携により、企業不祥事を未然に防止することは、近年、特に監査役会等に期待されている役割である。

CGコードにおいても、「外部会計監査人と監査役の十分な連携（監査役会への出席を含む）の確保」に加えて、「外部会計監査人が不正を発見し適切な対応を求めた場合や、不備・問題点を指摘した場合の会社側の対応体制の確立」が取締役会および監査役会に要請されている（補充原則3-2②）。かかる要請を受けて、近年では、四半期決算時の説明において会計監査人が監査役会等に出席し、常勤の監査役等だけでなく社外監査役等とも面談して意見交換を行うといった運用が広く行われている。

一方で、会計監査人の監査に依拠して監査を行う以上、当該会計監査人が当社の会計監査を適切に実施するだけの専門性・独立性を備えていることが前提条件となる。そのため、監査役会等は、会計監査人がその職務遂行の適正を確保するための体制を備えているかどうかについて報告を求め、その内容が十分かどうかを検証しておかなければならない。

さらに、会計処理方針等をめぐって会社と会計監査人の意見が対立する場面もありうるため、会計監査においては、取締役・経営陣から会計監査人に対して不当な圧力がかかっていないかどうかについても確認し、必要があれば会計監査人の独立性を確保するべく経営陣に対して働きかけなければならない。そのために、会計監査人の選任・解任・不再任議案の決定権や報酬等の同意権が監査役会等に付与されているのであり、監査役会等は会計監査人の独立性が脅かされる事態が生じていないかどうかについても確認しておく必要がある。

以上のとおり、監査役会等としては、会計監査人の監査の方法および結果について随時報告を受けるほか、その専門性・独立性が十分に確保されているかどうかについても確認しなければならず、会計監査人との緊密な連携が不可欠である。

(b)　会計監査人の監査の方法および結果について

会計監査においては、まず専門家である会計監査人が監査を行い、監査役会等は会計監査人の監査の方法および結果が相当かどうかを確認するという方法で監査を行う（計127条2号、128条2項2号、128条の2第1項2号、129条1項2号）。

そのためには、最終的な監査報告作成段階で相当性を確認するだけでなく、期初の監査方針・監査計画の段階から、会計監査人が当事業年度において何を重視して会計監査を実施しようとしているのか（重点監査項目）、それをふまえてどのような監査方針・監査計画を立てているのかなどについて説明を受け、その妥当性を確認し、必要があれば意見を述べるなどして適切な会計監査を実施してもらうように働きかけるべきである。監査チームの編成（監査担当者のレベル、人数、監査責任者のローテーション等）、往査先の選定等についても報告を受け、適切なレベル・内容となっているかどうかを確認する必要がある。

また、期中における監査実施状況についても随時報告してもらい、会計監査人がその専門家としての知見および職業的懐疑心をもって監査の過程において気づいた課題や問題点について情報共有するべきである。会計監査人の気づきの中に不正・違法行為に繋がりかねない事実や内部統制体制の綻びが含まれる場合には、監査役会等が会計監査人から報告を受けて当該事実を早期に把握することで、執行側に問題発生の防止や改善のための早期対応を促すことも期待できる。

そのほか、監査計画どおりに監査が実施されているかどうか、実施できていない場合の理由、会社の経理・会計業務における誤りの量・レベルなどについても報告を受け、会社側の経理・会計部門の担当者の資質・能力が十分かどうか、経理・会計部門と会計監査人の間の意思疎通が適切に行われているかどうかについても確認しておくべきである。

期末においては、1年間の会計監査の集大成として会計監査人から会計監査報告が提出される。監査役会等としては、単に書面としての会計監査報告を受け取るだけでなく、会計監査人から会計監査報告の内容およびそのような結論に至った理由などについて詳しく説明を受け、自らの監査業務の結果と照らし合わせることで、監査の結果の相当性を検証することになる。

(c)　会計監査人の評価・再任

監査役会等は、会計監査人の選任・解任・不再任議案の内容を決定しなければならない（法344条1項・3項、399条の2第3項2号、404条2項2号）。これは、会計監査人の独立性を確保するという観点から、監査される立場の取締役・経営陣ではなく、監査役会等が会計監査人の選任・解任・不再任について決定することとされたものである。

そのため、監査役会等は、毎年の株主総会の議案決定前に、前事業年度における会計監査人の実績等を評価した上、当該会計監査人に継続して依頼してよいかどうか（＝不再任としなくてよいかどうか）を決定しなければならない。かかる決定を適切に行うためには、監査役会等として「会計監査人の解任又は不再任の決定の方針」を定めるだけでなく、会計監査人を適切に評価するためのより具体的な判断基準が必要である。

この点に関し、CGコードでは、監査役会に対して「外部会計監査人候補を適切に選定し外部会計監査人を適切に評価するための基準」を策定することを求めており（補充原則3-2①）、これを受けて、ほとんどの上場企業では会計監査人の選定・評価基準を策定している。

この会計監査人の選定・評価基準に関しては、日本監査役協会より「会計監査人の評価及び選定基準策定に関する監査役等の実務指針」（平成29年10月13日改正）が公表されており、会計監査人の評価基準項目例として、大きく7項目に分けて整理されている。

会計監査人の評価基準項目例

第１　監査法人の品質管理

1―1　監査法人の品質管理に問題はないか。

1―2　監査法人から、日本公認会計士協会による品質管理レビュー結果及び公認会計士・監査審査会による検査結果を聴取した結果、問題はないか。

第２　監査チーム

2―1　監査チームは独立性を保持しているか。

2―2　監査チームは職業的専門家として正当な注意を払い、懐疑心を保持・発揮しているか。

2―3　監査チームは会社の事業内容を理解した適切なメンバーにより構成され、リスクを勘案した監査計画を策定し、実施しているか。

第３　監査報酬等

3―1　監査報酬（報酬単価及び監査時間を含む。）の水準及び非監査報酬がある場合はその内容・水準は適切か。

3―2　監査の有効性と効率性に配慮されているか。

第４　監査役等とのコミュニケーション

4―1　監査実施の責任者及び現場責任者は監査役等と有効なコミュニケーションを行っているか。

4―2　監査役等からの質問や相談事項に対する回答は適時かつ適切か。

第５　経営者等との関係

5―1　監査実施の責任者及び現場責任者は経営者や内部監査部門等と有効なコミユニケーションを行っているか。

第６　グループ監査

6―1　海外のネットワーク・ファームの監査人若しくはその他の監査人がいる場合、特に海外における不正リスクが増大していることに鑑み、十分なコミュニケーションが取られているか。

第７　不正リスク

7―1　監査法人の品質管理体制において不正リスクに十分な配慮がなされているか。

7―2　監査チームは監査計画策定に際し、会社の事業内容や管理体制等を勘案して不正リスクを適切に評価し、当該監査計画が適切に実行されているか。
7―3　不正の兆候に対する対応が適切に行われているか。

上記日本監査役協会の実務指針は、基準策定において考慮すべき事項として重要なものをできる限り多く取り上げるよう努めたものであるとのことであり、上記の7項目等を参照しながら、各社の実情に応じて自社における会計監査人の選定・評価基準を策定することが求められる。監査役会等は、各社の監査役会等で定めた会計監査人の選定・評価基準に基づき、会計監査人を評価するための情報を収集しなければならない。

一方で、会計監査人としても、会計監査報告の通知に際して、以下に定める会計監査人の職務遂行に関する事項を通知しなければならないとされている（計131条）。

①　独立性に関する事項その他監査に関する法令遵守に関する事項
②　監査業務等に関する契約の受任及び継続の方針に関する事項
③　会計監査人の職務の遂行が適正に行われることを確保するための体制に関するその他の事項

また、日本公認会計士協会の倫理規則が2022年7月に改訂され、監査人の独立性に係る規制の強化が図られた。具体的には、報酬に関して監査役等とのコミュニケーションが求められる事項が拡充されたほか、非保証業務の提供に関して監査役等による事前の了解が求められることになった。

監査役会等としては、会計監査人からの131条報告や上記倫理規則に基づく情報提供、定期的な面談等における意見交換を通じて、会計監査人の独立性に関する事項、監査法人の業務遂行方針・内部統制体制等に関する事項、会計監査人の監査チームの組成・品質管理体制等に関する事項、会計監査人の非監査業務等の内容などについて報告を受ける（非保証業務については事前の了解を行う）。また、会計監査人およびその提携する監査法人において不祥事等が発生した場合には、その内容・対応状況等についても説明を求め、確認する必要がある。さらに、執行側の意見および会計監査人自身の自己評価を併せて入手し、両者を照合して検討しながら、監査役会等としての評価意見を形成することになる。

なお、これらの情報については、会計監査人から131条報告として報告を受けるだけでなく、会計監査人の実務担当者へのインタビューで業務遂行方針や品質管理体制等が徹底されているかを確認することも大変有用である。会計監査人の実務担当者へのインタビューでは、会社の経理・会計部門等の財務諸表等作成の担当部署の対応に問題がないかを同時に確認し、会計監査人の監査環境の整備に役立てることにも配慮することが望ましい。また、監査チームの組成・品質管理体制等に関する事項については、監査チームではなく、監査法人としての対応部署にインタビューを行う等の工夫も検討に値する。

そのほか、親会社の監査役会等としては、子会社における会計監査人の業務状況についても一定の確認・評価を行っておくことが有益である。グループ経営・連結経営が主流となってきた現在、企業グループ内の子会社に対して親会社と同一の監査法人を起用することを求める例は多いものと思われる。

子会社においては、自社の監査チームの監査方針・監査計画等が自社に合致しているかどうかを判断し、監査実施状況等の検証を通じて監査の手続・内容に問題がないかを見極め、その概要を親会社と共有する形で、企業グループとしての会計監査人の評価に統合することとなろう。

一方、会計監査人の品質管理体制や不祥事への対応等、監査法人としての体制・対応状況の確認が必要となる項目については、親会社において責任をもって評価を行い、その概要を子会社と共有する形で、企業グループとして効率的・合理的に会計監査人の評価を行うのが望ましい。

企業グループにおける会計監査人の評価においては、会計監査人との連携とともに、企業グループ内での情報共有・連携も密に行い、親会社・子会社、親会社の会計監査人・子会社の会計監査人の4者間の緊密な連携を維持し、会計監査人の効率的・実効的な評価および会計監査人の監査環境の整備に繋げることが肝要である。

⒟　会計監査人の報酬同意

会社法は、取締役が会計監査人の報酬等を定める場合には監査役会等の同意を得なければならないと定めている（法399条1～4項）。

これもインセンティブのねじれを解消するための規律であり、監査役会等が会計監査人の報酬同意権を有している趣旨は、会計監査人の独立性を確保し、監査品質を維持・向上させるためであるとされている。監査役会等は、かかる法の趣旨を認識し、徒に値下げ交渉を行うようなことは厳に慎み、会計監査人が高品質な監査に見合った適正な報酬を受領できるように努めるべきである。

監査役会等は、会計監査人の監査実施状況に応じて報酬額を評価するべく、定期的に監査実施状況（監査業務に費やした時間）と報酬額の見積もりを確認し、それが監査方針・監査計画に照らして適正な範囲に納まっているか、監査業務に費やす時間や人員が不当に削減されてはいないか、監査計画に照らして効率化すべき監査業務に非効率な点がみられないか等をきめ細かくモニタリングすることが望ましい。

このようなモニタリングを通じて、会社の経理・会計部門等の対応における課題・改善点等を発見し、執行側にフィードバックすることで会計監査人の監査環境の整備を行うことも、監査品質の維持・向上に繋がる監査役等の重要な役割であろう。

ⅵ　内部監査部門との連携等

⒜　内部監査部門との連携の必要性

監査役会等の職務は、取締役等の職務執行を監査することであり、その内容は業務監査・会計監査・内部統制監査と多岐にわたり、監査対象となる会社の業務の範囲も極めて広範になっている。

その一方で、大会社では、取締役等の職務の執行が法令および定款に適合することを確保するための体制その他当社および企業集団の業務の適正を確保するために必要な体制（いわゆる内部統制システム）を決議し、適切に運用しなければならない（法348条4項、362条5項）。そのため、多くの上場企業においては、内部統制システムの運用状況を確認するための部署として、内部監査部門が設置されている。

監査役会等の行う監査と内部監査部門の行う監査は、法定監査と任意監査という違いはあるものの、適法性監査や内部統制監査など重なるところも大きい。また、一般的に内部監査部門は執行側の部署の1つとして位置づけられており、監査役会等をサポートする監査スタッフよりも、組織的な監査を行うための人員・組織体制を擁しているところが多い。

監査役会設置会社においては、独任制の監査役が自ら調査権を行使して実査等を行うことが想定されているとはいえ、広範かつ複雑化した会社の業務を数名の監査役がすべてカバーすることは現実問題として不可能であり、内部監査部門との緊密な連携体制を確保することで監査の実効性を上げる工夫をすべきである。この点はCGコードでも要請されている（補充原則4-13③）。

また、監査等委員会および監査委員会においては、内部統制システムを通じた組織監査を行うこととされているから、監査等委員会・監査委員会と内部監査部門が緊密な連携をとることは必須である。

このとおり、いずれの機関設計であっても、監査役会等において実効性のある監査を行うためには、内部監査部門と緊密に連携しながら監査を行うことが求められる。具体的には、内部監査の方針・計画の報告、内部監査の状況および監査結果についての報告・意見交換、内部監査部門との定例報告会等、年間を通じて内部監査部門からその職務の執行状況についての報告を受け意見交換を行うべきである。

監査役会等と内部監査部門の連携により双方の監査の実効性を向上させるため、内部監査結果のフィードバック会議に監査役等が出席することも有益である。内部監査部門が、内部監査の実効性およびその後のフォローアップの実効性を向上させるため、経営陣または被監査部門・被監査子会社等への監査結果のフィードバックを行う場を設けている場合には、そのフィードバックを行う場に監査役等も同席することで、内部監査の結果概要およびそれに対する経営陣または被監査部門・被監査子会社の対応状況も把握することができる。また、監査役等において適法性監査・内部統制監査等の観点から気づいたことがあれば、経営陣または被監査部門・被監査子会社に対して直接その場で伝えることができ、業務監査の実効性の向上も期待できるだろう。

⒝　内部統制システムの決定・運用状況の相当性

監査役会等は、内部統制システムの決定・運用状況が相当かどうかを検証し、意見があれば監査報告に記載しなければならない（施129条１項５号、130条２項２号、130条の２第１項２号、131条１項２号）。

前述したとおり、監査等委員会および監査委員会においては、内部統制システムを通じた組織監査を行うこととされているから、内部統制システムの決定・運用が適切になされていることが、監査等委員会および監査委員会による監査の前提条件となる。また、独任制の監査役による実査を原則とする監査役会設置会社においても、数名の監査役が広範かつ複雑な会社業務を全てカバーすることは不可能であり、取締役の職務の適法性を担保するためには内部統制システムが適切に決定・運用されていることが重要な意味を持つ。

そのため、監査役会等は、内部統制システムの決定・運用状況が相当かどうかを検証しなければならない。内部監査部門との連携による情報共有は、この内部統制システムの相当性を検証する上で非常に重要である。

また、内部統制システムは、当社の業務の内容、当社を取り巻く社会経済環境の変化、他社の不祥事の状況等に応じて定期的な見直しが必要であり、その要否については、業務執行を担当する取締役等よりも業務執行から離れた監査役等の方が適切に判断できる場合もある。

したがって、監査役会等としては、内部監査部門から内部監査の状況および監査結果についての報告を受け、当社の内部統制システムの内容・レベルや運用状況について相当かどうかについて客観的な立場から検証し、必要があれば取締役や経営陣に意見を述べるなどして、当社の内部統制システムの実効性を高めることも心掛けるべきである。

ⅶ　三様監査

⒜　三様監査とは

監査役会等監査・会計監査人監査・内部監査の３つを総称して三様監査という。監査役会等監査と会計監査人監査は、会社法または金商法に定められている法定の監査であるが、経営陣の指揮下で内部監査部門が行う内部監査は、内部統制システムのモニタリング等を目的とした任意の監査である。

これらの監査は、その目的や対象が一致しているわけではなく、また、それぞれの監査主体（監査役会等、会計監査人、内部監査部門）と経営陣との関係性・独立性も異なっているものの、三者三様の立場から監査を行うに際して緊密に連携をとることで、それぞれの監査の実効性を高め、また組織的・合理的・効率的な監査が可能となる。

監査役会等と会計監査人の間の連携、監査役会等と内部監査部門の間の連携がそれぞれ重要であることは前述したとおりであるが、近年ではさらに進めて、監査役会等、会計監査人および内部監査部門という三者間の連携が重要と指摘されている。CG コードにおいても、「外部会計監査人と監査役（監査役会への出席を含む）、内部監査部門や社外取締役との十分な連携の確保」が求められている（補充原則 3-2②）。

⒝　監査役会等・会計監査人・内部監査部門の三者で議論すべき事項

このように三様監査の重要性が意識される中、監査役会等、会計監査人および内部監査部門が一堂に会して会議を行うといった取組みを行う企業も増えている。

しかし、三者が一堂に会して何を議論するべきか、どのようなテーマを設定し、どのような頻度で開催するべきかといった運用については特に決まっておらず、各社で模索している最中である。

業務監査・会計監査・内部統制監査に当たり重点的に監査すべきポイント等については、各社の実情に応じてさまざまであるから、三様監査として意見交換するべきテーマも異なるはずであり、各社で工夫していくしかないが、例として、以下のような取組みが考えられる。

連結内部統制システムに関する実査は、監査すべき対象拠点が多く地理的にも広範になることが多いため、監査役会等または会計監査人だけでは対応人員に限りがあり、実査の対象も限定されがちである。そこで、人員・組織体制が比較的整っている内部監査部門に対して監査役会等および会計監査人の問題意識を伝え、それを反映した内部監査の方針および計画を立てて実施してもらうことで、内部監査部門の行う組織的な監査を監査役会等や会計監査人も活用することが可能となる。

また、会計監査人や内部監査部門がJ-SOX法に基づく監査を実施するにあたり、その対象組織を、連結財務諸表等に与える重要度の観点から一定以上の売上規模を有する組織等に限定することは一般的と思われる。他方で、監査役会等が会社法上の内部統制について監査する対象は、売上規模等に関わらず、当該会社の事業の性質や会社の成り立ち（親会社の一事業部門がスピンアウトしてできた子会社か、あるいは買収によって企業グループに組み込まれた子会社か等）、これまでに発生した問題といった定性的要因を勘案して選択することとし、それによって会計監査人および内部監査部門による内部統制監査を補完するといったことも有効であろう。

さらに、監査の対象となる営業部門や子会社・関係会社等からすると、監査役会等による監査、会計監査人による監査あるいは内部統制部門による監査のいずれについても準備等の負担は同じであり、これらの監査が同一年度に重複して行われると、その業務に過剰な負荷がかかるおそれがある。監査役会等、会計監査人および内部監査部門がお互いの監査方針・監査計画を共有して確認しながら往査先を決定するといった工夫ができると、営業部門や子会社・関係会社等の往査先の負担を軽減して、効率的に実効性の高い監査を実施することが期待できるだろう。

6　期末監査から株主総会までのスケジュール

(1)　期末監査から株主総会までのスケジュール

会社は、各事業年度に係る計算書類および事業報告ならびにこれらの附属明細書を作成し（法435条2項）、事業報告およびその附属明細書については監査役会等の、計算書類およびその附属明細書については会計監査人および監査役会等の監査を受け（法436条1項・2項）、取締役会にて承認した後（同条3項）、株主総会に報告しなければならない（ただし、計算書類について会計監査人の無限定適正意見がない場合や会計監査人の監査の方法および結果が不相当である旨の監査役等の意見がある場合には、株主総会の承認を受けなければならない。法438条、439条、計135条）。

さらに、有価証券報告書提出の大会社では、連結計算書類を作成し、会計監査人および監査役会等の監査を受けて、株主総会に報告しなければならない（法444条）。

このように、各事業年度における事業の状況および成果を取りまとめて①事業報告およびその附属明細書（事業報告等）、②計算書類およびその附属明細書ならびに連結計算書類（計算関係書類。以下、これらを併せて「計算書類等」という）を作成し、会計監査人および監査役会等の監査を受けて、株主総会に報告するまでの一連の行為が「決算」であり、その過程で求められる計算書類等の監査がいわゆる期末監査である。

会社・企業グループの行う事業の範囲が広範かつ複雑になっている現在、事業年度が終了してから株主総会までの3ヶ月弱（実質的には株主総会招集手続を始めるまでの2ヶ月弱）の間に一連の作業を全て終えなければならず、監査役会等にとっても期末監査は非常にタイトなスケジュールとなる。

以下では、後掲［図表Ⅱ-6-⑴］において、事業年度が終了してから期末監査を行い株主総会に報告するまでのスケジュールの概要を示し、その流れに従って、監査役会等の行うべき監査業務について説明する。

［図表Ⅱ-6-⑴　期末監査スケジュール］

	会社	監査役会等
3月		◎期末監査準備 ▷期末監査事項調査・検討 ▷会計監査人評価面談　等 ◎決算関連日程確認・調整
3月末	◎事業年度最終日・基準日	
4月	◎計算関係書類の作成 ▷計算書類 ・貸借対照表（BS） ・損益計算書（PL） ・株主資本等変動計算書 ・個別注記表 ▷連結計算書類 ・連結貸借対照表（連結BS） ・連結損益計算書（連結PL） ・連結株主資本等変動計算書	◎期中監査まとめ等 ▷期中面談・往訪まとめ ▷会計監査人評価・再任適否検討 ▷期末監査事項調査結果まとめ・分析 ▷事業報告ドラフト検討（「業務の適正を確保するために必要な体制の概要および当該体制の運用状況の概要」等） ▷監査報告書式検討　等

下旬～	・連結注記表 ▷附属明細書 ▷臨時計算書類：臨時決算を行う場合 ◎事業報告等の作成 ▷事業報告 ▷附属明細書 ◎計算関係書類の提出 ▷会計監査人・特定監査役宛 （◎取締役会開催→決算短信発表）	◎計算関係書類の受領・検討 ▷特定取締役から特定監査役が受領
５月上旬	◎事業報告等の提出 ▷会計監査人・特定監査役宛	◎事業報告等の受領・検討 ▷特定取締役から特定監査役が受領 ▷事業報告等の内容の検討 ▷定時株主総会提出議案・招集通知等も受領・検討 ◎会計監査報告の受領・検討 ▷会計監査人から指定監査役が受領 ▷会計監査人から会計監査報告の内容および監査手続の説明 ・監査の過程で発見した不正・誤謬・違法行為・内部統制の開示すべき重要な不備等の説明 ・会計監査人の職務の遂行に関する事項の通知（計 131 条通知） ・会計監査報告の提出（特定監査役宛） ▷監査報告についての協議
中旬	◎決算承認取締役会 ▷監査を受けた計算関係書類および事業報告等の承認 ◎株主総会招集通知の確定（校了）	◎監査役会等の開催（監査報告作成等） ▷会計監査人の再任決議 ▷監査役監査報告および監査役会等監査報告の作成 ◎監査報告の内容の通知 ▷会計監査人・特定取締役宛
下旬	◎株主総会招集通知の発送	

6月上旬	◎書類備置 ▷計算関係書類 ▷事業報告等 ▷会計監査報告 ▷監査役会監査報告	◎定時株主総会関連書類の検討等 ▷株主宛事業報告（口頭）の検討 ▷株主宛監査報告（口頭）の作成
下旬	◎定時株主総会開催	

⑵　計算関係書類の監査スケジュール

(i)　監査の対象

会社が作成する計算関係書類とは、①成立の日における貸借対照表、②各事業年度に係る計算書類およびその附属明細書、③臨時計算書類、④連結計算書類をいう（施2条3項11号、計2条3項3号）。

これらのうち、期末監査の対象となる計算関係書類は、各事業年度に係る計算書類およびその附属明細書ならびに連結計算書類である（本書では、これらを「計算関係書類」という）。

⒜　計算書類

計算書類とは、貸借対照表、損益計算書、株主資本等変動計算書および個別注記表をいう（法435条2項、計59条1項）。

①　貸借対照表

貸借対照表とは、期末日における会社の財産状態を示す表である。「資産」（借方）と「負債」および「純資産」（貸方）が記載され、借方および貸方のそれぞれの合計額は一致し対照する構造となっている。

②　損益計算書

損益計算書とは、当該事業年度の会社の業績を示す表である。事業年度中に計上された「収益」、それに伴って発生した「費用」、およびその差額である「利益」または「損失」が記載され、当該事業年度の経営成績をわかりやすく示している。

③　株主資本等変動計算書

株主資本等変動計算書とは、前期末日と当期末日における貸借対照表の純資産の部に係る項目（株主資本、評価・換算差額等、新株予約権）を対比して、その変動額および変動事由を示すものである。

④　個別注記表

個別注記表とは、会社の財産および損益の状況を正確に把握するための留意事項をまとめたもので、会社が計算書類を作成する際に前提とした事項のほか、「継続企業の前提に関する注記」（計98条1項1号）、「関連当事者との取引に関する注記」（同項15号）、「重要な後発事象に関する注記」（同項17号）などを含む。

(b)　計算書類の附属明細書

計算書類の附属明細書は、以下の事項のほか、計算書類の内容を補足する重要な事項を内容とするものでなければならない（計117条）。

①　有形固定資産及び無形固定資産の明細
②　引当金の明細
③　販売費及び一般管理費の明細
④　計規第112条（関連当事者との取引に関する注記）第1項ただし書の規定により省略した事項があるときは、当該事項

(c)　連結計算書類

連結計算書類とは、連結貸借対照表、連結損益計算書、連結株主資本等変動計算書および連結注記表をいう（計61条）。

(ii)　計算書類および附属明細書ならびに連結計算書類の作成

会社は、法務省令で定めるところにより、各事業年度に係る計算書類および附属明細書を作成しなければならない（法435条2項）。また、有価証券報告書提出の大会社は、法務省令で定めるところにより、各事業年度に係る連結計算書類を作成しなければならない（法444条3項）。会社は、適時に正確な会計帳簿を作成しなければならず（法432条1項）、各事業年度に係る計算書類および附属明細書は、各事業年度に係る会計帳簿に基づい

て作成しなければならない（計59条3項）。

株式会社は、不特定多数の株主から出資を受けて事業を行う仕組みである以上、株主から負託を受けて事業を行っている取締役は、事業年度ごとに定時株主総会を開催し（法296条1項）、会社の事業の状況および結果を報告するとともに、取締役として続けて負託を受けるかどうかにつき改めて承認を受ける必要がある。その際、各事業年度における業績を適切に報告するため、計算書類および附属明細書ならびに連結計算書類の作成が義務づけられている。

これらの書類は出資者である株主に対する1年間の業績報告であるから、その内容が正確であることは当然の前提であり、そのために正確な会計帳簿の作成と会計帳簿に基づく計算書類の作成が義務づけられている。

会計帳簿を作成するための経理・会計手続については、会計システムの導入により効率化が進められているとはいえ、1ヶ月内外で計算書類および附属明細書ならびに連結計算書類の全てを正確に作成するのは大変な作業である。しかし、決算の数字に誤りがあると、計算書類のみならず有価証券報告書に記載する財務情報にも誤りが生じ、開示に関する責任を問われることにもなりかねない。近年は有価証券報告書の虚偽記載等に基づく責任追及訴訟も増加しているので、注意が必要である。正確な経理・会計手続を担保するだけの能力・資質を備えた人員の手当が必要である。

(iii)　会計監査人による監査

計算書類および附属明細書ならびに連結計算書類については、会計監査人および監査役会等の監査を受ける必要がある（法436条2項、444条4項）。

監査役会等の監査については、会計監査人の監査に依拠して行うこととされているため、順序としては、最初に会計監査人が監査を行うことになるが、上記の計算関係書類を作成した取締役（CFO）が会計監査人に提供しようとするときは、同時に監査役（監査等委員会の指定した監査等委員、監査委員会の指名した監査委員）にも提供しなければならないとされている（計125条）。

会計監査人は、受け取った計算関係書類について監査を行い、以下に定める日までに特定監査役および特定取締役に対して会計監査報告の内容を通知しなければならない（計130条1項）。この期限までに会計監査報告の内容の通知がされなかった場合には、当該通知をすべき日に会計監査人の監査を受けたものとみなされる（同条3項）。

・計算書類および附属明細書：次のうちいずれか遅い日
　①　計算書類の全部を受領した日から4週間を経過した日
　②　計算書類の附属明細書を受領した日から1週間を経過した日
　③　特定取締役・特定監査役・会計監査人の間で合意により定めた日
・連結計算書類：連結計算書類の全部を受領した日から4週間を経過した日（ただし、特定取締役・特定監査役・会計監査人の間で合意により定めた日がある場合にはその日）

なお、「特定取締役」「特定監査役」とは、会計監査報告の内容の通知を受ける者として定められた者をいう（計130条4項・5項）。

そのほか、会計監査人は、特定監査役に対する会計監査報告の内容の通知に際して、会計監査人の職務の遂行に関する以下の事項についても通知しなければならない（計131条）。これは、監査役会等の監査報告において「会計監査人の職務の遂行が適正に実施されることを確保するための体制に関する事項」を記載するためである（計127条4号、128条2項2号、128条の2第1項2号、129条1項2号）。

①　独立性に関する事項その他監査に関する法令遵守に関する事項
②　監査業務等に関する契約の受任および継続の方針に関する事項
③　会計監査人の職務の遂行が適正に行われることを確保するための体制に関するその他の事項

ⅳ　監査役会等による監査

監査役会等は、計算書類および附属明細書ならびに連結計算書類を作成した取締役（CFO）からそれらの書類を受け取り、会計監査人から会計監査報告を受け取った後、これらについての監査報告を作成しなければならない（計127条、128条、128条の2、129条）。

監査役会での監査報告を作成する際には、会議を実開催する方法か、電話会議やテレビ会議など同時に意見交換できる方法のいずれかで、1回以上監査役会を開催して審議しなければならない（計128条3項）。監査報告の作成に当たり、監査役会の決議が必要かどうかについては、現実に審議する場が1回以上あればよく、監査報告の最終決定については監査役会等の決議がなくとも、持ち回り等の適宜の方法でよいとする見解もあるが（相澤哲＝郡谷大輔「会社法関係法務省令の解説(5)――事業報告(下)」商事法務1763号（2006）20頁）、監査役会決議により監査報告を作成することを要するとするのが多数説である（会社法コンメ(8)478頁〔森本滋〕）。

また、監査等委員会および監査委員会ではその決議をもって監査報告の内容を定めなければならず（計128条の2第2項、129条2項）、書面決裁は認められていない。

特定監査役は、以下に定める日までに特定取締役および会計監査人に対して監査報告の内容を通知しなければならない（計132条1項）。この期限までに監査報告の内容の通知がされなかった場合には、当該通知をすべき日に、監査役会等の監査を受けたものとみなされる（同条3項）。

- 計算書類および附属明細書：次のうちいずれか遅い日
  - ① 会計監査報告を受領した日から1週間を経過した日
  - ② 特定取締役および特定監査役の間で合意により定めた日
- 連結計算書類：会計監査報告を受領した日から1週間を経過した日（ただし、特定取締役および特定監査役の間で合意により定めた日がある場合にはその日）

(3) 事業報告等の監査スケジュール

(i) 監査の対象

会社は、法務省令で定めるところにより、各事業年度に係る事業報告および附属明細書を作成し（法435条2項）、監査役会等の監査を受けなければならない（法436条2項2号）。

(a)　事業報告

事業報告とは、会社の状況に関する重要な事項で、計算関係書類の内容となる事項以外の法務省令で定められた事項を記載したものであり、その記載事項については、会社法施行規則で細かく定められている。

事業報告には、当該株式会社の状況に関する重要な事項（施118条１号）のほか、内部統制システムの基本方針についての取締役会決議があるときはその決議内容の概要および内部統制システムの運用状況の概要（同条２号)、買収防衛策を定めているときは当該防衛策の概要（同条３号)、特定完全子会社（自社総資産額の20％超の株式簿価を計上している子会社）があるときはその概要（同条４号)、親会社との取引があるときは当該取引が自社利益を毀損していないこと（同条５号）を記載しなければならない。また、公開会社の場合には、これらに加えて、①株式会社の現況に関する事項、②株式会社の会社役員に関する事項、③株式会社の役員当賠償責任保険契約に関する事項、④株式会社の株式に関する事項、⑤株式会社の新株予約権等に関する事項について記載しなければならず（施120条〜124条)、会計監査人設置会社の場合には会計監査人に関する事項についても記載しなければならない（施126条)。

事業報告のひな型については、全国株懇連合会や経団連などから公表されており、それらのひな型で記載されている項目は以下のとおりである。

1.　企業集団の現況に関する事項
　(1)　事業の経過およびその成果
　(2)　設備投資等の状況
　(3)　資金調達の状況
　(4)　対処すべき課題
　(5)　財産および損益の状況の推移
　(6)　重要な親会社および子会社の状況
　　①　親会社との関係
　　②　重要な子会社の状況
　　③　事業年度末日における特定完全子会社の状況
　　④　その他
　(7)　主要な事業内容

⑻　主要な営業所および工場
⑼　従業員の状況
⑽　主要な借入先
2．会社の株式に関する事項
⑴　発行済株式の総数
⑵　株主数
⑶　大株主
⑷　当事業年度中に職務執行の対価として会社役員に交付した株式の状況
⑸　その他株式に関する重要な事項
3．会社の新株予約権等に関する事項
⑴　職務執行の対価として交付した新株予約権の当事業年度末日における状況
⑵　当事業年度中に職務執行の対価として交付した新株予約権の状況
⑶　その他新株予約権等に関する重要な事項
4．会社役員に関する事項
⑴　取締役および監査役の氏名等
⑵　責任限定契約の内容の概要
⑶　補償契約の内容の概要
⑷　役員等賠償責任保険契約の内容の概要
⑸　当事業年度に係る取締役および監査役の報酬等
①　取締役の個人別の報酬等の内容に係る決定方針に関する事項
②　取締役および監査役の報酬等についての株主総会の決議に関する事項
③　取締役の個人別の報酬等の内容の決定に係る委任に関する事項
④　取締役および監査役の報酬等の総額等
⑹　社外役員に関する事項
①　取締役○○○○
ア．重要な兼職先と当社との関係
イ．主要取引先等特定関係事業者との関係
ウ．当事業年度における主な活動状況
②　監査役○○○○
ア．重要な兼職先と当社との関係
イ．当事業年度における主な活動状況

5．　会計監査人の状況
⑴　会計監査人の名称
⑵　責任限定契約の内容の概要
⑶　当事業年度に係る会計監査人の報酬等の額
①　事業年度に係る会計監査人としての報酬等および監査役会が同意した理由
②　当社および当社子会社が支払うべき金銭その他の財産上の利益の合計額
⑷　非監査業務の内容
⑸　会計監査人の解任または不再任の決定の方針
6．　会社の体制および方針
⑴　取締役の職務の執行が法令および定款に適合することを確保するための体制その他業務の適正を確保するための体制および当該体制の運用状況
⑵　株式会社の支配に関する基本方針
⑶　剰余金の配当等の決定に関する方針

⒝　事業報告の附属明細書

事業報告の附属明細書には、①事業報告の内容を補足する重要な事項、②（公開会社である場合）他の法人等の業務執行取締役等を兼ねることが重要な兼職に該当する会社役員についての当該兼職の状況の明細（重要でないものを除く）、③当該株式会社とその親会社等との間の取引（第三者との間の取引で利益が相反するものを含む）であって、当該株式会社の当該事業年度に係る個別注記表において注記を要するものがあるときは当該取引により当該株式会社の利益を害さないように留意した事項、を記載しなければならない（施128条）。

ⅱ　事業報告および附属明細書の作成

会社は、法務省令で定めるところにより、各事業年度に係る事業報告および附属明細書を作成しなければならない（法435条２項）。

株式会社は、不特定多数の株主から出資を受けて事業を行う仕組みである以上、株主から負託を受けて事業を行っている取締役は、事業年度ごとに定時株主総会を開催し（法296条1項）、会社の事業の状況および結果を報告するとともに、取締役として引き続き負託を受けるかどうかにつき改めて承認を受ける必要がある。その際、各事業年度における事業の状況を適切に報告するため、事業報告および附属明細書の作成が義務づけられている。計算書類と同様、出資者である株主に対する1年間の業務状況の報告であるから、その内容が正確であることが当然の前提である。

事業報告および附属明細書を作成する取締役としては、会社法施行規則所定の記載事項ごとに、株主に報告するべき内容を実態と合わせて正確に記載する必要がある。

ⅲ 監査役会等による監査

監査役会等は、事業報告およびその附属明細書を受領した後、これについての監査報告を作成しなければならない（施129条、130条、130条の2、131条）。

事業報告については、計算関係書類の場合と異なり、会計監査人による監査は実施されない。もっとも、会計監査人は、監査の過程で得た知識と比較して、事業報告およびその附属明細書における重要な誤りの兆候に注意を払い、会計監査報告において、「事業報告及びその附属明細書の内容と計算関係書類の内容又は会計監査人が監査の過程で得た知識との間の重要な相違等」について、報告すべき事項の有無、報告すべき事項があるときはその内容を記載することとされている（計126条1項5号）。

監査役会等は、1年間の監査を通じて発見した情報等と照らし合わせて、監査報告記載事項について検討し、監査報告を作成する。監査報告の作成プロセスは、計算関係書類の監査と同様である。監査役会で監査報告を作成する際には、会議を実開催する方法か、電話会議やテレビ会議など同時に意見交換できる方法のいずれかで、1回以上監査役会を開催して審議しなければならず（施130条3項）、監査等委員会および監査委員会で監査報告を作成する際には決議が必要である（施130条の2第2項、131条2項）。

特定監査役は、以下に定める日のいずれか遅い日までに特定取締役に対して監査報告の内容を通知しなければならない（施132条1項）。この期限までに監査報告の内容の通知がされなかった場合には、当該通知をすべき日に、監査役会等の監査を受けたものとみなされる（同条3項）。

① 事業報告を受領した日から4週間を経過した日
② 事業報告の附属明細書を受領した日から1週間を経過した日
③ 特定取締役および特定監査役の間で合意した日

⑷ 株主総会までのスケジュール

(i) 決算承認・招集決定の取締役会

計算書類および事業報告ならびにこれらの附属明細書は、監査を受けた後、取締役会の承認を受けなければならない（法436条3項）。

連結計算書類も、監査を受けた後、取締役会の承認を受けなければならない（法444条5項）。

そのため、これらの書類についての監査が完了し、特定監査役から特定取締役に対して監査報告の内容の通知がされた場合には、決算承認取締役会が開催され、監査を受けた計算書類および事業報告（これらの附属明細書を含む）ならびに連結計算書類について、取締役会の承認を受けることとなる。

また、これらの書類は当該事業年度における会社の業務の状況および結果を株主に報告するためのものであり、定時株主総会へ提供するために作成されるものであるから、定時株主総会の招集についても取締役会で決定しなければならない（法298条1項）。この招集決定の取締役会と決算承認の取締役会は、ほぼ同じタイミングで開催されることになる（同時に開催される例も多い）。

株主総会の招集決定においては、①株主総会の日時および場所、②株主総会の目的である事項があるときは、当該事項、③株主総会に出席しない株主が書面によって議決権を行使することができることとするときはその旨（書面投票）、④株主総会に出席しない株主が電磁的方法で議決権を行使することができることとするときはその旨（電子投票）、⑤前各号に掲げるもののほか、法務省令で定める事項（たとえば、書面投票または電子投票制度を採用した場合には各議案に関して参考書類として記載するべき事項（施63

条3号イ)、参考書類として記載すべき事項のうち書面交付請求に基づく交付書面に記載しないものとする事項（同号ト）など）を定めなければならない（法298条1項)。

さらに、令和元年改正会社法により、令和4年9月1日時点における振替株式発行会社においては同5年3月1日以降に開催される株主総会の招集手続から電子提供制度が適用され、招集通知には、招集決定において定めた上記①から⑤のほか、⑥電子提供措置をとっている旨、⑦アクセス先を記載する（法299条4項、325条2項、施95条の3)。また、会議の目的事項（議案）に係る参考書類、株主提案がされた場合における当該議案の要領のほか、株主に提供するべき事業報告、計算関係書類および監査報告については、電子提供措置をとらなければならない（法325条の3)。

監査役会等は、取締役が株主総会に提出しようとする議案および書類等（電磁的記録その他の資料を含む）を調査し、法令・定款に違反しまたは著しく不当な事項があると認めるときは、その調査結果を株主総会に報告することが義務づけられている（法384条、399条の5、施106条、110条の2)。

したがって、監査役会等では、招集決定取締役会に際し、①株主総会招集通知、②事業報告等・計算関係書類・監査報告等、③株主総会参考書類（議案等）などについて調査する必要がある。

また、監査役会等は、株主総会に提出する会計監査人の選任および解任ならびに不再任に関する議案の内容の決定権（法344条、399条の2第3項2号、404条2項2号）および監査役・監査等委員の選任に関する議案の同意権（法343条1項・3項、344条の2第1項）を有しているから、それらの議案が定時株主総会に提出される可能性がある場合には、招集決定の取締役会に先立ち、それらの議案について決定・同意するかどうかを決議しておく必要がある。

会計監査人は毎年再任されるのが通例であり、変更しないのであれば改めて株主総会に議案を提出することはないが、監査役会等は不再任に関する議案について決定する権限を有しているため、毎年、招集決定取締役会の前に、会計監査人を不再任とする議案を決定する必要がないかどうか（再任してもいいかどうか）を審議しなければならない。そのため、あらかじめ定めた会計監査人の選定・評価基準に従い、会計監査人の評価を行っておく必要がある。

そのほか、近年ではCGコードを受けて指名・報酬に係る諮問委員会の設置が進んでおり（補充原則4-10①）、取締役選任議案や取締役の報酬額改定議案などを株主総会に提出する場合には、事前に諮問委員会で審議し、取締役会へ意見を答申した上で決定されることになる。諮問委員会の中心メンバーは社外取締役であるが、任意の委員会であるため、社外監査役等がメンバーに入ることもある（監査等委員会・監査委員会では、監査等委員・監査委員が兼務していることもある）。

さらに、監査等委員会設置会社の場合には、監査等委員会が選定した監査等委員は、監査等委員以外の取締役の選任・解任・辞任等あるいは報酬等について意見を述べることができる（法342条の２第４項、361条６項）。これは、指名・報酬の決定を通じたモニタリング機能を社外取締役が過半数を占める監査等委員会に期待しているものであるから、監査等委員会としては、招集決定取締役会の前に指名・報酬に対する意見の有無を審議することになろう。そのためには、監査等委員会として、任意の諮問委員会が設置されている場合にはその審議状況を確認し、設置されていない場合には取締役から指名・報酬の決定プロセスについて説明を受けなければならない。

このように、決算承認・招集決定の取締役会の前には、監査報告を作成して通知するだけでなく、会計監査人の不再任議案を決定する必要があるかどうかを審議するために会計監査人の評価を行い、監査役・監査等委員の選任議案に同意するかどうかを決議し（監査役会設置会社・監査等委員会設置会社の場合）、監査等委員以外の取締役の指名・報酬についての意見を審議するために任意の諮問委員会の審議状況を確認するなど（監査等委員会設置会社の場合）、監査役会等においてもさまざまな審議・検討を行う必要がある。

ⅱ　株主への提供

定時株主総会を招集するには、株主総会の日の２週間前までに招集通知を発しなければならず（法299条１項）、取締役会の承認を受けた計算書類および事業報告（それらの会計監査報告および監査報告を含む）ならびに連結計算書類は、招集通知に際して株主に提供しなければならない（法437条、444条6項、計133条1項3号、施133条1項2号。ただし、附属明細書は提供不要）。

そして、会議の目的事項（議案）に係る参考書類、株主に提供するべき事業報告、計算関係書類および監査報告等については、株主総会の日の3週間前または招集通知を発した日のいずれか早い日から株主総会の日後3ヶ月を経過する日までの間、電子提供措置をとらなければならない（法325条の3）。

電子提供制度の適用開始以前の実務でも、機関投資家等からの要請に従い、招集通知の発送は法定の期限よりも前倒しされており、かつ、招集通知を書面で送付する場合にはその印刷・封入等の発送準備にも相応の時間がかかるため、6月末に株主総会を開催する3月決算の会社の場合、5月末に招集通知および送付書類の印刷校了期限が到来していた。電子提供措置をとる場合には、印刷・封入等の発送準備の時間は短縮されるものの、電子提供措置の期限は従前の招集通知の期限よりも早められている。さらに、株主総会の集中日を避けるために総会開催日を前倒しする場合には、電子提供措置の期限もそれに伴って前倒しされる。

その一方で、事業の範囲が広範かつ複雑化している中、事業年度が終わってから決算の数字を確定させ、計算関係書類を作成するまでには、それなりの時間がかかる。それらの書類を受け取った会計監査人が会計監査報告を作成し（法定の期限は4週間）、それを受け取った監査役会等が監査報告を作成するため（法定の期限は1週間）、特定取締役が監査報告の内容の通知を受けることができるのは、どうしても5月中旬頃とならざるをえない。

そうなると、5月中旬から下旬にかけての数週間の間に、監査役会等の監査報告を決議するための監査役会等を開催し、決算承認・招集決定の取締役会を開催し、株主総会に提出する議案によっては監査役会等や諮問委員会による審議も行わなければならず、期末監査のスケジュールは非常にタイトなものとなっている。しかも、監査役会等の監査報告を作成する際には、会議あるいは意見交換できる方法で審議しなければならず、原則として欠席は許されない。

そのため、5月中旬のスケジュール管理は非常に重要である。特に、社外監査役等が他社の社外監査役等を兼務している場合には、当該他社の期末監査も同時期に集中する可能性が高く（3月決算企業が多いため）、スケジュール調整が極めて困難となる。

期末監査におけるスケジュールは、できる限り早期に決めて、社外監査役等に伝えておくことが重要である。

(iii)　定時株主総会における承認・報告

株主に提出された計算書類は、定時株主総会の承認を受けなければならない（法438条2項）。ただし、会計監査人設置会社においては、計算書類についての会計監査報告に無限定適正意見が付され、かつ、監査役会等の監査報告においても会計監査人の監査の方法または結果を不相当とする意見がない場合には、株主総会の承認に代えて取締役会の承認によって計算書類を確定させることができ、株主総会ではその内容を報告すれば足りる（法439条、計135条）。ほとんどの上場企業では、この特則の要件を満たした上、計算書類を報告事項として上程している。

株主総会に提出された事業報告および連結計算書類については、株主総会でその内容を報告すれば足り、承認までは不要である（法444条7項、438条3項）。

計算書類の会計監査報告および監査報告ならびに事業報告の監査報告は、招集通知に際して株主に提供することとされている（法437条、計133条1項3号、施133条1項2号）。また、連結計算書類の会計監査報告および監査報告は、招集通知に際して株主に提供することは求められていないが、株主総会において監査結果を報告することとされている（法444条7項）。実務においては、計算書類・事業報告・連結計算書類についての会計監査報告および監査報告は、いずれも招集通知に対して株主に提供され、株主総会当日に報告されている。

監査役会等としては、株主総会当日、株主に対して監査報告の内容を口頭で報告するのが通例であり、誰が報告するのかをあらかじめ決めておく必要がある。一般的には常勤監査役等が報告するが、監査等委員会・監査委員会の委員長を社外取締役が務めているときは委員長が報告を行う。

さらに、監査役等は、株主から特定の事項について説明を求められた場合には、原則として当該事項について必要な説明をしなければならない（法314条）。

実務においては、監査役等に対する質問が出される例はさほど多くないものの、社外役員の重要性が広く認識されてきていることに伴い、今後は監査役等に対する質問も増えてくる可能性がある。特に不祥事が起きた場合には、違法性監査を職責とする監査役等に題して質問が出る可能性もあるため、相応の準備が必要である。なお、最近の株主総会において、社外監査役に回答を求める株主からの質問があった会社は8.7%に上る（総会白書2022年版150頁参照）。

そのほか、会計監査人の監査報告書に記載される「監査上の主要な検討事項（KAM）」（その内容について⑸(iii)参照）について質問されたときの対応も検討しておくべきである。

会社法上、会計監査人には一定の場合に株主総会で意見を陳述する機会が確保されているが（法398条）、この意見陳述の機会は、実務上はあまり活用されていない。株主総会への会計監査人の出席状況等に関しては、「入場あり」と回答した会社が29.8%、「別室待機」と回答した会社が22.0%、「オンラインで待機」と回答した会社が1.0%、「待機なし」と回答した会社が46.4%であった（総会白書2022年版140頁参照）。

実務上は、株主から「監査上の主要な検討事項（KAM）」についての質問等があった場合には、直接会計監査人に意見を述べさせるのではなく、代わりに監査役等が回答することになると考えられる。

(iv) 決算情報の開示

監査報告ならびに会計監査報告は、計算書類および事業報告ならびにこれらの附属明細書とともに定時株主総会の2週間前の日から5年間本店に備え置かなくてはならない（法442条1項）。また、支店においてはその写しを3年間備置しなくてはならない（同条2項）。

株主および債権者は、いつでもこれらの書類の閲覧等を請求することができる（法442条3項）。また、親会社がある場合には、親会社の株主も、裁判所の許可を得て閲覧等を請求することができる（同条4項）。

金商法の適用を受ける会社は、事業年度経過後3ヶ月以内に有価証券報告書を開示することが義務づけられている（金商24条1項）。また、上場企業においては、金融商品取引所の規則に従い、決算情報（決算短信）を開示する必要がある（上場規程404条）。

このように、事業年度が終了した後は、会社法に基づき計算関係書類および事業報告の監査スケジュールを進める傍ら、有価証券報告書の作成および金商法に基づく監査を受け、上場規程に基づく決算情報（決算短信）の開示も行わなければならない。

しかも、決算短信については、「事業年度又は連結会計年度に係る決算については、遅くとも決算期末後45日（45日目が休日である場合は、翌営業日）以内に内容のとりまとめを行い、その開示を行うことが適当であり、決算期末後30日以内（期末が月末である場合は、翌月内）の開示が、より望ましい」（東京証券取引所「決算短信・四半期決算短信作成要領等（2022年4月版）」）とされており、この開示に向けたスケジュールも非常にタイトである。最近では、計算関係書類の監査手続が未了のまま決算短信を発表する会社も増えている。

一方で、これらの金商法または上場規程に基づく決算情報の開示においても、適時かつ正確な情報開示が非常に強く求められている。

金商法では、有価証券報告書の重要な事項について虚偽の記載があり、または記載すべき重要な事項もしくは誤解を生じさせないために必要な重要な事実の記載が欠けている場合には、取締役・監査役等の会社役員は投資家に対する損害賠償責任を負い（金商24条の4、22条、21条1項）、会社役員の側で、当該記載が「虚偽であることまたは欠けていることを知らず、かつ相当な注意を用いたにもかかわらず知ることができなかったこと」を証明しない限り、免責されないとされている（金商24条の4、22条、21条2項）。一般的な任務懈怠責任よりも厳しい立証構造（立証責任の転換）となっている点に注意する必要がある。同様の責任は、有価証券報告書だけでなく内部統制報告書・四半期報告書等についても課されている（金商24条の4の6、24条の4の7等）。

(5)　期末監査における監査上の留意点

(i)「公正妥当と認められる企業会計の慣行」

株式会社の会計は「一般に公正妥当と認められる企業会計の慣行」に従って作成するものとされている（法431条）。

「一般に公正妥当と認められる企業会計の慣行」としては、企業会計審議会の「企業会計原則」を柱とする「会計基準」や、日本公認会計士協会の「実務指針」などの基準が存在する。これらの基準は、国家が定める制定法と異なり、一義的に定められたものではなく、企業会計の実務の中で発展し、慣習法として規範となっているものである。

したがって、企業ビジネスの進展に伴って企業会計の実務も進展し、それにつれて新たな規範が生まれ、新しい基準が常に生み出されている。また、上に掲げた「日本基準」と呼ばれるもの以外にも、米国での会計慣行を体系立てた「米国基準」や、国際的に広く通用するグローバル・スタンダードとして企業会計慣行を取りまとめた「IFRSs（国際財務報告基準・International Financial Reporting Standards）」などの会計基準も存在する。

監査役等は、これらの会計基準について、自ら会計帳簿や計算関係書類を作成できるような詳細な知識を有する必要はないが、株主総会に提出される計算関係書類が、会社法関連法令のみならず公正妥当な企業会計慣行にも則って作成されているか、会社の財産・損益の状況を重要な点において正しく表示しているかどうか、会計監査人の監査が適切なものであるといえるか等を判断し、適切な会計監査を遂行できるよう、自社で採用している会計基準の概要を把握しておくことが望ましい。

CGコードでは「監査役には、適切な経験・能力及び必要な財務・会計・法務に関する知識を有する者が選任されるべきであり、特に、財務・会計に関する十分な知見を有している者が1名以上選任されるべきである。」（原則4-11）と明記されており、事業報告の中でも「監査役が財務及び会計に関する相当程度の知見を有しているものであるときは、その事実」を記載するように求められている（施121条9号）。

全ての監査役等が「財務及び会計に関する相当程度の知見」を有している必要はないが、監査役会等の中にこれらの知見を有する監査役等がいることで、日々進展する会計基準の変化もふまえつつ、適切な会計監査を行うことが可能となる。財務・会計の知見ある監査役等のリードの下、監査役会等が一体となって、適切に会計監査を遂行できる体制となっていることが肝要であろう。

(ii)　経理・会計部門および会計監査人との確認事項

「一般に公正妥当と認められる企業会計の慣行」に従って計算書類や連結計算書類を作成するといっても、これらの基準に照らせば、全て一義的に定まるというようなものではない。新規ビジネスに適用すべき基準の選択や解釈の違い、事業の先行きの見通し等の経営判断を含む「見積り」の違い、企業買収によるのれん・商権等無形資産の評価の差異など、さまざまな判断要素が含まれるためである。

それゆえ、当該事業年度における経営成績、資産状況および事業の状況が正しく計算関係書類に反映されているかを監査するのは、難易度の高い作業であり、相当な時間もかかる。したがって、期中監査の時点から、会社の事業の実態と合わせて会計処理についても気を配っておくことが必要である。

具体的には、会計帳簿・計算関係書類の作成を担当する経理・会計部門との面談や会計監査人との面談等を行い、会社の会計処理方針と会計監査人の見解が食い違っているようなところがないか、もしある場合にはそれぞれどのような根拠に基づいているのか、営業部門から聴取している事業の実態に照らしてそれぞれの根拠に違和感がないか、などについて質疑を重ねながら確認することが必要となる。

これらの確認は、期末だけでなく年間を通じて行うこととなるが、各四半期決算のタイミングなど、会計処理に関する「論点」が浮かび上がってきた段階で、経理・会計部門および会計監査人のそれぞれの意見を聴取し、その「論点」をつぶしておくべきであろう。

営業部門の事業活動に伴って日々多数の会計処理が行われているが、その中で会社側の会計処理と会計監査人の見解の相違が発生した場合には、会社側でポジション・ペーパー（企業の会計処理決定に際して、その判断に至るプロセス、根拠および結論を明確にするための文書）を作成の上、その相違がどこから発生したものか、どのような根拠に基づいて当該会計処理を行ったかといった点について会計監査人と協議することが多い。決算確定に至る期末までの間に、ポジション・ペーパーが作成された「論点」のうち、定量的・定性的に会社全体に与える影響が重要であると認められるものについては、監査役会等において経理・会計部門および会計監査人からそれぞれの意見を十分に聴取し、お互いの議論や意見交換を促すなどして、最終的な監査報告書の作成時点まで意見の対立が残ることがないように留意すべきである。

(iii) 「監査上の主要な検討事項（Key Audit Matters）」

(a) 「監査上の主要な検討事項（KAM）」とは

従来の会計監査人の監査報告書は、記載文言を標準化（ボイラープレート化）して会計監査人の意見を簡潔明瞭に記載する短文式のものであったが、会計不祥事の多発という背景事情を受けて、監査プロセスの透明性の向上に向けた議論が始まった。そして、企業会計審議会の「監査基準の改訂に関する意見書」（平成30年7月5日付け）に基づき、「財務諸表等の監査証明に関する改正内閣府令」（監査証明府令）が交付・施行され、2021年3月決算に係る財務諸表の監査から、「監査上の主要な検討事項（KAM）」の適用が開始された。

「監査上の主要な検討事項」（Key Audit Matters）とは、会計監査人が監査の過程で「監査役等と協議した事項」の中から決定するものであり、[図表Ⅱ-6-(5)-(iii)-(a)] 記載のとおり、「監査役等と協議した事項」の中から「特に注意を払った事項」を決定し、さらに「特に重要であると判断した事項」に絞り込んで決定する。

［図表Ⅱ-6-(5)-(iii)-(a)　KAMの決定プロセス］

そして、会計監査人は、その監査報告書の中で会計監査人の「意見」と区分して「監査上の主要な検討事項」を設け、以下を記載する。

① 「監査上の主要な検討事項」の内容
② 「監査上の主要な検討事項」であると決定した理由
③ 「監査上の主要な検討事項」についての監査における会計監査人の対応

このように会計監査人の監査報告書の中に「監査上の主要な検討事項」を記載することを義務づけるのは、株主や投資家に対して監査のプロセスに関する情報を新たに提供することで、会計監査人の監査の品質を評価する新たな検討材料が増え、監査の信頼性向上に資するものと期待されているためであるが、それは「監査上の主要な検討事項」を記載して終わりということではない。

「監査上の主要な検討事項」を通じて株主・投資家と経営陣との対話、会計監査人と監査役等の間の対話、会計監査人と経営陣の間の対話など各レイヤーでのコミュニケーションが深まり、一層拡充されることにより、コーポレート・ガバナンスのさらなる強化が期待される。さらに、監査の過程で識別されたさまざまなリスクに関する認識を共有することにより、監査の実効性が高まることも期待されている。すなわち、「監査上の主要な検討事項」を起点とする諸種の取組みによって、これまでの日本企業の会計不祥事によって失墜した会計監査の信頼性の向上がもたらされることが期待されているのである。

監査役会等には、「監査上の主要な検討事項」を巡る各レイヤーでのコミュニケーションの中心となって、監査に対する各ステークホルダーの理解を深め、監査の実効性の向上とともに監査の信頼性の向上に向けて、この新たな取組みの牽引役を務めることが期待されている。

⒝　「監査上の主要な検討事項（KAM）」の検討プロセスにおける監査役等の関与

監査役会等では、事業年度の開始に当たり会計監査人から監査計画の概要について説明を受けるのが一般的であり、その際に監査上の重要な論点についても説明されている。KAM 導入を契機として、会計監査人の上記説明がより丁寧となり、また、監査役等からも積極的に意見を述べるなど議論が活性化したという事例もあるとのことであり、KAM に関する議論を通じて監査役会等と会計監査人とのコミュニケーションをより深めていくことが期待される。

また、KAM の検討プロセスにおいては、会社（執行側）と会計監査人の間で見解の相違や要調整事項が生じることもある。たとえば、会計監査人が「監査上の主要な検討事項（KAM）」として監査報告書に記載しようとする内容について、会社側から、あたかも問題を抱えているかのような誤解を招きかねない表現を回避してほしい、個別の子会社名や詳細に過ぎる金額を記載することは避けてほしいといった要望が出される場合である。かかる見解の相違が見られる場面では、監査役会等として、会計監査人とコミュニケーションを取るだけでなく、会社（執行側）との間でも KAM に関するコミュニケーションを取ることで、KAM の検討プロセスにおいて、会社（執行側）、監査役および会計監査人の間で円滑な意思疎通と適切な議論がなされるように留意すべきである。

期末監査の段階では、監査役会等として、KAM として選定された項目が妥当かどうか、記載内容が株主・投資家にとって理解しやすいものとなっているか（誤解を招かない表現となっているか）、選定項目および記載内容と開示内容との整合性が保たれているかなどといった点に留意しながら、会計監査人と議論を行うことになる。

さらに、監査役会等としては、定時株主総会に向けた準備に当たり、KAMに関連した想定問答も作成しておくことが望ましい。確かに、定時株主総会開催時点では有価証券報告書を提出していない会社が多いため、総会後に開示される金商法上の監査報告書でKAMについてどのように記載されるのかといった具体的な内容まで言及することは避けるべきであるものの、監査役等としてKAMの選定等に当たり会計監査人とどのような議論を行ったのか、監査役会等として監査上の重要なポイントをどのように考えているのかといった点については回答を準備しておくべきである。また、昨年開示したKAMについての選定理由（監査役会等としての考え）や当該事項についての監査における対応などについても回答内容を整理しておく必要がある（以上につき、日本監査役協会会計委員会「監査上の主要な検討事項（KAM）の強制適用初年度における検討プロセスに対する監査役等の関与について」（2021年12月20日）参照）。

(c)「監査上の主要な検討事項（KAM）」の検討プロセスにおける留意点

以上のとおり、監査役会等には、KAMの検討プロセスにおいて、会社（執行側）、監査役会等および会計監査人という三者の間で円滑なコミュニケーションが取れるように働き掛けていくことが期待されているが、特に、未公表の事実の取り扱いについては留意する必要がある。

会計監査人が「監査上の主要な検討事項」を監査報告書に記載するにあたっては、会社が公表していない情報に言及する必要が生じることも想定される。

このような場合、会計監査人としては、当該事項を「監査上の主要な検討事項」として監査報告書に記載して株主および投資家に対して情報提供することにより、株主・投資家の投資判断に資するといった公共の利益が想定されるならば、当該事項が営業秘密に該当する事項を含んでおり、これを監査報告書に記載することによって企業に多大な損害が発生するなど公共の利益を上回る不利益が発生することが合理的に見込まれる場合を除き、当該事項を「監査上の主要な検討事項」として記載することが適切と考えられる。

公認会計士法27条は、公認会計士の守秘義務に関し、「正当な理由がなく、（中略）秘密を他に漏らし、又は盗用してはならない」と定めているが、会計監査人がその職業的専門家としての判断の根幹部分である当該意見に至った根拠を説明する上で必要な事項を述べることは「正当な理由」に該当するものと考えられる。日本公認会計士協会の倫理規則においても、同様の定めが置かれているが（倫理規則R114.1⑷）、「監査上の主要な検討事項」を監査報告書に記載することは、同様に「正当な理由」に該当するものと考えられる。

したがって、会社が公表していない情報に言及して「監査上の主要な検討事項」を記載することが会計監査人にとって法令違反・倫理規則違反となる場合は、極めて限定されているものといえる。

もっとも、「監査上の主要な検討事項」を監査報告書に記載するにあたって会社が公表していない事実に言及する場合には、会計監査人から経営者に対して追加の情報開示を促し、企業の情報開示に責任を有する経営者が自発的かつ積極的に対応することが望まれる。

会計監査人からの働きかけによっても経営者が自発的に当該情報を開示しないなど、会社の開示に対する姿勢が期待される水準にない場合には、会計監査についての最終責任を負っている監査役会等が会計監査人と連携し、経営者に対して、会計監査人からの要請に積極的に対応し、自発的に追加の開示を行うように促すことが望まれる。

7　今後の課題

⑴　諮問委員会・社外取締役との連携

(i)　ハイブリッド型のガバナンスモデル

会社法は、取締役会の職務について、①業務執行の決定、②取締役会の職務の執行の監督の2つを想定している（法362条2項。代表取締役の選定・解職は監督機能の一種として整理される）。そして、取締役会の意思決定機能と監督機能のどちらに重きを置くかによって、マネジメント・モデルとモニタリング・モデルの2つに大別される。

従来から多くの日本企業が採用している監査役会設置会社という機関設計は、重要な業務執行の決定については取締役に委任することはできず、取締役会で決議しなければならないとして（法362条4項）、取締役会の意思決定機能に重きを置いている。これは、重要な業務執行を実行する前に取締役会で議論して意思決定することで監督しようとするマネジメント・モデルである。

これに対し、平成14年商法改正で導入された指名委員会等設置会社という機関設計は、取締役会の監督機能の要となるべき指名・監査・報酬について社外取締役を過半数とする委員会の専権とすることで監督機能を強化する代わりに（法400条3項、404条1～3項）、重要な業務執行の決定については大幅に執行役に委任することを認めた（法416条）。これは、業務執行については執行役に委せ、それが実行された後にその結果を厳しく評価することで取締役会の監督機能を発揮させるモニタリング・モデルである。

このように、指名委員会等設置会社という機関設計が導入されたのは、従来型の監査役会設置会社においては、監督される立場の業務執行取締役が取締役会のメンバーであるため、取締役会において業務執行者に対するモニタリング機能が発揮されないのではないか、そのために日本企業の資本効率が低いのではないかという批判が強まったためである。

そこで、社外取締役が業務執行者の業績評価を行うというモニタリング機能を強化した機関設計（指名委員会等設置会社）が導入されたのであるが、なかなかモニタリング・モデルへの移行は進まなかった。これは、社外取締役を過半数とする「指名委員会」が経営トップを含む取締役の業務執行を厳しく評価し、場合によっては社長交代まで行うことができるというモニタリング・モデルの仕組みに対する不安感・抵抗感の表れと思われる。

そのような中で新たに導入されたのが、監査等委員会設置会社というハイブリッド・モデルである。

監査等委員会設置会社では、経営トップの業績評価に関わる「指名」「報酬」については、従前どおりに取締役会で決定するが、社外取締役を過半数とする監査等委員会が「指名」「報酬」の相当性を確認し、必要な場合には意見を述べることでモニタリング機能を発揮することが期待されている。

さらに、監査役会設置会社においても、CG コードにより複数名の社外取締役の選任と社外取締役を主要なメンバーとする指名・報酬に係る諮問委員会の設置が推奨され、モニタリング機能を強化したハイブリッド・モデルとしての運用が求められている。

CG コードでは、プライム市場上場会社は、会社の持続的な成長と中長期的な企業価値の向上に寄与する資質を十分に備えた独立社外取締役を少なくとも 3 分の 1（その他の市場の上場会社においては 2 名）以上選任すべきであるとしている（原則 4-8）。また、「監査役会設置会社または監査等委員会設置会社であって、独立社外取締役が取締役会の過半数に達していない場合には、経営陣幹部・取締役の指名（後継者計画を含む）・報酬などに係る取締役会の機能の独立性・客観性と説明責任を強化するため、取締役会の下に独立社外取締役を主要な構成員とする独立した指名委員会・報酬委員会を設置することにより、指名・報酬などの特に重要な事項に関する検討に当たり、ジェンダー等の多様性やスキルの観点を含め、これらの委員会の適切な関与・助言を得るべきである」（補充原則 4-10①）と規定している。

このように、会社法および CG コードは、指名委員会・報酬委員会の設置を求められていない監査役会設置会社または監査等委員会設置会社においても、社外取締役を主要なメンバーとする任意の諮問委員会を設置して、指名・報酬プロセスを通じたモニタリング機能を強化することを促している。

(ii)　社外取締役と監査役会等の連携

CG コードでは、監査役会設置会社・監査等委員会設置会社・指名委員会等設置会社という機関設計の違いにかかわらず、社外取締役を主要なメンバーとする諮問委員会を設置して、指名・報酬プロセスを通じたモニタリング機能を発揮することを要請している。

その一方で、業務執行から離れた立場の監査役会等が取締役の職務執行を監査することの重要性は、いずれの機関設計であっても変わりない。

監査役会等は「取締役の職務執行に不正・違法のおそれがないか」という違法性ガバナンスの観点から、社外取締役は「取締役は会社の収益性や経営効率の向上に向けた職務執行を行っているか」という効率性ガバナンスの観点から、それぞれ経営陣の行動を監督し、経営トップと対立することも辞さずに意見することが期待されている。そして、そのために経営トップからの独立が求められるという点でも同じである。近年、経営トップの暴走によりガバナンス体制が有効に働かなくなるような事態（マネジメント・オーバーライド）に陥った企業不祥事が散見されるが、経営トップによる不祥事を社内の仕組み（内部統制システムなど）で止めることは困難であり、監査役会等や社外取締役に対する期待が高まっている。

一方で、社外取締役には、社外監査役等と異なり、業務執行者から独立した情報提供ルートや情報共有・意見交換の場としての会議体によるサポートがなく、社外監査役等と比較して情報量がどうしても少なくなってしまうという実態がある。

社外監査役等には、経営陣から独立した立場にありつつ会社の事業内容や社内体制等を良く知る常勤監査役等から、取締役会に上程される審議事項の背景事情や社内体制などについて説明を受ける機会（監査役会）がある。また、最近は、独立した第三者の立場から会社の経済活動を把握している会計監査人と直接面談し、会計監査の過程で発見した問題点や連結ベースで課題と認識している事柄について説明を受ける機会も増えている。このように、社外監査役等は、監査役会等や会計監査人との面談を通じて、業務執行側からの説明以外のさまざまな情報のインプットが多く、会社の事業内容を多角的に把握することができる。

それと比べて、社外取締役に対しては、就任時のトレーニングの機会や取締役会の事前説明を通じた情報提供等はあるものの、それ以外の情報のインプットの機会が限られており、社外取締役と社外監査役等の間での情報格差が発生しやすい。

多くの上場企業で社外取締役の複数選任が進む中、今後は上記の情報格差を是正するべく、監査役会等と社外取締役の連携に向けてより一層の工夫が必要とされるものと思われる。監査役会等と社外取締役は、適法性ガバナンスと効率性ガバナンスという目指すところの違いはあるものの、どちらも独立した立場から業務執行者を監督するという目的は同じであり、取締役（業務執行者）に対する監督の実効性を向上させるという観点からも、両者の連携は有意義である。CGコードにおいても、「監査役または監査役会は、社外取締役が、その独立性に影響を受けることなく情報収集力の強化を図ることができるよう、社外取締役との連携を確保すべきである。」と指摘されている（補充原則4-4①）。

(iii)　諮問委員会と監査役等

CGコードでは、機関設計の違いにかかわらず、社外取締役を主要なメンバーとする諮問委員会を設置してモニタリング機能を強化することが期待されている。ここで想定されているのは、業績評価とそれをふまえた指名・報酬プロセスを通じて、経営トップを含む業務執行取締役をモニタリングすることである。

しかし、任意の諮問委員会の活動状況や守備範囲を検討していくと、監査役等の関わりについて悩ましい論点があることに気がつく。具体的には、指名・報酬に係る諮問委員会の対象として、監査役等の候補者選定あるいは報酬総額の水準に関する議論を含めるべきかどうか、含めない場合に監査役会等はどのように関与するべきかという点である。

(a)　監査役会・監査等委員会による候補者選定プロセスへの関与

会社法は、監査役・監査等委員会の地位を強化する目的で、監査役・監査等委員の選任議案を株主総会に提出するには、監査役会・監査等委員会の同意を得なければならないと定めている（法343条1項・3項、344条の2第1項）。また、監査役・監査等委員は、監査役・監査等委員の選任について意見があるときには、株主総会で意見を述べることができる（法345条4項・1項、342条の2第1項）。

監査役監査基準および監査等委員会監査等基準でも、監査役会・監査等委員会は、あらかじめ監査役・監査等委員候補者選任議案の同意に関して一定の選定方針を定め（監査役監査基準10条1項、監査等委員会監査等基準8条1項）、監査役・監査等委員の候補者の選定方針や監査役・監査等委員選任議案を決定する手続等について、取締役との間であらかじめ協議の機会を持つことが望ましい（監査役監査基準9条2項、監査等委員会監査等基準7条2項）とされている。

しかし、実際の運用としては、常勤・社外を問わず、次期監査役・監査等委員候補者については執行サイドで決定し、その案が監査役会・監査等委員会に送付され、監査役会・監査等委員会で同意する旨の決議を行ってから、監査役・監査等委員たる取締役の選任議案として株主総会に上程されるのが通例である。その間、どのような人物が次期の監査役・監査等委員として適任なのかといった議論を、監査役会・監査等委員会の中で、あるいは監査役会・監査等委員会と執行サイドとの間で行うといった運用は、ほとんどされてこなかった。

かかる運用に対して、ガバナンスの観点からの見直しが図られている。まず、監査役・監査等委員と同様に経営陣幹部・取締役を監督する役割が期待されている社外取締役については、その候補者の選定を監督される側である経営陣ら執行サイドで行うことは適切ではないという観点から、社外取締役を主要な構成員とする指名委員会で人選を議論することが主流となりつつある。そして、監査役・監査等委員候補者についても、同じように候補者選定のプロセスの透明性を図るべく、2021年のCGコード改訂により、監査役・監査役会の役割・責務として、監査役の選解任や報酬に係る権限の行使について明記されることとなった（原則4-4）。

そのため、今後の目指すべき姿としては、監査役・監査等委員の候補者の人選や求められる属性等について、監査役会・監査等委員会で議論した上でその内容を執行側あるいは諮問委員会に伝えて意見交換するなど、監査役会・監査等委員会の側で主体的に関与していくことが求められることになろう。

なお、監査役・監査等委員の候補者の人選に当たり、任意の諮問委員会がどのように関与すべきかについては、考え方が分かれるところである。

任意の諮問委員会のメンバーが取締役だけで構成される場合には、そこで取締役の職務執行を監査する立場の監査役・監査等委員候補者について議論することは適切でないとも考えられる。この点を重視するならば、監査役・監査等委員候補者の人選については監査役会・監査等委員会で議論し、その内容を執行側に伝えて意見交換するといった運用が考えられる。

もっとも、任意の諮問委員会については、社外監査役・監査等委員を構成メンバーとしている例もあり、監査役・監査等委員候補者の人選について諮問委員会の審議事項とすることも考えうる。そのような場合には、監査役会・監査等委員会で議論した内容を任意の諮問委員会に伝えて意見交換した上で、最終的に監査役・監査等委員の選任議案として取締役会に上程するという運用も考えられるところである。

これに対し、指名委員会等設置会社においては、社外取締役が過半数を占める指名委員会で取締役選任議案を決定し（法404条1項)、取締役会で監査委員を選定することとされているため（同条2項)、監査委員に対し、監査役・監査等委員のような議案提出に係る同意権や辞任した場合の意見陳述権は認められていない。そのため、監査委員会で監査委員会候補者の人選について議論する必要はないものの、指名委員会で議論するに当たり、監査委員会の意見を聴取するといった運用が求められる。

(b)　監査役・監査等委員候補者を選定する上での留意点

CGコードや監査役監査基準等が指摘するとおり、これからは、監査役・監査等委員候補者の選定プロセスに監査役会・監査等委員会が主体的に関与をすることで、監査の実効性を向上させていくことが求められる。

もちろん、具体的な候補者の人選や社外候補者への就任打診などについては、執行サイドで行うこととなるが、その前段階として、監査役会・監査等委員会から執行サイドに対し、次期監査役・監査等委員候補者としてどのような知識・経験・属性を備えた人物が望ましいのかといった点を伝え、意見交換するなどの運用が望ましい。

具体的に次期監査役・監査等委員の候補者としてふさわしいかどうかを検討する上では、次のような事項を検討しておく必要がある。

まず、社内出身の常勤監査役・監査等委員の候補者を選定するに当たっては、社内での経歴（ポストや担当業務)、経理・会計部門での経験の有無、過去の人事評価（コンプライアンス違反等の指摘・処分等があるかどうか）などを確認する必要がある。社外監査役・監査等委員の候補者については、独立性が確保されているかどうか、経歴・属性、会計に関する十分な知見の有無などを確認する。社内・社外のいずれについても、それぞれが監査役・監査等委員として適切に職務を果たせるかどうかを判断できるような基準を明確にしておく必要がある。

また、監査役会・監査等委員会における多様性の確保という観点から、各監査役・監査等委員の知見がうまく組み合わされているかどうかも重要な判断要素となる。たとえば、社内出身の監査役・監査等委員については、業務監査・会計監査という2つの観点から、社内の情報を広く収集し、不正の芽を早期に発見する役割が期待されている。そうだとすれば、経理・会計部門での経験だけでなく、主たる事業部門での経験も重要である。社外監査役・監査等委員についても、企業のCFOや財務・経理部門のトップ、弁護士、公認会計士などを組み合わせて候補者を選ぶ必要がある。CGコードが要求する「財務・会計に関する十分な知見を有している者」として、会計監査人としての経験まで求めるべきかどうかという点も検討する必要がある。

CGコードでは、各取締役の知識・経験・能力等を一覧化したスキル・マトリックスを取締役の選任に関する方針・手続と併せて開示することを求めているが（補充原則4-11①）、監査役等についても同様のスキル・マトリックスを作成することも検討すべきである。

それに加えて、再任する場合の年数上限についても検討しておく必要があろう。特に監査役の任期は4年と長いため（法336条1項）、2回再任すると任期の合計が10年を超えてしまう。しかし、在任期間があまりに長期にわたると独立性がないとみなされる可能性があるため、特に社外監査役・監査等委員については、最長で何年までとするのかを決めておくことが有益である。実際に一部の機関投資家は、在任年数に応じた議決権行使基準を公表しているところもある。また、社外監査役・監査等委員だけでなく、社内出身の監査役・監査等委員についても、あまりに長期間在任していることは、監査という立場上適切ではないと考えられる。

CGコードでは、CEOのサクセッションについて議論することが重要とされているが、それ以外のポストについてもサクセッションを考えておくことは有益であり、取締役会・監査役会等の多様性を確保するためにも、それぞれの任期を考慮に入れて後任候補者を常に探しておくことが必要である。監査役・監査等委員の候補者についても、いつ頃に改選期が来るのか、後任候補者が適切な知識・経験・属性を有しているかどうか、当該後任候補者が加わることによって監査役会・監査等委員会としての多様性を確保できるかどうかといった点を検討し、執行サイドに対して監査役会・監査等委員会としての意見・要望を伝えて協議するといった運用が、今後は望まれることになる。

なお、指名委員会等設置会社の場合には、監査委員候補者の人選について議論するのは指名委員会であるが（法404条1項）、考慮するべきポイントは同じである。

(c) 監査役会・監査等委員会による報酬水準の決定プロセスへの関与

監査役・監査等委員の報酬等については、定款または株主総会の決議によって定めることとされ（法387条1項、361条1項・2項）、株主総会で定められた額の範囲内で各監査役の報酬をどのように配分すべきかについては、監査役・監査等委員の協議に一任しなければならない（法387条2項、361条3項）。これは、適正な報酬等を確保して監査の独立性を保障するための規制であり、監査役・監査等委員は、仮に報酬等について意見があるときには、株主総会で当該意見を述べることができる（法387条3項、361条5項）。

そのため、監査役・監査等委員の個別報酬金額については、任意の報酬委員会を設置している場合であっても、その審議対象とすることはできず、株主総会が終わった後の監査役会・監査等委員会において、各監査役・監査等委員の協議に基づき決定している。ここでいう協議とは全員の一致とされており、一致しない場合には支給することができない。

とはいえ、実際には、常勤・社外の監査役・監査等委員の具体的な報酬水準については、執行サイドと協議して事前に案を決定し、それを監査役会・監査等委員会において協議・決定しているのが通例である。特に常勤監査役・監査等委員の具体的な報酬については、常勤監査役・監査等委員に就任する以前の役職員としての報酬水準を勘案しながら決定されていることが多く、役職員の報酬体系とのバランスも考慮されている。

このとおり、実務上は、監査の独立性を確保するために、監査役・監査等委員の報酬等の上限額が株主総会で定められ、各自の個別報酬金額は監査役・監査等委員の協議に一任されているものの、実際には報酬基準は事実上決まっており、株主総会で定めた上限額や個別報酬金額の水準が適正なのかどうかについて、誰がどのように検証しているのかについては、明確になっていない。

昨今は、コーポレート・ガバナンス強化の流れを受けて指名・報酬委員会などの負担が増えたことをふまえ、社外取締役の報酬等の額を増額する会社が散見される。一方、監査役会・監査等委員会においても、内部監査部門や外部会計監査人との意見交換などの機会が増えるなど負担は重くなっており、社外取締役と社外監査役の報酬等についてもバランスをとる必要がある。

また、社内出身の常勤監査役・監査等委員についても、その職務・責任の重要性が高まっている中、業務執行取締役との報酬水準のバランスを見直す必要性が出てくることも考えられる。

さらに、そのような検討の結果、監査役・監査等委員の報酬上限額を引き上げるべきであるという意見が出てきた場合には、監査役・監査等委員の報酬等の額を改訂する旨の議案を株主総会へ上程しなければならないが、監査役・監査等委員の報酬等の改訂議案を株主総会に提出する場合には監査役会・監査等委員会の同意は必要とされていない。この点に関し、監査役会・監査等委員会に意見陳述権は認められており（法387条３項、361条５項）、監査役監査基準等において「監査役は、監査役の報酬等について意見をもつに至ったときは、必要に応じて取締役会又は株主総会において意見を述べる」とされているものの（監査役監査基準12条２項、監査等委員会監査基準11条２項）、実際には監査役会・監査等委員会において報酬水準に関する議論を行うことはほとんどなかったと思われる。

しかし、2021年のCGコード改訂により、監査役・監査役会の役割・責務として、監査役の選解任や報酬に係る権限の行使について明記され（原則4-4）、より主体的に関与することが求められている以上、監査役会・監査等委員会において、個別の報酬金額について協議するだけでなく、全体の報酬水準（報酬上限額）が適正なのかどうか、社外取締役と社外監査役の報酬金額あるいは常勤監査役と業務執行取締役の報酬金額のバランスが妥当なのかどうかといった点についても定期的に検証しておくべきである。そして、見直す必要があると判断された場合には、監査役・監査等委員の人選の場合と同様に、監査役会・監査等委員会における意見を執行側あるいは任意の諮問委員会へ伝えて意見交換するといった運用も考えられる。

なお、指名委員会等設置会社においては、報酬委員会が全ての取締役・執行役の個別報酬金額を決定するため（法404条3項）、上記の議論は当てはまらない。報酬委員会の審議の中で、自ずと全体のバランスの中での適正水準はいくらなのかという議論が行われるものと考えられる。

(2)　監査役会等の実効性評価

(i)　監査役会等の実効性評価とは

CGコードでは、「取締役会は、取締役会全体としての実効性に関する分析・評価を行うことなどにより、その機能の向上を図るべきである」（原則4-11）として、「取締役会は、毎年、各取締役の自己評価なども参考にしつつ、取締役会全体の実効性について分析・評価を行い、その結果の概要を開示すべきである」（補充原則4-11③）と要請されている。これを受けて、上場企業各社は取締役会の実効性評価を実施し、その分析結果等の開示を行っており、取締役会のさらなる実効性の向上が図られているところである。

監査役会等の実効性評価については、取締役会と異なり、CGコードにおいて実施するよう明記されてはいない。しかし、有価証券報告書において「監査役会等の活動状況」の開示が求められていること、2021年に改訂された「投資家と企業の対話ガイドライン」において、対話における重点事項として「取締役会の実効性確保の観点から、各取締役や法定・任意の委員会についての評価が適切に行われているか」という点が追加され、監査委員会や監査等委員会についても実効性評価の対象となることが明確化されたこと（対話ガイドライン3-7）などの事情を勘案すると、取締役会や指名・報酬委員会と同様にコーポレートガバナンス上重要な機能を担う監査役会についても実効性評価を実施することが望ましい。監査役会監査基準においても「監査計画の作成は、監査役会全体の実効性についての分析・評価の結果を踏まえて行い、監査上の重要課題については、重点監査項目として設定する」とされており（監査役監査基準37条）、監査役会の実効性評価を実施することを指向している。

監査役会等についても、取締役会や法定・任意の委員会と同様、定期的に監査役会等の活動状況について評価を行い、その結果を翌年度の活動に反映させることで、監査の実効性を向上させていくことが求められる。

(ii) 評価方法・評価項目

取締役会の実効性評価については、会社自身が各取締役に対するアンケートやインタビューなどを実施する方法（自己評価）のほか、第三者機関に依頼して実効性評価を実施する方法（第三者評価）を採用する例も散見される。

監査役会の実効性評価についても、同様の方法で実施することが考えられる（ただし、取締役会の実効性評価と異なり、まだ取組事例も少ないことから、第三者機関を起用する例はさほど多くないように思われる）。

評価項目については、①監査役会等の構成（社内・社外の比率、資質・知見のバランスなど）、②監査役会等の運営状況（スケジュール・時間の相当性など）、③監査役会等の審議状況（議題・資料・説明内容の相当性など）、④その他の監査業務の状況（往査、内部監査部門・会計監査人とのコミュニケーション、三様監査の連携体制など）、⑤取締役会・諮問委員会・執行側との連携の状況（取締役会・執行側との連携、指名・報酬に係る意見交換など）、⑥監査役会等への支援体制（監査役室の体制整備、監査役会への報告体制など）、⑦監査役会等の実効性評価の実施方法、といった事項が考えられる。

具体的には、各社の規模・業態および監査役会等の実情等に応じて、実効性・効率性の観点から改善したい点を考慮して検討していただきたい。項目の⑦に挙げたように、監査役会等の実効性評価も一度実施して終わりとするのではなく、継続的にモニタリングすることにより、PDCA サイクルを通じてさらなる実効性向上が期待できることから、実効性評価自体も分析・評価することにより、高度化されることが望まれる。

第3章　グループ監査

※　本章では、監査役会設置会社を前提として記述しているが、その内容は監査等委員会設置会社または指名委員会等設置会社にも当てはまるものである。特に監査等委員会・監査委員会で異なる点がある場合には注意書きを付している。

1　グループ監査の必要性

(1)　近年の企業不祥事の傾向

近年の企業不祥事の傾向として、子会社における不祥事が増えている。代表的な例として、2015年4月に発覚した不適切会計の事案では、米国子会社が行った企業買収に関連して数千億円規模の損失を計上するに至り、その過程で監査法人との意見が折り合わず、2017年3月期決算の開示が繰り返し延期された。同じく2017年には、完全持株会社の傘下の海外子会社（ひ孫会社）で過去の会計処理の妥当性を調査する必要があるとして、2017年3月期の決算発表を延期した事案もあった。そのほか、近年多発している品質不正事案の中にも、子会社で発生している事案が散見される。

このように子会社・海外子会社における不祥事が報道されているのは、単なる偶然ではなく、いくつかの要因が考えられる。

そもそも子会社には、親会社ほどの人的・組織体制が構築されていない。総務、経理・会計、内部監査などに十分な人員が配置されておらず、場合によっては独立した部署が設置されていない。また、自らが上場しておらず、株式市場からの規律（金融商品取引所からの要請、機関投資家からの要望など）に直接さらされていないため、適時適切な情報開示に向けた社内手続が確立されておらず、情報開示の重要性に関する役職員の意識も弱い。さらに、海外子会社の場合には、遵守しなければならない規制や商慣習も異なる上、地理的な距離感もあって、本社からの監督の目が行き届きにくい。このような事情から、どうしても子会社・海外子会社では不祥事が発生しやすく、本社サイドからみて不祥事の芽を早期に把握しにくいため、大きな不祥事につながりやすい傾向がある。

しかし、連結経営・グループ経営が主流となった現在では、子会社・海外子会社の不祥事であっても、連結決算に影響し、親会社の株価の下落要因となり、企業グループ全体のレピュテーション・リスクに直結する。そのため、企業グループを率いる親会社としては、子会社において不祥事が発生しないように監督しなければならない。

平成26年会社法改正で、親子会社間における規律が改正テーマの１つに掲げられ、親会社による子会社管理責任の必要性が議論されるようになったのは、このような背景事情をふまえたものである。

ただし、親会社に子会社管理責任があるとしても、その責任を果たすために親会社は具体的に何をするべきなのかという点については、会社法その他の法規制の中で明確に定められていない。これは、後述するとおり、子会社といっても、親会社からの出資割合、子会社の機関設計・組織体制、子会社への役職員の派遣状況などの事情が異なるため、法規制で一律に「子会社管理のために備えるべき体制」を義務づけるのは適当ではないからである。それに加えて、親会社と子会社は別の法人格であるから、法規制上は、いかに子会社を管理するためといっても、親会社の取締役に対し、別法人（子会社）の役職員に対して直接指揮命令する権限を付与することもできない。

そのため、実務としては、親会社から子会社の取締役・監査役・その他の主要な従業員として親会社職員を派遣し、親会社と子会社の間で経営管理契約を締結して重要な経営判断について事前の承認・報告を求める体制を構築し、親会社の監査・内部監査を受け入れさせるなど、各企業グループにおいて工夫しながら、適切な子会社管理体制を模索しているのが現状である。

そのような中にあって、親会社の監査役に対しては、子会社・グループ会社を適切に監査し、その不祥事を予防するために大きな役割を果たすことが強く期待されている。

(2)　監査役に求められる役割・視点

子会社は、企業グループの一員であるとはいっても、親会社とは別の法人格が認められた独立の会社である。

そのため、子会社における経営判断や社内体制の構築は、子会社の取締役が責任を持って行うべきであり、親会社の取締役が子会社の役職員に対して直接指揮命令することはできない。

しかし、親会社の中で唯一、法規制上も子会社に対して直接の権限を有しているのが監査役である。親会社の監査役（選定された監査等委員・監査委員）に認められている子会社調査権（法381条3項、399条の3第2項、405条2項）は、会社法全体を見渡しても、親会社役員が子会社に対して直接行使できる数少ない権限の1つである。

また、監査役は、企業集団における内部統制システムが適切に構築・運用されているかどうかを監査し、仮に相当でないと認めた場合には監査報告にその旨を記載する必要がある（施129条1項5号、130条2項2号、130条の2第1項2号、131条1項2号）。企業集団における内部統制システムを決定するのは親会社の取締役会であり（法362条4項6号・5項）、その具体的な構築・運用については子会社取締役に任されているのであるが、監査役としては、企業集団における内部統制システムの構築・運用が相当でない場合には監査報告で意見を述べることが求められているため、子会社における内部統制システムの構築・運用の状況について確認しなければならない。

そのほか、親子間取引やその他の企業グループ内における取引については、不透明な条件・プロセスにより親会社の粉飾決算などの不正行為の温床となるリスクが高いため、監査役としては特に注意して監査に当たる必要がある。

子会社の側においても、親会社との取引により当該子会社の利益を害さないかどうかを子会社取締役会で議論し、その内容および理由ならびに社外取締役から意見が出た場合には社外取締役の意見を事業報告に記載することが求められ（施118条5号）、子会社監査役としても事業報告の記載事項を監査し、意見を述べることが求められている（施129条1項6号、130条2項2号、130条の2第1項2号、131条1項2号）。

このように、監査役に対しては、法規制上も、子会社を含む企業グループ全体の業務の適正を確保するために一定の職務・役割を果たすことが期待されている。グループ監査のあり方を検討する上では、まず、これらの法規制の趣旨・目的について理解しておく必要がある。

(i)　子会社調査権

監査役（選定された監査等委員・監査委員）は、その職務を行うため必要があるときは、子会社に対して事業の報告を求め、またはその子会社の業務および財産の状況の調査をすることができる（法381条3項、399条の3第2項、405条2項）。

近年は連結経営・グループ経営が主流となっており、会社法においても連結計算書類の作成・開示が義務づけられている（法444条3項）。株主・投資家の関心も、親会社単体の業績・決算よりも連結での業績・決算に集まっているため、企業グループを率いる親会社としては、グループ内の子会社・関連会社の業績が順調に上がっているかどうか、正確な決算が行われているかどうかを監視・監督しなければならない。

さらに、企業グループ内においては、親会社の主導によって子会社を利用した不正行為・粉飾決算などが行われるリスクがあると指摘されており、監査役としては特に注意して監査に当たることが求められている。

そのため、親会社の監査役には、子会社の業務・財産状況について調査する権限が認められている。このような調査権は親会社の取締役には認められておらず、監査役独自のものである。

とはいえ、子会社は親会社とは独立した別の法人であるため、無制限に親会社監査役による調査権の行使が認められるものでないことは当然である。子会社にも監査役が置かれている場合には、子会社の違法性監査を実施するのは原則として子会社監査役である。

したがって、親会社の監査役は、あくまでも親会社監査役としての職務を行うために必要な範囲において、子会社調査権を行使しなければならない。たとえば、連結計算書類の正確性を確認する必要がある場合、親会社の主導により子会社を利用した不正行為が行われていないかどうかを調査する必要がある場合などが考えられる。

具体的な方法としては、親会社の監査役は、子会社の役職員に対して報告を徴求することができるほか、自ら調査することも認められる。子会社の帳簿や財産などを直接調査して情報収集することができるほか、子会社の使用人や取引先に質問することもできるとされている（HB 新訂第3版101頁）。また、海外子会社に対する調査もすることができる。

その一方で、子会社の側としては、いかに親会社の監査役であるとはいえ別法人の役員からの調査であるから、正当な理由があるときには、報告または調査を拒むことができる。たとえば、海外子会社の設立地の準拠法により、親会社監査役による報告請求や調査に応じることが法律上許されないような場合、親会社の監査役による報告請求・調査がその職務と全く関係のない権限濫用に該当するような場合などである。

ただし、グループ経営・連結経営が主流となる中、連結ベースでの監査の必要性は増しており、子会社調査権を拒むための正当な理由の範囲については、子会社調査権の行使が違法な場合に限るとする説が有力である（HB 新訂第3版101頁）。

親会社の監査役としては、このように子会社の役職員に対して直接報告請求・調査を求める強力な権限を有していることを自覚し、必要と感じた場面では子会社に対する調査を行って企業グループの監査を行わなければならない。本来的には子会社の監査役が行うべき問題であっても、子会社には監査役を支える体制などが十分に備わっていないことも多いため、子会社監査役と協働して監査に当たることも検討すべきである。

(ii)　企業集団における内部統制システムの監査

大会社である取締役会設置会社においては、取締役会で、取締役の職務の執行が法令および定款に適合することを確保するための体制その他株式会社の業務ならびに当該株式会社およびその子会社から成る企業集団の業務の適正を確保するために必要なものとして法務省令で定める体制（内部統制システム）の整備について決定しなければならない（法362条5項）。

そして、内部統制システムに関する決定または決議があるときは、その決定または決議の内容の概要および当該体制の運用状況の概要を事業報告に記載しなければならず（施118条2号）、監査役は、事業報告に記載された内部統制システムの決定・決議の内容および運用状況の概要が相当でないと認めるときは、その旨およびその理由を監査報告に記載しなければならない（施129条1項5号、130条2項2号、130条の2第1項2号、131条1項2号）。

企業集団における内部統制システムの整備については、平成26年会社法改正前は規則において定められていたが、グループ経営・連結経営の進展に伴い、子会社の経営の効率性・適法性がますます重要となっていることから、同改正において法律で定められることとなった。これにより、企業集団における内部統制システムの決定・運用が適切でなかった場合に親会社役員に対して子会社管理責任を追及する例が増える可能性もあり、内部統制システムの整備に係る決定および運用状況の相当性を確認しなければならない監査役にとっても注意しておく必要がある。

法務省令（会社法施行規則）では、企業集団における内部統制システムの例示として、以下の点が掲げられている（施98条1項5号）。

① 当該株式会社の子会社の取締役等の職務の執行に係る事項の当該株式会社への報告に関する体制
② 当該株式会社の子会社の損失の危険の管理に関する規程その他の体制
③ 当該株式会社の子会社の取締役等の職務の執行が効率的に行われることを確保するための体制
④ 当該株式会社の子会社の取締役等及び使用人の職務の執行が法令及び定款に適合することを確保するための体制

ただし、これらの体制は、あくまでも企業集団全体の内部統制についての当該株式会社（親会社）における体制であって、子会社自体の体制ではない。子会社における内部統制システムを構築・運用するのは子会社の役員であり、親会社がその子会社における内部統制システムを整備する義務や子会社を監督する義務まで負うものではないとされている（平成26年改正会社法236頁）。

したがって、親会社の監査役としても、子会社において内部統制システムが適切に整備・運用されているかどうかを個別に確認して相当性を判断する必要はない。

しかし、親会社における「企業集団としての内部統制システム」が整備・運用されているかどうかについては相当性を確認する必要があり、親会社における子会社管理部門が適切に子会社を指導・監督しているかどうかについては注視しておくべきである。

(iii)　企業グループ内の取引

会計監査人設置会社は、各事業年度に係る計算書類（貸借対照表、損益計算書、株主資本等変動計算書、個別注記表）および事業報告ならびにこれらの附属明細書を作成し（法435条2項、計59条1項）、会計監査人および監査役の監査を受けなければならない（法436条2項）。会計監査においては、取締役の事業年度における業績・成果を数字として示す計算書類が正しく作成されているかどうかを監査することが求められる。

計算書類の記載方法については、会社計算規則で細かく定められているが、個別注記表に記載するべき内容として、「関連当事者との取引」が掲げられている（計112条）。

ここでいう「関連当事者」とは、以下のとおり定義されている（計112条4項）。

1　当該株式会社の親会社
2　当該株式会社の子会社
3　当該株式会社の親会社の子会社（当該親会社が会社でない場合にあっては、当該親会社の子会社に該当するものを含む。）
4　当該株式会社のその他の関係会社（当該株式会社が他の会社の関連会社である場合における当該他の会社をいう。）並びに当該その他の関係会社の親会社（当該その他の関係会社が株式会社でない場合にあっては、親会

社に相当するもの）及び子会社（当該その他の関係会社が会社でない場合にあっては、子会社に相当するもの）
5　当該株式会社の関連会社及び当該関連会社の子会社（当該関連会社が会社でない場合にあっては、子会社に相当するもの）
6　当該株式会社の主要株主（自己又は他人の名義をもって当該株式会社の総株主の議決権の総数の百分の十以上の議決権（次に掲げる株式に係る議決権を除く。）を保有している株主をいう。）及びその近親者（二親等内の親族をいう。以下この条において同じ。）
イ　信託業（信託業法（平成16年法律第154号）第2条第1項に規定する信託業をいう。）を営む者が信託財産として所有する株式
ロ　有価証券関連業（金融商品取引法第28条第8項に規定する有価証券関連業をいう。）を営む者が引受け又は売出しを行う業務により取得した株式
ハ　金融商品取引法第156条の24第1項に規定する業務を営む者がその業務として所有する株式
7　当該株式会社の役員及びその近親者
8　当該株式会社の親会社の役員又はこれらに準ずる者及びその近親者
9　前3号に掲げる者が他の会社等の議決権の過半数を自己の計算において所有している場合における当該会社等及び当該会社等の子会社（当該会社等が会社でない場合にあっては、子会社に相当するもの）
10　従業員のための企業年金（当該株式会社と重要な取引（掛金の拠出を除く。）を行う場合に限る。）

「関連当事者との取引」とは、当該株式会社と関連当事者が直接取引する場合だけでなく、当該株式会社と第三者との間の取引で当該株式会社と当該関連当事者との間の利益が相反する場合も含まれる。そのような関連当事者との取引がある場合には、以下の点のうち重要なものを注記しなければならない（計112条1項）。

①　当該関連当事者が会社等であるときは、その名称、当該関連当事者の総株主の議決権の総数に占める株式会社が有する議決権数の割合、当該株式会社の総株主の議決権の総数に占める当該関連当事者が有する議決権の数の割合

② 当該関連当事者が個人であるときは、その氏名、当該株式会社の総株主の議決権の総数に占める当該関連当事者が有する議決権の数の割合
③ 当該株式会社と当該関連当事者との関係
④ 取引の内容
⑤ 取引の種類別の取引金額
⑥ 取引条件及び取引条件の決定方針
⑦ 取引により発生した債権又は債務に係る主な項目別の当該事業年度の末日における残高
⑧ 取引条件の変更があったときは、その旨、変更の内容及び当該変更が計算書類に与えている影響の内容

このように、企業グループ内における取引は「関連当事者との取引」として、お互いの関係、取引の内容および種類別の取引金額、取引条件等を注記表に記載しなければならない。このような注記が求められるのは、関連当事者との取引は通常の取引条件とは異なる条件で行われることがあり、場合によっては粉飾決算に利用されるリスクもあるからである。そのため、取引条件等を注記させることで、業務執行者に対して適正な取引条件を定めるインセンティブを働かせるとともに、株主・市場からの監視機能をも期待しているものである。

そうだとすれば、会計監査を職務とする監査役としても、企業グループ内の取引や利益相反取引については、特に注意して監査を行う必要がある。

利益相反取引に関しては、近年のコーポレート・ガバナンス強化の流れの中で、社外取締役に対して監督機能を発揮することが期待されている（CG コード原則 4-7）。また、平成 26 年会社法改正では、当該株式会社と親会社等との取引（当該株式会社と第三者との取引で当該株式会社とその親会社等との利益が相反するものを含む）であって個別注記表への注記を要するものについて、当該取引が当該株式会社の利益を害さないかどうかについての取締役会の判断およびその理由を事業報告に記載することとされ（施118 条 5 号ロ）、社外取締役が異なる意見を有するときにはその意見も記載することとされている（同号ハ）。これらの規律の趣旨は、利益相反取引については業務執行者の中で監督機能を発揮することが難しいため、業務執行者から独立した立場の社外取締役が監督することが期待されているもの

だと考えられる。

そうだとすれば、業務執行から離れた立場の監査役に対しても、同様の期待がかけられているといってよい。実際、親会社等との取引が当該株式会社の利益を害さないかどうかについての事業報告の記載事項（当該株式会社の利益を害さないように留意した事項、取締役会の判断およびその理由、社外取締役の意見。施118条5号）については、当該事項についての監査役の意見を監査報告に記載することとされている（施129条1項6号、130条2項2号、130条の2第1項2号、131条1項2号）。

監査役としては、親会社等との取引、企業グループ内の取引など利益相反の要素を含む取引については、不公正な取引条件が設定され、粉飾決算等に利用されるリスクがありうることに留意し、特に注意して監査を実施する必要がある。

◆2◆　子会社の特性に応じた留意点

(1)　子会社の特性に応じた監査の必要性

子会社管理の重要性が指摘される一方で、会社法その他の法規制は、実際に子会社を管理するためにどのような体制をとればよいのか、具体的な方法や手続については一切示していない。

それは、子会社といっても、親会社からの出資割合（100％子会社・過半数出資の子会社）、子会社自身の機関設計や組織体制、親会社から子会社への役職員派遣の状況などの事情が異なり、一律に論じることが難しいためである。親会社と子会社の関係性は、子会社となった経緯（親会社から事業をスピンアウトして子会社化したものか、もともと別の企業グループに属していた会社を買収して子会社化したものか）、将来に向けた子会社事業の戦略（親会社から独立した立場で事業展開していくのか、親会社と連携を強化して事業展開していくのか）などの事情によってもさまざまであり、目指すべき姿も変わってくる。

適切に子会社を管理するためには、その関係性をふまえて適切な体制を構築する必要があるため、法規制で「子会社管理のために備えるべき体制」を義務づけることは難しく、各社で工夫していくしかない。

また、同じ企業グループの中であっても、子会社ごとに親会社との関係性は異なるため、親会社としては、企業グループ内における子会社管理体制を統一して構築する必要はない。むしろ、子会社ごとにその特性に応じた管理体制を構築するべきであり、これは監査においても同様である。

以下では、考慮すべき子会社の特性として、①親会社からの出資割合、②子会社の機関設計・組織体制、③子会社への役職員の派遣状況に着目し、監査において留意すべき点を整理する。

(2)　親会社からの出資割合

会社法における「子会社」とは、会社がその総株主の議決権の過半数を有する株式会社その他の当該会社がその経営を支配している法人として法務省令で定めるものと定義されている（法2条3号）。法務省令では、会社が他の会社等の財務および事業の方針の決定を支配している場合における当該他の会社等と定められており（施3条1項）、ここでいう「財務及び事業の方針の決定を支配している場合」とは、その議決権の総数の40％以上を所有し、かつ、派遣している役員の数、重要な財務および事業の方針の決定を支配する契約等の存在、資金調達額などの要件から実質的に支配していると認められる場合などをいう（同条3項）。

したがって、過半数以上の議決権を保有し、あるいは40％以上の議決権を保有するとともに他の諸条件（役員派遣や経営管理契約など）によって実質的に当該会社を支配していると認められる場合には、当該会社は「子会社」に該当し、親会社として管理するべき対象ということになる。

しかし、同じ子会社であっても、100％子会社なのか、少数株主がいる子会社なのかによって、管理する上では大きな違いが生じる。それは、親子間に利益相反関係・競業関係が生じるかどうかという違いである。この点は、監査においても十分に留意しておく必要がある。

一方で、子会社に該当しない関連会社については、どのように対応すべきかという問題がある。マイノリティ出資の関連会社については、会社法上の「子会社」に該当せず、「企業集団としての内部統制システム」の対象にも含まれないが、持分法の適用を通じて連結決算へ影響が生じるほか、同じ企業グループである以上、万一不祥事が発生した場合のレピュテーション・リスクも無視できない。しかしながら、実質支配していないため、最初に出資するときの合弁契約等で何らかの手当をしておかないと、不祥事リスクを察知して監査しようにも、受け入れてもらえない可能性がある。

（i）100%子会社とその他の子会社

日本監査役協会による「親会社による企業集団の監査」に関するアンケート（2019年6月14日公表。以下「日監協グループ監査アンケート」という）の結果によれば、複数の子会社を傘下に持つ上場会社のうち、子会社全てを100%子会社としている例は少なく、社数はともかくとして非100%の子会社を抱えていることが多い。

Q 1-9-3. 非100%子会社の総数と全体に占める割合（一つ選択）

	全　体	機関設計			会社規模	
		監査役会設置会社	指名委員会等設置会社	監査等委員会設置会社	大会社	大会社以外
全　体	1036 100.0	772 100.0	17 100.0	247 100.0	954 100.0	82 100.0
0社	263 25.4	185 24.0	1 5.9	77 31.2	229 24.0	34 41.5
1社～5社	439 42.4	329 42.6	9 52.9	101 40.9	396 41.5	43 52.4
6社～10社	145 14.0	110 14.2	3 17.6	32 13.0	141 14.8	4 4.9
11社～30社	116 11.2	90 11.7	1 5.9	25 10.1	115 12.1	1 1.2
31社～50社	34 3.3	28 3.6	– –	6 2.4	34 3.6	– –
51社～100社	19 1.8	17 2.2	– –	2 0.8	19 2.0	– –
101社以上	20 1.9	13 1.7	3 17.6	4 1.6	20 2.1	– –

100%を保有していなくても実質的に支配している子会社であれば、定

款変更、役員選任、組織再編などの重要事項については、株主総会における議決権行使を通じて親会社の意向を反映することができる。その限りで、100％子会社であろうと非100％子会社であろうと大きな違いはない。

しかし、100％子会社と非100％子会社で大きく異なるのは、当該子会社に親会社以外の少数株主がいるかどうかである。

当該子会社に親会社以外の少数株主がいる場合には、親会社の利益と当該子会社の利益は全く同一ということにはならない。同じ企業グループを形成する以上、多くのケースで利害は共通するはずであるが、親子間の取引など利益相反関係が生じる場合がありうる。また、同種の事業を営む場合には、競業関係が生じることもありうる。

そのため、非100％子会社については、利益相反・競業関係が生じうることを考慮して管理していくことが求められる。

⒜　親会社からの不当な圧力のリスク

親会社と子会社の利益が完全に一致しない場合には、子会社の取締役・監査役としては、親会社だけでなく少数株主を含めた当該子会社の全ての株主の利益を守り、自らの企業価値を上げていかなければならない。すなわち、親会社からの要求をそのまま受け入れるわけにはいかず、親子間の取引について条件交渉を行い、競業取引についても自らの事業領域（商圏）を守るために行動しなければならない。

親会社としても、支配株主だからといって、その影響力を行使して取引条件等を不当に自らに有利に設定したり、将来有望な事業領域（商圏）から撤退するよう不当に働き掛けるようなことをしてはならない。株式会社においては、議決権の多数によって重要な経営の方向性が決められるのが原則であるが、だからといって支配株主が多数決の原則を濫用して少数株主の利益を侵害することまで認められるわけではない（支配株主としての誠実義務）。

このような非100％子会社における少数株主の保護の必要性については、古くから商法学者の間で指摘されており、平成26年会社法改正において、子会社の取締役会は、親会社等との取引が子会社の利益を害さないかどうかについて検討し、その判断および理由を事業報告に記載するとされた上

（施118条5号）、子会社の監査役に対し、事業報告に記載された上記内容についての意見を監査報告に記載すること（施129条1項6号、130条2項2号、130条の2第1項2号、131条1項2号）が求められるようになった。

これは子会社の監査役に対する要請であるが、親会社の監査役としても、親会社の経営陣が子会社に対して不当な圧力をかけることがないように留意しておく必要がある。

特に、親子間の取引やその他の企業グループ内における取引については、不透明な条件・プロセスにより親会社の粉飾決算などの不正行為の温床となるリスクが高いことも指摘されており、そのために関連当事者との取引に関する注記が求められている（計112条）。

親会社の監査役には、親子間取引やその他の企業グループ内取引については不正リスクが高いことを念頭に置きつつ、特に注意して監査に当たることが期待されている。

(b)　親会社による不合理な経営支援のリスク

一方で、親子間の取引については、親会社が子会社に対して不当な圧力をかけるリスクだけでなく、親会社から経営不振の子会社に対して不合理な支援が行われる可能性もあるため、そのようなケースでは支援の判断の合理性についても慎重に検証しておく必要がある。

同じ企業グループの子会社が経営不振に陥った場合、万一当該子会社が破綻してしまうとグループ全体のレピュテーション・リスクにつながるため、親会社としては、何とか立ち直らせようと支援融資、債権放棄、債務保証などといった支援策を行うことが多い。これは企業グループを率いる親会社としては当然のことであり、グループ全体の企業価値の向上という観点から、一定程度の支援については合理性が認められる。ただし、子会社だからといって無制限に支援できるものではなく、経営判断としての合理性を備えていることもまた当然の前提である（経営判断の原則）。

ところが、経営不振に陥っている子会社の事業を推進してきたのが親会社自身（親会社の経営幹部）であるなどといった事情がある場合には、何とかして当該子会社を立ち直らせようとして、合理性の範囲を超えた過剰な支援を行ってしまうリスクがある。支援の結果として子会社が立ち直ればよいが、支援もむなしく子会社が破綻してしまう場合には、当該支援策（支援融資、債権放棄、債務保証など）は親会社の損失として顕在化し、親会社株主から役員責任を追及される可能性も出てくる。

したがって、監査役としては、経営不振の子会社に対する支援について、企業グループ全体の企業価値の維持という観点から合理性が認められるのかどうかをよく検討し、仮に万一、取締役らが合理性の範囲を超える支援を行おうとする場合には、監査役の立場から意見を述べる必要がある。当該子会社の事業を推進してきた経営陣の立場からすると、支援を行わないという経営判断（いわゆる損切りの判断）は非常に難しいものであるため、業務執行から離れた監査役としての立場で客観的に検証しておくことが有益である。

さらに、親会社の取締役が当該子会社の代表取締役を兼務している場合には、親会社による子会社支援は利益相反取引に該当し、会社法上、利益相反取引として取締役会の承認が必要となる。親子会社間の役員兼務によって利益相反取引として取締役会の承認が必要となる場合は、[図表Ⅲ-2-(2)-(i)] のとおりである。

[図表 Ⅲ-2-(2)-(i)　役員の兼務状況による利益相反取引の承認の要否]

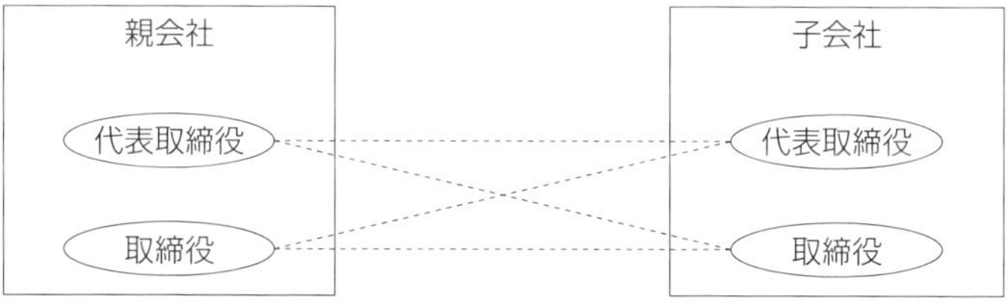

親会社
代表取締役
取締役

子会社
代表取締役
取締役

親会社	子会社	
代表取締役	代表取締役	親会社取締役会にて承認 子会社取締役会にて承認
代表取締役	取締役	子会社取締役会にて承認
取締役	代表取締役	親会社取締役会にて承認
取締役	取締役	特に承認は不要

利益相反取引として取締役会の承認を得ていたとしても、当該取引によって損失が発生した場合に免責されることにはならず、当該利益相反取

引を承認した各取締役に任務懈怠に基づく責任があるかどうかは別途判断される。しかも、利益相反取引により親会社に損失が発生した場合の親会社取締役の責任については、立証責任が転換されているので注意が必要である。

一般的な経営判断の誤りの場合には、役員責任を追及する側が当該取締役に任務懈怠があったことを立証しなければならないのに対し（法423条1項）、利益相反取引の場合には、当該取引の当事者たる取締役のみならず、当該取引について取締役会で承認した取締役も任務懈怠があったものと推定され、当該取締役の側で善管注意義務を尽くしていたことを立証しなければならない（同条3項）。そのため、利益相反取引によって会社に損害が発生した場合には、たとえ取締役会の承認を受けていたとしても、役員責任が認容される可能性が高まることになる。さらに、会社法上の利益相反取引に該当しなくても、親会社の取締役が当該子会社の役員を兼務しているなど利益相反的な要素が強い取引については、役員責任について厳しく判断される可能性がある。

したがって、親子間の取引の中でも経営不振の子会社に対する支援策については、監査役の立場としても、親会社の経営判断として合理性が認められるかどうかを検証しておくべきである。

なお、監査等委員会設置会社の場合には、監査等委員会が事前に利益相反取引を承認した場合には、任務懈怠の推定規定を適用しないこととされている（法423条4項）。監査等委員たる取締役は、親子間の取引など利益相反的な要素の強い取引について、独立した立場から監督機能を果たすことが、会社法上も期待されているものであり、監査等委員会において当該利益相反取引を承認するかどうかについて慎重に検討することが求められる。

(ii)　関連会社

昨今の会社法改正において議論されているのは、親会社による「子会社」の管理責任である。企業集団における内部統制システムも「当該株式会社及びその子会社から成る企業集団」を対象としている。

したがって、親会社としては、会社法の定義する子会社（法2条3号）を適切に管理することが第一義的に求められていると解される。

しかし、企業グループの中には、実質的に支配していないけれども持分法の適用がある関連会社なども存在する。

関連会社については、マイノリティ出資であるため、議決権を通じて当該関連会社を実質的に支配することはできない。他に支配株主がいるケースもあるため、子会社とは異なり、その役員人事に影響力を行使したり、重要な経営事項について事前に詳細な報告・承認を求めるといった関係性ではない。

しかし、そのように議決権を通じた影響力を行使することはできないとしても、持分法を通じて連結決算に影響を受ける以上、少なくとも決算情報の正確性については担保できる仕組みを構築しておく必要がある。

さらに、関連会社であっても同じ企業グループである以上、当該関連会社の不祥事により企業グループ全体のレピュテーション・リスクが生じる可能性もある。そのため、関連会社において何らかの不祥事リスクが発覚した場合には、原因究明と再発防止を求めるだけでなく、その実効性を検証するための内部監査なども実施することが望ましい。

このように、マイノリティ出資の関連会社であっても、一定の範囲で管理監督しなければならない場面が出てくることが想定される。

しかし、議決権を通じた支配力がないため、情報開示や内部監査を申し入れたとしても、関連会社側で応じてくれるとは限らない。特に、不祥事リスクが発覚したような場合には、対応方針の擦り合わせができない限り、内部監査を受け入れないばかりか、情報開示すら出し惜しみされる可能性がある。

このような事態を避けるためには、あらかじめ出資契約・合弁契約等を締結する段階で、決算情報その他の重要情報についての報告体制や内部監査の受入体制などについて合意しておく必要がある。そして、監査役としては、そのような出資契約・合弁契約等の定めに従って、関連会社に対しても必要な監査を実施していくべきである。

⑶　子会社の機関設計・組織体制

会社法は、株式会社に対し、株主総会を開催すること（法296条1項）および1名以上の取締役を置くこと（同326条1項）を求めているが、それ以外の機関（取締役会、監査役・監査役会、会計監査人など）をどのように設置するかについては各社の判断に委ねられている。

もちろん、すべて自由に設計してよいということではなく、いくつかの要件は定められており、①会社の規模（大会社・非大会社）、②株式の譲渡制限の有無（公開会社・非公開会社）によって、一定の機関を置くことが求められている。

企業グループを率いる親会社は公開大会社であることがほとんどであるため、監査役会設置会社・指名委員会等設置会社・監査等委員会設置会社のいずれかの機関設計を選択している。

しかし、子会社は株式譲渡制限がついていることが多く、規模もさまざまであるため、その機関設計については複数の選択肢がある。

さらに、子会社では人員が恒常的に不足していることが多い。業績に責任を負う経営陣としては、営業部門への人員補充は行う一方、管理業務を担当する間接部門にはなかなか人員を回さない傾向があるため、子会社における総務・経理・内部監査といった間接部門や監査役室などの人的体制はどうしても手薄にならざるをえないという事情がある。

そのため、子会社においては、親会社よりも簡略化された機関設計・組織体制になっている例が圧倒的に多い。親会社監査役としては、子会社では親会社と同様の機関設計・組織体制になっておらず、間接部門の人員も不足していることを念頭において連携を図る必要がある。

もっとも、決算手続にミスが生じ、あるいは適切な内部監査を実施できずに大きな不祥事に発展してしまった場合には、「子会社だから十分な組織体制が組めなかった」などという言い訳は通用しない。

したがって、親会社監査役としては、子会社の事業の規模や状況に照らして機関・組織体制などが不十分であると感じた場合には、親会社の経営陣に対し、子会社の機関設計・組織体制を改め、それを支える人員体制について補充を促し、あるいは親会社からの管理体制を強化するなどの代替案を提言することも求められている。

(i)　会社法の定める機関設計

会社法は、株式会社には１名以上の取締役を置かなければならないと定める一方（法 326 条１項）、取締役会、監査役・監査役会、会計監査人、監査等委員会または指名委員会等を置くかどうかについては各社の定款で定めることができるとしている（同条２項）。

このように、どのような機関を設置するかについては、原則として各社の判断に委ねられているのであるが、その一方で、所定の要件に該当する場合には一定の機関を設置しなければならない。その判断基準は大きくわけて２点あり、①会社の規模（大会社・非大会社）、②株式の譲渡制限の有無（公開会社・非公開会社）である。

まず、大会社の場合には、監査役（公開大会社の場合には監査役会）または監査を担当する委員会（監査等委員会、監査委員会）と会計監査人を置かなければならない（法 327 条３項・５項、328 条１項・２項）。この趣旨は、会社の資本・負債の規模が大きい場合には、取引先・取引量とも多く、複雑な経理処理が必要となることも想定されるため、その経理・決算手続を正確に行うために会計の専門家の関与が必要であるという点にある。そのため、大会社においては必ず会計監査人を置くこととし、会計監査人を置く以上は、会計監査人と協働し監督する監査役または監査を担当する委員会を置くこととしたものである。資本・負債の規模の小さい会社にあっては、取引先の数や取引量もさほど多くないはずであり、会計監査人を設置する負担も大きいため、会計監査人の設置は義務づけられていない。ただし、任意に設置することは自由である。

次に、公開会社（株式の譲渡制限がない会社）の場合には、必ず取締役会と監査役または監査を担当する委員会（監査等委員会、監査委員会）を設置しなければならない（法 327 条１項・２項）。この趣旨は、株式の譲渡制限のない公開会社においては、不特定多数の株主が経営陣を直接監督することは困難であるため、社内に経営陣を監督するための機関（取締役会・監査役）を置かなければならないという点にある。株式の譲渡制限のある非公開会社の場合には、株主と経営陣の距離が近く、株主が直接経営陣を監督することも可能であるため、取締役会・監査役の設置も各社の判断で決めることができる。もちろん、任意に設置することは自由である。

株式会社が設置しなければならない機関については、大きく分けて、このような2つの判断基準があり、その組み合わせによって、採用できる機関設計の選択肢が変わってくる。その全体像は、[図表 Ⅲ-2-(3)-(i)] のとおりである。

[図表 Ⅲ-2-(3)-(i)　機関設計の全体像]

<table>
<tr><th colspan="2" rowspan="2"></th><th rowspan="2">大会社
会計監査人設置</th><th colspan="2">大会社以外</th></tr>
<tr><th>会計監査人任意設置</th><th>会計監査人非設置</th></tr>
<tr><td>公開</td><td>取締役会設置</td><td>取締役会＋監査役会
＋会計監査人
取締役会＋監査委員会
＋会計監査人
取締役会＋監査等委員会
＋会計監査人</td><td>取締役会＋監査役
＋会計監査人
取締役会＋監査役会
＋会計監査人
取締役会＋監査委員会
＋会計監査人
取締役会＋監査等委員会
＋会計監査人</td><td>取締役会＋監査役

取締役会＋監査役会</td></tr>
<tr><td rowspan="2">非公開</td><td>取締役会設置</td><td>取締役会＋監査役
＋会計監査人
取締役会＋監査役会
＋会計監査人
取締役会＋委員会
＋会計監査人
取締役会＋監査等委員会
＋会計監査人</td><td>取締役会＋監査役
＋会計監査人
取締役会＋監査役会
＋会計監査人
取締役会＋委員会
＋会計監査人
取締役会＋監査等委員会
＋会計監査人</td><td>取締役会＋監査役

取締役会＋監査役会

取締役会＋会計参与</td></tr>
<tr><td>非設置</td><td>取締役＋監査役
＋会計監査人</td><td>取締役＋監査役
＋会計監査人</td><td>取締役＋監査役
取締役</td></tr>
</table>

(ii)　子会社の機関設計を検討する上での留意点

株式の譲渡制限のない大会社（公開大会社）の場合には、監査役会または監査を担当する委員会（監査等委員会、監査委員会）と会計監査人を置かなければならないとされているため（法328条1項）、上場している親会社にあっては、監査役会設置会社（取締役会＋監査役会＋会計監査人）、監査等委員会設置会社（取締役会＋監査等委員会＋会計監査人）、指名委員会等設置会社（取締役会＋監査委員会＋会計監査人）のいずれかの機関設計を採らなければならない。

これに対し、子会社の多くは株式の譲渡制限がついている非公開会社であるから、会社法上は取締役会を設置しなくてもかまわない。さらに、大会社でなければ、監査役または監査を担当する委員会（監査等委員会、監査委員会）および会計監査人を設置する必要もないため、最も簡略化しようとするなら、取締役１名だけの機関設計も可能となる。

とはいえ、実際には、大胆に簡略化している例は多くない。

日監協グループ監査アンケートの結果によれば、主要な子会社の機関設計については、次のとおりとなっている。

Q2-1. 子会社の機関設計（一つ選択）

	全　体	機関設計			会社規模	
		監査役会設置会社	指名委員会等設置会社	監査等委員会設置会社	大会社	大会社以外
全　体	965 100.0	712 100.0	17 100.0	236 100.0	894 100.0	71 100.0
取締役会＋監査役会＋会計監査人（監査役会設置会社）	120 12.4	110 15.4	4 23.5	6 2.5	114 12.8	6 8.5
取締役会＋監査役＋会計監査人	335 34.7	253 35.5	7 41.2	75 31.8	322 36.0	13 18.3
取締役会＋監査役	484 50.2	348 48.9	3 17.6	133 56.4	435 48.7	49 69.0
指名委員会等設置会社	2 0.2	－ －	2 11.8	－ －	2 0.2	－ －
監査等委員会設置会社	24 2.5	1 0.1	1 5.9	22 9.3	21 2.3	3 4.2

このように、子会社の機関設計については、大胆に簡略化している例はさほど多くないものの、親会社の機関設計よりは簡略化されている。

しかし、簡略化した機関設計を採用している子会社において大きな不祥事が発生した場合には、機関設計を含む社内体制が不備だったからではないかという批判を浴びるリスクがあるため、各子会社の実情に応じて、どこまで簡略化するべきか、会計監査人・取締役会・監査役・監査役会のうち、どれを設置するべきかという点を検討しておく必要がある。

このように子会社のあるべき機関設計を検討する上では、会社法がどのような場合に会計監査人・取締役会・監査役・監査役会の設置を義務づけているのか、その趣旨に照らして検討していくべきである。

(a)　会計監査人を設置するべきかどうか

会社法は、大会社に対し、会計監査人の設置を義務づけている（法328条）。これは、資産・負債の規模の大きい会社にあっては、取引先・取引量も多く、正確な経理・決算手続を実施することが強く要請されるからである。

そうだとすれば、仮に大会社ではなくとも、特に取引先・取引量が多い事業を行っている子会社、複雑かつ専門的な経理・会計処理が必要となる事業を行っている子会社など、経理・決算手続の正確性を確保するために会計の専門家の手を借りた方がよいと考えられる場合には、任意に会計監査人を選任することを検討するべきである。特に連結決算の正確性を確保するためには、親会社の会計監査人に企業グループの子会社・関連会社の会計監査を担当してもらうことは非常に有益である。

とはいえ、会計監査人を選任すると当然ながら費用がかかるため、できれば会計監査人を選任したいと思っても、なかなか選任できないという場合もありうる。そのような場合には、当該子会社の経理担当役員（CFO）や経理部に親会社から人を派遣して、当該子会社自身の経理・会計部門を強化することでカバーするといった方法も考えられる。

取引の規模の大きい子会社や複雑な経理・会計処理が必要となる子会社に対する管理の重要なポイントは連結決算の正確性を担保することであるから、当該子会社の経理・会計処理に求められる専門性等を考慮しながら、当該子会社に会計監査人を選任するべきかどうか、会計監査人の選任に代わる措置（当該子会社の経理・会計部門への人の派遣など）を採るべきかどうかを検討しておくことが求められる。

なお、日監協グループ監査アンケートの結果によれば、子会社に会計監査人を設置するかどうかの方針について、以下のとおりとなっている。

Q 7-1.　子会社に会計監査人等を設置する方針（それぞれ複数選択可）

Q 7-1-1.　国内子会社の場合

	全　体	機関設計			会社規模	
		監査役会設置会社	指名委員会等設置会社	監査等委員会設置会社	大会社	大会社以外
全　体	772 100.0	571 100.0	16 100.0	185 100.0	717 100.0	55 100.0
会社法上要求されるか否かにかかわらず原則設置する	76 9.8	57 10.0	4 25.0	15 8.1	71 9.9	5 9.1
会社法上求められる場合にのみ設置する	476 61.7	352 61.6	8 50.0	116 62.7	443 61.8	33 60.0
連結対象となる場合に設置する	132 17.1	92 16.1	1 6.3	39 21.1	122 17.0	10 18.2
その他	65 8.4	49 8.6	1 6.3	15 8.1	60 8.4	5 9.1
国内子会社はない	60 7.8	46 8.1	2 12.5	12 6.5	56 7.8	4 7.3

Q 7-1-2.　海外子会社の場合

	全　体	機関設計			会社規模	
		監査役会設置会社	指名委員会等設置会社	監査等委員会設置会社	大会社	大会社以外
全　体	721 100.0	537 100.0	16 100.0	168 100.0	674 100.0	47 100.0
現地の法令で求められるか否かにかかわらず原則設置する	184 25.5	144 26.8	4 25.0	36 21.4	180 26.7	4 8.5
現地の法令で求められる場合のみ設置する	242 33.6	166 30.9	4 25.0	72 42.9	228 33.8	14 29.8
連結対象となる場合に設置する	132 18.3	96 17.9	1 6.3	35 20.8	127 18.8	5 10.6
現地の法令の求めがなくても、重要拠点/一定以上の規模の会社に設置する	86 11.9	63 11.7	3 18.8	20 11.9	81 12.0	5 10.6
その他	27 3.7	23 4.3	1 6.3	3 1.8	22 3.3	5 10.6
海外子会社はない	128 17.8	100 18.6	3 18.8	25 14.9	111 16.5	17 36.2

⒝　取締役会・監査役を設置するべきかどうか

会社法は、公開会社に対し、取締役会・監査役の設置を義務づけている（法327条１項・２項）。これは、株式の譲渡が制限されていない公開会社では、不特定多数の株主が経営陣を直接監督することは困難であるため、社内に経営陣を監督するための機関（取締役会・監査役）を置くことがガバナンスのために必要と考えられるからである。

そうだとすれば、非公開会社であっても、株主である親会社が子会社の経営陣の業務執行を直接監督することが難しいと考えられる場合には、子会社において取締役会・監査役を設置し、適切な取締役・監査役を選任して子会社の経営陣を監督する仕組みを構築する必要がある。

親会社は、子会社の株主総会において議決権を行使するほか、子会社と経営管理契約を締結するなどして、子会社の重要な業務執行について事前に親会社への報告・承認を求めることもできる。したがって、子会社における重要な業務執行を株主総会の決議事項と定めたり、親会社への報告・承認が必要となる事項を増やすことによって、子会社の経営陣による業務執行を直接監督することもできる。そのような仕組みを採用する場合には、子会社の機関設計を思い切って簡素化することも可能である。

その一方で、子会社の株主総会決議事項を定款変更、役員選任、重要な組織再編等に限定し、親会社への報告・承認が必要となる事項についても限定して子会社経営陣の裁量を広く認める場合には、親会社が直接監督しない以上、子会社の経営陣が効率的かつ適法な業務執行を行っているかどうかを子会社内部において監督できるように、取締役会・監査役といった機関を設置するべきと考えられる。

このように、子会社内部において取締役会・監査役といったガバナンス体制をどこまで充実させるべきかという点に関しては、経営管理契約や子会社管理規程の中で親会社が子会社経営陣の業務執行を直接監督できる体制になっているかどうかを考慮しながら検討する必要がある。

⒞　監査役会を設置するべきかどうか

さらに、子会社において監査役を選任するだけでなく、監査役会まで設置するべきかどうかという問題もある。

平成26年会社法改正の前は、親会社の役職員であっても社外性が認められたため、親会社の役職員を子会社の社外監査役として派遣することで、子会社に監査役会を設置することができた。しかし、平成26年会社法改正により社外性の要件が厳格化され、親会社の役職員では社外性が認められないこととなったため、親会社の役職員を子会社の社外監査役とすることができなくなった。

これにより、子会社に独立した社外監査役を半数以上確保することが困難となり、多くの企業グループにおいて子会社には監査役会を設置しないこととする形で機関設計の見直しが行われた。

その結果、現在では、子会社で監査役会を設置している例は約12～13%と少なくなっている（前述の日監協グループ監査アンケートQ2-1参照）。純粋持株会社の下に設置されている事業子会社など、企業グループの中核を占める重要な子会社の場合には監査役会が設置されている例が多いが、それ以外の子会社では法定の監査役会まで設置する例は少なくなっていると考えられる。

しかし、もともと平成5年商法改正で大会社に対して監査役会の設置が義務づけられた趣旨は、監査の対象が広範かつ複雑な大会社においては、いかに独任制の監査役であっても、1人ですべての監査対象について監査を実施することは不可能であり、複数の監査役がそれぞれ役割分担し、監査役会で情報共有・協議しながら監査意見を形成していく必要があると考えられたからである。

そうだとすれば、仮に非公開の子会社であっても大会社である場合には、その監査対象の範囲・複雑さなどを考慮して、3人以上の監査役を選任して監査役会に相当する会議体を設置するべきかどうかを検討するべきである。

確かに、会社法上の監査役会を設置するためには、社外性の要件をクリアした監査役を半数以上置かなければならず、非公開の子会社にそれぞれ2名以上の独立した社外監査役を確保することは、なかなか難しいというのが現実である。

しかし、厳密な意味での社外性の要件を満たしていないとしても、親会社から派遣された監査役を含めて3名以上の監査役を選任し、その意見交換会を定期的に開催することで、監査役会が果たした機能を代替させるといったことも考えられる。子会社の事業規模・性質などに照らし、とても１人の監査役では監査対象を網羅できないと考えられる場合には、法定の監査役会でなくとも、それを代替できるような会議を設置するなどして、子会社自身で適切な業務監査・会計監査を実施できる体制を構築・運用するといった工夫が求められる。

ⅲ　子会社における組織体制を検討する上での留意点

子会社においては、親会社（公開大会社）と同じ機関設計を採用することが難しいだけでなく、総務・経理・内部監査といった管理業務を担当する部署の体制についても、人的資源の不足から十分に構築・運用できないことが多い。親会社と比較すると、手薄な体制になっている例がほとんどであり、たとえば、親会社であれば独立の部署となっているところ、子会社では複数の機能が総務など１つの部署にまとめられていることも多い。

確かに、子会社は上場していないため、株主を含む外部への情報開示なども必要がなく、上場企業では多くみられるコンプライアンス委員会、リスク管理委員会、サステナビリティ委員会などの社内会議も設置されていないことから、社内会議の事務局としての業務も少ない。また、取引の規模も小さいため、経理・会計に関する手続についても、親会社と比較すれば少ない。したがって、親会社と同じ規模の陣容をそろえる必要はなく、身の丈に合った組織体制が構築されていれば問題ない。

しかし、グループ経営・連結経営が主流となっている現在では、親会社には子会社の情報も含めて適時に開示する責務がある。そのため、子会社サイドにおいても、自社の情報を適切に親会社に報告し、親会社において一体的に管理する体制を整備することは非常に重要であり、子会社側の管理部署の充実を図る必要がある。

ⓐ　経理・会計部門の組織体制

現在、親会社が開示する決算情報は全て連結ベースであるため、企業グループ全体の経理・会計手続の正確性は非常に重要となっている。子会社における経理・会計手続にミスがあり、誤った数字が計上されてしまうと、親会社の開示する連結決算の情報にも誤りが生じてしまう。その結果、有価証券報告書等の虚偽記載に該当してしまい、課徴金納付命令を受けるリスク、役員責任を追及されるリスクも否定できない。

したがって、親会社監査役としては、子会社の管理部門の中でも特に経理・会計を担当する部署について、その業務の規模・内容に照らして適切な人員・組織体制が組まれているかどうかを注意してみておく必要がある。

特に経理・会計については、人員の頭数は足りていても、専門知識・能力が足りないといったこともありうるため、各子会社において経理・会計手続のミスが多いかどうかといった点も確認しておくべきである。そのためには、親会社の経理・会計部門や会計監査人と情報交換することも有益である。

また、子会社は親会社と比較して規模が小さいため、数年といった短い期間で事業環境が大きく変化してしまうこともある。もちろん、親会社であっても、経済環境の急激な変動や業界動向によって事業環境は左右されるものであるが、子会社の場合には事業の規模が小さいため、変動の幅がどうしても大きくなる。そのため、子会社においては、数年前には適正規模だと思っていた人員・組織体制が、事業の急拡大に伴い、やるべき業務量に見合わない脆弱な人員・組織体制になってしまっていることもありうる。したがって、子会社の経理・会計部門の人員・組織体制がその業務量に照らして適切かどうかについては、定期的に確認しておく必要がある。そして、業務量と比較して体制が不十分であると感じた場合には、親会社の経営陣にその旨を指摘し、何らかの対策を講じるように促すことが求められる。

限りある人的資源をどのように配置するべきかといった事項は、まさに経営判断に属するものであり、監査役がどこまで積極的に提言するべきなのか、悩ましいところであるが、少なくとも人員・組織体制の不足により経理・会計手続にミスが生じやすい状況となっているのであれば、その旨を指摘して対策を促すべきである。子会社において経理・会計部門の人員を増やすことはなかなかできないとしても、親会社の経理・会計部門との連携を強化して指導・監督を行うほか、それでも足りない場合には親会社の経理・会計部門から子会社の経理・会計部門へ職員を出向させることなども考えられる。

そのほか、経理・会計手続については、システムがどのように構築されているのかという点も極めて重要である。企業グループ内で経理・会計システムが統一されているかどうか、子会社においても経理・会計システムの導入により事務作業の効率化が進められているかどうかによって、決算数値の誤りが生じるリスクは小さくなる。特に、2020年には、新型コロナウイルスの世界的な流行とそれによるロックダウンその他の行動制限の影響で、海外の子会社・拠点における決算プロセスに大きな遅れが生じた事例が散見されたが、このような決算遅延リスクを予防する上でも経理・会計システムの導入による業務の効率化は有益である。

したがって、連結ベースでの正確な決算を担保するためには、子会社の経理・会計部門の人員・組織体制を強化するだけでなく、企業グループ全体のシステムを強化していく必要がある。

なお、日監協グループ監査アンケートによると、上場会社における子会社の会計数値等の管理体制は、次のとおりである。

Q 3-3.　子会社の会計数値等の管理体制（それぞれ一つ選択）

Q 3-3-1.　国内子会社の場合

	全　体	機関設計			会社規模	
		監査役会設置会社	指名委員会等設置会社	監査等委員会設置会社	大会社	大会社以外
全　体	830 100.0	612 100.0	17 100.0	201 100.0	774 100.0	56 100.0
原則として主要な子会社の会計システムは統一され、貴社（親会社）が直接データを確認し収集できる体制になっている	298 35.9	218 35.6	4 23.5	76 37.8	270 34.9	28 50.0
原則として主要な子会社の会計システムは統一されているが、データは子会社から報告される体制となっている	223 26.9	170 27.8	7 41.2	46 22.9	214 27.6	9 16.1
主要な子会社はそれぞれ独自の会計システムを有し、データは子会社から報告される体制となっている	302 36.4	220 35.9	6 35.3	76 37.8	283 36.6	19 33.9

その他	7 0.8	4 0.7	− −	3 1.5	7 0.9	− −

Q 3-3-2. 海外子会社の場合

	全　体	機関設計			会社規模	
		監査役会設置会社	指名委員会等設置会社	監査等委員会設置会社	大会社	大会社以外
全　体	645 100.0	480 100.0	15 100.0	150 100.0	611 100.0	34 100.0
原則として主要な子会社の会計システムは統一され、貴社（親会社）が直接データを確認し収集できる体制になっている	67 10.4	47 9.8	2 13.3	18 12.0	61 10.0	6 17.6
原則として主要な子会社の会計システムは統一されているが、データは子会社から報告される体制となっている	102 15.8	73 15.2	4 26.7	25 16.7	99 16.2	3 8.8
主要な子会社はそれぞれ独自の会計システムを有し、データは子会社から報告される体制となっている	455 70.5	342 71.3	9 60.0	104 69.3	431 70.5	24 70.6
その他	21 3.3	18 3.8	− −	3 2.0	20 3.3	1 2.9

(b)　内部監査部門の組織体制

内部監査の重要性が日々高まっている中、上場企業である親会社ですら、内部監査部門に十分な人員配置ができていないことも多いのが実情である。

日監協グループ監査アンケートによれば、上場企業における内部監査部門の人数は、以下のとおりである。

Q 1-8. 内部監査部門の人数（一つ選択）

	全　体	機関設計			会社規模	
		監査役会設置会社	指名委員会等設置会社	監査等委員会設置会社	大会社	大会社以外
全　体	1036 100.0	772 100.0	17 100.0	247 100.0	954 100.0	82 100.0

0名	6 0.6	5 0.6	– –	1 0.4	5 0.5	1 1.2
1〜5名	747 72.1	546 70.7	6 35.3	195 78.9	668 70.0	79 96.3
6〜10名	159 15.3	123 15.9	5 29.4	31 12.6	157 16.5	2 2.4
11〜20名	76 7.3	62 8.0	4 23.5	10 4.0	76 8.0	– –
21〜30名	28 2.7	23 3.0	– –	5 2.0	28 2.9	– –
31名以上	20 1.9	13 1.7	2 11.8	5 2.0	20 2.1	– –

子会社における内部監査部門の人数はこれよりも少ないのが通例である。せいぜい内部監査を所管する担当役員を決めているくらいで、独自の内部監査部を設置して人員配置までしている例は少ないものと考えられる。同様に、監査役室を置いて専属スタッフを配置している例も極めて少ない。

このような実情をふまえると、企業グループ内の子会社がそれぞれ十分な人数の内部監査体制を整備することは難しく、親会社の内部監査部門および監査役による子会社への内部監査・監査を充実させることによって対応していくことが現実的であると考えられる。

一方で、企業グループ内に多数の子会社を抱えている場合には、親会社の内部監査部門・監査役が全ての子会社を監査していくことは困難である。また、そもそも別法人であるため、定期的に往査するだけで十分な情報収集をすることは困難であり、内部監査・監査の実効性にも懸念が残る。

そのため、子会社の事業・組織の規模に応じて、子会社独自に内部監査・監査体制を整備するべき子会社と親会社の内部監査・監査によってカバーするべき子会社を整理しておくべきである。

そして、子会社において自前の内部監査体制を整備することができる場合には、子会社自身に内部監査・監査体制を構築・運用させることとし、親会社による内部監査部門や監査役会は自前で体制を整備できない子会社を中心に往査を実施するなど、親会社と各子会社の間で役割分担を意識することが重要である。

⑷　親会社役職員による子会社役職員の兼務

親会社において子会社を適切に管理するためには、子会社内部の情報を適切に収集することが重要である。情報がなければ、管理・監督することはできない。したがって、親会社としては、適切な子会社管理体制を構築・運用するため、必要かつ十分な子会社の情報を入手できる仕組みを作らなければならない。

そのために多くの親会社で採られている方法は、子会社に対して親会社の役職員を出向または兼務という形で派遣することである。

しかし、親会社のどういうポストの役職員を子会社へ派遣しているのか、また、子会社のどういうポストに派遣しているのかについては、まさに各社各様である。

親会社の側で子会社役員を兼務する者の地位・役職としては、①取締役・執行役、②当該子会社の事業を所管する営業部門の職員、③管理部門の職員、④経理部門の職員などが考えられる。そのほか、親会社の監査役が子会社の監査役を兼務することもある。

また、子会社のどういうポストに派遣するのかについても、①取締役・執行役、②事業を担当する営業部門の幹部職員、③管理部門の幹部職員、④経理部門の幹部職員、⑤監査役などが考えられる。

親会社の役職員を子会社へ派遣して兼務させる場合、親会社のどういうポストの者を子会社のどういうポストに派遣するのかといった基準・方針については、明確に決めていない会社も多いと思われる。なお、日監協グループ監査アンケートによれば、親子会社間における役職員の兼務状況は、以下のとおりである。

Q 4-1.　親会社役職員（監査役を除く）による子会社役員の兼務状況（それぞれ複数選択可）

Q 4-1-1.　国内子会社の場合

	全　体	機関設計			会社規模	
		監査役会設置会社	指名委員会等設置会社	監査等委員会設置会社	大会社	大会社以外

全　体	816 100.0	603 100.0	16 100.0	197 100.0	759 100.0	57 100.0
貴社取締役・執行役が、子会社取締役・執行役を兼務している	704 86.3	516 85.6	14 87.5	174 88.3	652 85.9	52 91.2
貴社取締役・執行役が、子会社監査役を兼務している	279 34.2	191 31.7	6 37.5	82 41.6	267 35.2	12 21.1
貴社担当営業部門の職員が、子会社取締役を兼務している	296 36.3	223 37.0	5 31.3	68 34.5	285 37.5	11 19.3
貴社担当営業部門の職員が、子会社監査役を兼務している	70 8.6	55 9.1	1 6.3	14 7.1	68 9.0	2 3.5
貴社管理部門など非営業部門の職員が、子会社取締役を兼務している	322 39.5	237 39.3	8 50.0	77 39.1	308 40.6	14 24.6
貴社管理部門など非営業部門の職員が、子会社監査役を兼務している	388 47.5	293 48.6	9 56.3	86 43.7	374 49.3	14 24.6
貴社役職員で子会社の取締役若しくは監査役を兼務しているものはいない	7 0.9	7 1.2	－ －	－ －	6 0.8	1 1.8

Q 4-1-2. 海外子会社の場合

	全　体	機関設計			会社規模	
		監査役会設置会社	指名委員会等設置会社	監査等委員会設置会社	大会社	大会社以外
全　体	656 100.0	485 100.0	14 100.0	157 100.0	620 100.0	36 100.0
貴社取締役・執行役が、子会社執行を担当する役員を兼務している	404 61.6	293 60.4	4 28.6	107 68.2	388 62.6	16 44.4
貴社取締役・執行役が、子会社執行の監督を担当する役員を兼務している	273 41.6	205 42.3	8 57.1	60 38.2	258 41.6	15 41.7
貴社担当営業部門の職員が、子会社執行を担当する役員を兼務している	187 28.5	146 30.1	3 21.4	38 24.2	181 29.2	6 16.7
貴社担当営業部門の職員が、子会社執行の監督を担当する役員を兼務している	93 14.2	78 16.1	4 28.6	11 7.0	92 14.8	1 2.8
貴社管理部門など非営業部門の職員が、子会社執行を担当する役員を兼務している	155 23.6	117 24.1	3 21.4	35 22.3	148 23.9	7 19.4

貴社管理部門など非営業部門の職員が、子会社執行の監督を担当する役員を兼務している	214 32.6	159 32.8	5 35.7	50 31.8	208 33.5	6 16.7
貴社役職員で子会社執行を担当する役員若しくは子会社執行の監督を担当する役員を兼務しているものはいない	47 7.2	33 6.8	3 21.4	11 7.0	43 6.9	4 11.1

以上のとおり、親会社役職員による子会社役職員の兼務状況については、企業グループによって、あるいは企業グループ内においても、千差万別といってもよい。

ただし、傾向としては、親会社の取締役・執行役および営業部門の職員は、子会社の取締役・執行役その他の営業部門のポストを兼務する例が多く、親会社の管理部門の職員は、子会社の取締役を兼務することもあれば、監査役や管理部門を兼務する例も多いようである。

親会社から子会社に対する役職員の派遣・兼務体制についても、各企業グループの事情に応じて各社で工夫するべきであるが、適切な子会社管理体制を検討する上では、次のような点に留意しておくべきである。

(i)　営業ライン・管理ラインによる複数の報告ルートの必要性

一般論として、適切なガバナンス体制を構築する上では、営業と管理のラインを分けることが重要であるといわれる。営業ラインのミッションは事業を推進･拡大して利益を上げることであるのに対し､管理ラインのミッションは事業遂行に当たって法規制や社内ルールの遵守を徹底させることであり、どうしても対立する場面が出てくる。そのため、営業ラインと管理ラインを分けて、営業ラインは事業の推進・拡大を行い、管理ラインは営業から離れた立場で牽制機能を発揮することが求められる。

子会社管理においても同様であり、営業ラインによる情報ルートと管理ラインによる情報ルートの双方が機能していることが望ましい。

しかし、子会社に複数の役職員を派遣できず、営業ライン・管理ラインのどちらか一方だけのラインしかない場合には、子会社から親会社に報告される情報にも偏りが生じてしまう可能性が高い。たとえば、営業ラインのみ兼務している場合には、兼務役員が収集する情報はどうしても営業・業績に関するものとなり、コンプライアンス違反などの情報は親会社に報告されにくくなる。反対に、管理ラインのみ兼務している場合には、営業・業績に関する情報が報告されにくくなる。そのため、兼務役員が派遣されていないラインの情報についても適切に報告されるような仕組み（定期的な報告ルールなど）を構築しておく必要がある。

また、海外子会社や買収した子会社などにおいては、地理的な距離感、各社の成り立ちや文化の違いから、どうしても親会社との間で情報共有がされにくい。そのような子会社において、当該子会社のトップが親会社との連絡窓口を独占してしまうと、そこで情報が取捨選択された結果、本来報告されるべき情報が報告されずに大きな不祥事につながってしまう可能性を否定できない。親会社からの業績向上に対するプレッシャーが強いと、業績不振を親会社へ報告できず、売上げの架空計上などといった粉飾決算につながるリスクもある。そのような事態を防止するためにも、子会社から親会社への報告ルートは、営業・管理ラインに分けて複数設けておくことが望ましい。

(ii)　派遣する親会社役職員に対する教育・研修の必要性

親会社の取締役・執行役および営業部門の職員が子会社の取締役・執行役その他の営業部門のポストを兼務する場合、あるいは親会社の管理部門の職員や監査役が子会社の監査役や管理部門を兼務する場合には、どちらの会社においても求められる役割・職務は同じである。たとえば、経理部門の役職員であれば、どちらの会社においても経理・会計手続に従事すればよく、単に対象範囲が異なるに過ぎない。

しかし、実際には、親会社の営業部門の役職員が子会社の管理・監査部門ポストを兼務していることがある。このような場合には、兼務している役職員はどうしても自らの本来の担当である営業・業績に関する事項に関心が集中してしまうため、管理・監査ポストとして本来収集すべきコンプライアンス違反などの情報を親会社に報告せず、子会社の情報収集がうまく機能しなくなるといったリスクも考えられる。

親会社の役職員に子会社ポストを兼務させるのは、子会社の情報を収集して親会社に報告させるためであるから、派遣される当人たちに、当該ポストを兼務することで何をすることが求められているのかをしっかり意識してもらう必要がある。

親会社の営業部門の役職員が子会社の営業部門ポストを兼務する場合や親会社の管理部門の役職員が子会社の管理・監査部門ポストを兼務する場合には、それほど大きな意識改革は必要ないのであるが、親会社の営業部門の役職員が子会社の管理・監査部門ポストを兼務する場合には、兼務する役職員に求められている役割・職務を十分に理解してもらう必要がある。特に、親会社の営業部門の役職員が子会社の監査役ポストを兼務する場合には、監査役として求められる役割・職務は親会社の役職員としての業務と大きく異なるため、しかるべき教育・研修を行った上で送り出すなどの対応を検討すべきである。

3　親会社監査役に求められる役割および活動

(1)　親会社監査役に求められる役割

親会社監査役には、子会社調査権が認められているほか（法381条3項）、企業集団における業務の適正を確保するための体制についても、その決定または運用が相当でないと認めるときは監査報告にてその旨および理由を記載しなければならないなど（施129条1項5号、130条2項2号）、親会社による子会社管理の一環として重要な役割を果たすことが期待されている。しかし、情報がなければ適切な監督・監査を実施することはできないため、親会社監査役が子会社に対する適切な監査を実施するためには、子会社の情報を収集することが必要となる。

その一方で、子会社は親会社とは別個の独立した法人であるから、親会社の監査役だからといって、子会社の業務・財産の状況について何でも報告を求めることができるわけではない。親会社と子会社の関係性によっては、利益相反・競業関係などに配慮して、適切な距離を置くべき場面もある。

したがって、親会社監査役としては、親会社と当該子会社の関係性をよく理解し、その特性を考慮しながら、実情に応じた情報収集を心掛けなければならない。

親会社監査役による情報収集のルートとしては、①業務執行ラインからの報告、②子会社への往査、③子会社監査役との連携、④内部監査部門・会計監査人との連携、などが考えられる。

なお、このような情報収集は、主に常勤監査役が担うものと考えられるが、収集した情報については速やかに親会社監査役会に報告し、社外監査役との間で情報共有・意見交換することが求められる。

⑵　業務執行ラインからの報告

監査役は、取締役会への出席義務を負っている（法383条１項）。これは、経営上の重要事項についての報告・決議が行われる取締役会へ出席することで、重要な情報を収集するとともに取締役の職務執行の状況を監視するためである。また、上場企業においては、取締役会だけでなく、執行ラインの役員が集まる経営会議やそれ以外のさまざまな会議が設置されており、職務分掌・権限規程などに基づき、各会議においてさまざまな事項が報告され、審議される。

これらの会議で報告・審議される事項には、子会社における経営上の重要な事項も含まれているため、監査役は、取締役会その他の重要会議へ出席することにより、子会社に関する情報を入手することができる。

そのほか、親会社は、子会社との間で経営管理契約等を締結し、あるいは子会社管理規程を定め、子会社の重要事項について親会社の所管部署へ報告を求めている。さらに、親会社の役職員に子会社ポストを兼務させることにより、子会社の重要事項について把握するよう努めている。

したがって、監査役は、これらの報告等を受けている部署に対して報告を求めることにより（法381条２項、399条の３第１項、405条１項）、子会社に関する情報を入手することができる。

(i) 取締役会・経営会議等への出席

親会社は、子会社との間で経営管理契約等を締結し、あるいは子会社管理規程を定めることにより、子会社の経営上の重要事項について、親会社の取締役会や経営会議への事前承認・報告を求めていることが多い。

日監協グループ監査アンケートによれば、経営管理契約または子会社管理規程において親会社への承認・報告事項を定めているかどうか、事前承認・報告を求めるべき事項として何を定めているかについては、以下のとおりである。

Q 2-5-1. 子会社管理規程または経営管理契約における子会社からの報告・承認事項の定めの有無（一つ選択）

	全　体	機関設計			会社規模	
		監査役会設置会社	指名委員会等設置会社	監査等委員会設置会社	大会社	大会社以外
全　体	974 100.0	721 100.0	17 100.0	236 100.0	898 100.0	76 100.0
子会社管理規程等で定めている	793 81.4	593 82.2	14 82.4	186 78.8	732 81.5	61 80.3
経営管理契約等で定めている	54 5.5	42 5.8	2 11.8	10 4.2	50 5.6	4 5.3
その他の方法で定めている	55 5.6	38 5.3	1 5.9	16 6.8	50 5.6	5 6.6
定めていない	72 7.4	48 6.7	− −	24 10.2	66 7.3	6 7.9

Q 2-5-2. 事前承認事項・報告事項の内容（それぞれ複数回答可）

Q 2-5-2-1. 事前承認事項

	全　体	機関設計			会社規模	
		監査役会設置会社	指名委員会等設置会社	監査等委員会設置会社	大会社	大会社以外
全　体	902 100.0	673 100.0	17 100.0	212 100.0	832 100.0	70 100.0
定款変更、増減資、合併等の組織再編	864 95.8	641 95.2	16 94.1	207 97.6	799 96.0	65 92.9

予算・事業計画	753 83.5	561 83.4	14 82.4	178 84.0	690 82.9	63 90.0
一定金額以上の投融資案件	816 90.5	609 90.5	16 94.1	191 90.1	755 90.7	61 87.1
重要な契約の締結	760 84.3	572 85.0	14 82.4	174 82.1	700 84.1	60 85.7
重要な資産の処分、多額の借入れ	817 90.6	603 89.6	16 94.1	198 93.4	756 90.9	61 87.1
重要な人事	748 82.9	560 83.2	15 88.2	173 81.6	688 82.7	60 85.7
訴訟事案の発生（提訴・応訴）	553 61.3	411 61.1	11 64.7	131 61.8	511 61.4	42 60.0
その他	94 10.4	69 10.3	3 17.6	22 10.4	84 10.1	10 14.3

Q 2-5-2-2. 報告事項

	全　体	機関設計			会社規模	
		監査役会設置会社	指名委員会等設置会社	監査等委員会設置会社	大会社	大会社以外
全　体	902 100.0	673 100.0	17 100.0	212 100.0	832 100.0	70 100.0
定款変更、増減資、合併等の組織再編	140 15.5	106 15.8	5 29.4	29 13.7	128 15.4	12 17.1
予算・事業計画	278 30.8	203 30.2	5 29.4	70 33.0	257 30.9	21 30.0
業　績	726 80.5	550 81.7	12 70.6	164 77.4	672 80.8	54 77.1
一定金額以上の投融資案件	190 21.1	144 21.4	5 29.4	41 19.3	175 21.0	15 21.4
重要な契約の締結	209 23.2	153 22.7	6 35.3	50 23.6	190 22.8	19 27.1
重要な資産の処分、多額の借入れ	179 19.8	137 20.4	5 29.4	37 17.5	162 19.5	17 24.3
重要な人事	253 28.0	186 27.6	7 41.2	60 28.3	233 28.0	20 28.6
訴訟事案の発生（提訴・応訴）	384 42.6	294 43.7	9 52.9	81 38.2	353 42.4	31 44.3
コンプライアンス事案の発生	683 75.7	510 75.8	13 76.5	160 75.5	635 76.3	48 68.6

その他	147 16.3	108 16.0	4 23.5	35 16.5	130 15.6	17 24.3

したがって、監査役としては、親会社の取締役会だけでなく、経営会議などの重要会議にも出席して、子会社の経営上の重要事項や業績について報告を受けるように努めなければならない。

(ii)　子会社ポストを兼務している役職員・監査役からの報告

親会社としては、子会社管理の方法として、親会社の営業部門・管理部門の役職員に子会社役員を兼務させている例が多い。

そのような場合、兼務している役職員は、自らが所属する親会社の営業部門・管理部門に報告しているはずであるが、その内容を監査役にも定期的に報告してもらい、情報共有するという方法も考えられる。いわゆる内部統制システムの一環として、当社および子会社の取締役・使用人から親会社監査役へ報告するための体制を整備することが例示されており（施100条3項4号）、親会社監査役としては、子会社に関する情報を収集するため、その情報を有している役職員から定期的に報告を受けるための仕組みを作っておくべきである。

ほとんどの場合、このように子会社ポストを兼務している役職員と面談して情報収集するのは常勤監査役であるが、これは監査役会で定めた役割分担であるから、報告を受けた常勤監査役はその内容を監査役会に報告し、全監査役の間で情報共有しておく必要がある。

そのほか、親会社の監査役自身が子会社の監査役を兼務している場合には、自ら兼務先子会社の情報を適切に収集し、親会社監査役会へ報告することが必要である。

日監協グループ監査アンケートによれば、親子会社間における監査役の兼務状況は以下のとおりである。

Q 4-4. 親会社監査役による子会社監査役の兼務状況

人数について（それぞれの「属性」ごとに、1以上の数が入力されている人の数）

全　体	国内・常勤兼務	国内・非常勤兼務	海外・常勤兼務	海外・非常勤兼務	属性別総数（人数）
社内常勤	87 55.8	356 58.5	5 50.0	72 70.6	444 58.3
社外常勤	25 16.0	106 17.4	5 50.0	18 17.6	130 17.1
社内非常勤	14 9.0	31 5.1	– –	– –	43 5.6
社外非常勤	30 19.2	116 19.0	– –	12 11.8	145 19.0
合　計	156 100.0	609 100.0	10 100.0	102 100.0	762 100.0

平均社数（それぞれの「属性」ごとに、入力された数値の平均）

全　体	国内・常勤の兼務社数	国内・非常勤の兼務社数	海外・常勤の兼務社数	海外・非常勤の兼務社数
社内常勤	0.67	1.86	0.05	0.69
社外常勤	0.48	1.69	0.09	0.40
社内非常勤	0.39	1.16	0.00	0.00
社外非常勤	0.07	0.38	0.00	0.11
回答人数	373	592	254	316

兼務するのは親会社の常勤監査役であり、子会社の非常勤監査役を務める例が多いと思われるが、子会社では監査役会を設置していないことがほとんどである。そのため、子会社の常勤監査役から定期的に報告を受ける（監査役会に代わる）会議を設定するとか、定期的に子会社の経営陣や幹部社員と面談して報告を受けるなどの工夫をしないと、子会社の情報が入ってこない。子会社の情報を適切に収集するための子会社監査役としての活動をしっかり行うことが求められる。

(iii)　子会社管理の所管部署からの報告

親会社監査役としては、子会社ポストを兼務している役職員からの報告に加えて、子会社を管理する所管部署の担当者からも定期的に報告を受ける必要がある。

親会社においては、子会社ごとにその管理を所管する部署が決められているはずであり、当該子会社に関する情報は所管部署にて適切に管理されていることが望ましい。

しかし、実務においては、子会社管理は複数の部署がそれぞれの業務に応じて行っていることが多く、特定の子会社について管理責任を負うべき所管部署がどこなのか、不明確になっている場合もありうる。具体的には、子会社における事業・業績については親会社の担当営業部門が、総務・人事については親会社の総務・人事部が、経理・会計については親会社の経理部が、コンプライアンス違反などについては親会社のコンプライアンス部や内部監査部が、それぞれ子会社を管理しているものの、それらの情報がどこか１つに集約されずにバラバラに管理されている例も多いのではないかと推察される。

日監協グループ監査アンケートによれば、親会社において子会社を管理する部門がどこなのかは以下のとおりであり、管理部門と事業部門が協働して子会社管理を担当している例が多い。

Q3-1. 子会社を管理する部門の名称とその管理内容（一つ選択）

	全　体	機関設計			会社規模	
		監査役会設置会社	指名委員会等設置会社	監査等委員会設置会社	大会社	大会社以外
全　体	895 100.0	665 100.0	17 100.0	213 100.0	831 100.0	64 100.0
管理部門のみが子会社管理を担当する	307 34.3	226 34.0	6 35.3	75 35.2	273 32.9	34 53.1
事業部門のみが子会社管理を担当する	20 2.2	17 2.6	– –	3 1.4	20 2.4	– –
管理部門と事業部門が協働して子会社管理を担当する	568 63.5	422 63.5	11 64.7	135 63.4	538 64.7	30 46.9

また、同アンケート結果によれば、①営業業績、②財務・経理、③人事その他の重要事項、④コンプライアンス違反その他の不祥事について、子

会社から親会社に対して報告する場合の報告先・頻度は、以下のとおりである。

①営業業績

【国内子会社】Q 3-2-1-1-1.

全　体	全　体	Q 3-2-1-1-2. ①営業業績【国内子会社】_報告先				
		営業部門	経理・財務部門	その他管理部門	担当役員	その他
全　体	839 100.0	102 100.0	164 100.0	231 100.0	209 100.0	128 100.0
日　次	38 4.5	13 12.7	3 1.8	6 2.6	11 5.3	5 3.9
週　次	54 6.4	10 9.8	7 4.3	7 3.0	23 11.0	7 5.5
月　次	620 73.9	70 68.6	142 86.6	187 81.0	150 71.8	68 53.1
四半期毎	81 9.7	7 6.9	11 6.7	24 10.4	20 9.6	17 13.3
年　次	4 0.5	– –	– –	1 0.4	2 1.0	1 0.8
その他	42 5.0	2 2.0	1 0.6	6 2.6	3 1.4	30 23.4

（報告の方法の内訳）
定例会：336、個別面談：15、書面：126、メール：182、システム：126、その他：48

【海外子会社】Q 3-2-1-2-1.

全　体	全　体	Q 3-2-1-2-2. ①営業業績【海外子会社】_報告先				
		営業部門	経理・財務部門	その他管理部門	担当役員	その他
全　体	659 100.0	92 100.0	128 100.0	186 100.0	151 100.0	98 100.0
日　次	16 2.4	5 5.4	1 0.8	4 2.2	4 2.6	2 2.0
週　次	41 6.2	8 8.7	5 3.9	11 5.9	11 7.3	6 6.1
月　次	485 73.6	69 75.0	107 83.6	148 79.6	114 75.5	44 44.9
四半期毎	64 9.7	8 8.7	13 10.2	15 8.1	12 7.9	16 16.3

年　次	11 1.7	− −	2 1.6	2 1.1	6 4.0	1 1.0
その他	42 6.4	2 2.2	− −	6 3.2	4 2.6	29 29.6

（報告の方法の内訳）
定例会：180、個別面談：11、書面：106、メール：217、システム：90、その他：37

②財務・経理

【国内子会社】Q 3-2-2-1-1.

全　体	全　体	Q 3-2-2-1-2. ②財務・経理【国内子会社】_報告先				
		営業部門	経理・財務部門	その他管理部門	担当役員	その他
全　体	825 100.0	9 100.0	565 100.0	87 100.0	89 100.0	66 100.0
日　次	30 3.6	1 11.1	28 5.0	− −	1 1.1	− −
週　次	20 2.4	− −	8 1.4	3 3.4	4 4.5	5 7.6
月　次	633 76.7	7 77.8	451 79.8	68 78.2	69 77.5	29 43.9
四半期毎	104 12.6	1 11.1	69 12.2	12 13.8	12 13.5	10 15.2
年　次	4 0.5	− −	1 0.2	− −	3 3.4	− −
その他	34 4.1	− −	8 1.4	4 4.6	− −	22 33.3

（報告の方法の内訳）
定例会：191、個別面談：16、書面：128、メール：188、システム：228、その他：42

【海外子会社】Q 3-2-2-2-1.

全　体	全　体	Q 3-2-2-2-2. ②財務・経理【海外子会社】_報告先				
		営業部門	経理・財務部門	その他管理部門	担当役員	その他
全　体	643 100.0	15 100.0	419 100.0	76 100.0	72 100.0	48 100.0
日　次	9 1.4	− −	6 1.4	− −	2 2.8	1 2.1
週　次	9 1.4	− −	3 0.7	2 2.6	2 2.8	2 4.2
月　次	510 79.3	13 86.7	352 84.0	59 77.6	53 73.6	21 43.8
四半期毎	79 12.3	2 13.3	50 11.9	10 13.2	7 9.7	10 20.8
年　次	12 1.9	− −	4 1.0	1 1.3	7 9.7	− −
その他	24 3.7	− −	4 1.0	4 5.3	1 1.4	14 29.2

（報告の方法の内訳）
定例会：103、個別面談：10、書面：103、メール：230、システム：147、その他：25

③人事その他の重要事項

【国内子会社】Q 3-2-3-1-1.

全　体	全　体	Q 3-2-3-1-2. ③人事その他の重要事項【国内子会社】_報告先				
		営業部門	経理・財務部門	その他管理部門	担当役員	その他
全　体	812 100.0	31 100.0	25 100.0	377 100.0	258 100.0	105 100.0
日　次	47 5.8	2 6.5	1 4.0	25 6.6	16 6.2	3 2.9
週　次	29 3.6	1 3.2	− −	9 2.4	13 5.0	6 5.7
月　次	306 37.7	11 35.5	17 68.0	154 40.8	92 35.7	26 24.8
四半期毎	42 5.2	4 12.9	1 4.0	15 4.0	20 7.8	2 1.9
年　次	44 5.4	1 3.2	4 16.0	17 4.5	17 6.6	3 2.9

その他	344 42.4	12 38.7	2 8.0	157 41.6	100 38.8	65 61.9

（報告の方法の内訳）
定例会：169、個別面談：111、書面：160、メール：202、システム：40、その他：95

【海外子会社】Q 3-2-3-2-1.

全　体	全　体	Q 3-2-3-2-2. ③人事その他の重要事項【海外子会社】_報告先				
		営業部門	経理・財務部門	その他管理部門	担当役員	その他
全　体	636 100.0	32 100.0	17 100.0	288 100.0	205 100.0	78 100.0
日　次	25 3.9	3 9.4	－ －	13 4.5	8 3.9	1 1.3
週　次	20 3.1	1 3.1	－ －	10 3.5	6 2.9	3 3.8
月　次	228 35.8	11 34.4	9 52.9	119 41.3	68 33.2	15 19.2
四半期毎	41 6.4	5 15.6	3 17.6	16 5.6	15 7.3	2 2.6
年　次	33 5.2	1 3.1	3 17.6	11 3.8	15 7.3	1 1.3
その他	289 45.4	11 34.4	2 11.8	119 41.3	93 45.4	56 71.8

（報告の方法の内訳）
定例会：92、個別面談：60、書面：123、メール：216、システム：38、その他：80

④コンプライアンス違反その他の不祥事

【国内子会社】Q 3-2-4-1-1.

全　体	全　体	Q 3-2-4-1-2. ④コンプライアンス違反その他の不祥事【国内子会社】_報告先				
		営業部門	経理・財務部門	その他管理部門	担当役員	その他
全　体	808 100.0	17 100.0	11 100.0	381 100.0	270 100.0	112 100.0
日　次	129 16.0	6 35.3	2 18.2	63 16.5	51 18.9	3 2.7
週　次	19 2.4	－ －	－ －	4 1.0	10 3.7	4 3.6

月　次	120 14.9	2 11.8	3 27.3	58 15.2	46 17.0	9 8.0
四半期毎	31 3.8	– –	1 9.1	18 4.7	8 3.0	4 3.6
年　次	4 0.5	– –	– –	3 0.8	1 0.4	– –
その他	505 62.5	9 52.9	5 45.5	235 61.7	154 57.0	92 82.1

（報告の方法の内訳）
定例会：84、個別面談：116、書面：129、メール：259、システム：42、その他：143

【海外子会社】Q 3-2-4-2-1.

全　体	全　体	Q 3-2-4-2-2. ④コンプライアンス違反その他の不祥事【海外子会社】_報告先				
		営業部門	経理・財務部門	その他管理部門	担当役員	その他
全　体	625 100.0	17 100.0	8 100.0	294 100.0	211 100.0	79 100.0
日　次	90 14.4	4 23.5	1 12.5	39 13.3	40 19.0	1 1.3
週　次	15 2.4	– –	– –	6 2.0	7 3.3	1 1.3
月　次	93 14.9	3 17.6	3 37.5	43 14.6	37 17.5	6 7.6
四半期毎	27 4.3	2 11.8	– –	18 6.1	6 2.8	1 1.3
年　次	6 1.0	– –	– –	1 0.3	5 2.4	– –
その他	394 63.0	8 47.1	4 50.0	187 63.6	116 55.0	70 88.6

（報告の方法の内訳）
定例会：55、個別面談：62、書面：92、メール：250、システム：36、その他：105

経営企画部などの管理部門が子会社管理も行っている例、財務・経理部において経理・会計の面を中心に管理している例、事業管理部・国際本部といった形で子会社管理を行う専門部署を設置している例、事業部門で子会社を管理している例、それらを組み合わせて管理している例など、さまざまな管理の形態がある。子会社の数・所在地、親会社の事業と子会社の事業の関係性などによって、各企業グループが工夫しているものと考えられ、どのような管理形態が適切であるということはない。

親会社監査役としては、わが社の子会社管理の所管部署はどこなのか、どの部署にどのような内容の子会社情報が報告されているのかを確認の上、報告を受けている親会社の所管部署から定期的に報告を受けるべきである。常勤監査役が報告を受けた場合には、その内容を監査役会に報告して情報共有すべきである。

なお、日本監査役協会が実施したアンケートによれば、子会社管理の所管部署に報告された事項について監査役との間で情報共有が行われているかどうか、その頻度や内容については、以下のとおりである。

Q 3-6. 子会社管理担当部署と監査役との間の情報共有

Q 3-6-1. 報告事項の内容（複数回答可）

	全　体	Q 3-6-2. 頻度					
		毎　月	四半期毎	毎　年	都　度	な　し	その他
全　体	831 100.0	293 100.0	70 100.0	11 100.0	367 100.0	4 100.0	47 100.0
定款変更、増減資、合併等の組織再編	653 78.6	252 86.0	49 70.0	5 45.5	286 77.9	1 25.0	29 61.7
予算・事業計画	636 76.5	258 88.1	60 85.7	9 81.8	248 67.6	1 25.0	31 66.0
一定金額以上の投融資案件	620 74.6	246 84.0	45 64.3	5 45.5	266 72.5	1 25.0	31 66.0
重要な契約の締結	580 69.8	238 81.2	43 61.4	6 54.5	239 65.1	1 25.0	29 61.7
重要な資産の処分、多額の借入れ	629 75.7	253 86.3	46 65.7	5 45.5	267 72.8	1 25.0	31 66.0
重要な人事	586 70.5	243 82.9	41 58.6	7 63.6	238 64.9	1 25.0	30 63.8
訴訟事案の発生（提訴・応訴）、コンプライアンス事案の発生	678 81.6	249 85.0	50 71.4	4 36.4	305 83.1	1 25.0	36 76.6
その他	82 9.9	23 7.8	3 4.3	1 9.1	34 9.3	3 75.0	14 29.8

⑶　子会社往査

監査役は独任制の機関とされており、個々の監査役に調査・是正権限が認められ、各自が単独でその権限を行使できる。

とはいえ、監査役にいかに強力な調査・是正権限が認められていたとしても、会社の業務の範囲が拡大し複雑化している場合には、その業務執行の状況について、1人で監査することはできない。そのため、公開大会社では3名以上の監査役を選任し、お互いに役割分担して、監査役会で情報共有しながら、監査を行うことが想定されている（法328条1項）。

しかし、独任制の機関である以上、監査の基本は自ら現場に足を運んで実査することである。この点は子会社監査においても同様であり、監査役会で審議・決定する年間の監査計画では、支店や営業所だけでなく子会社への往査も組み込まれていることが多い。

このような子会社往査は、子会社を訪問してその役職員と直接面談し、業務の状況を確認できる貴重な機会である。そのため、親会社監査役としては、かかる子会社往査の機会を活用して、子会社に関する情報収集に努めなければならない。

なお、監査等委員会設置会社および指名委員会等設置会社においては、監査等委員会・監査委員会は内部統制システムを通じた組織監査を行うこととされており、個々の監査等委員・監査委員が独任制の機関として実査・往査を行うことは想定されていない。ただし、監査役会設置会社から移行しているためか、従前と同様に常勤の監査等委員・監査委員を置き、監査役と同じように調査権・子会社調査権を行使することを想定した運用を行っている例も多い。そのような運用も許容されるところであり、その場合には、監査役と同様、子会社往査の機会を活用して、子会社に関する情報収集を行うことが期待される。

さらに、新型コロナウイルスの感染拡大とそれに伴う行動制限により、ここ数年の間でリモート監査を実施する例が非常に増えている。リモート監査については、現場の実情を把握しにくいこと、（特に初対面の相手の場合には）コミュニケーションが難しく、情報の量・質の低下が懸念されることなどのデメリットも指摘されている反面、時間調整が容易となって開催頻度が増加したこと、非常勤の社外監査役や執行部門・内部監査部門が往査へ参加することが容易となったこと、移動時間や費用を削減できることなどのメリットも多く認められる（日本監査役協会「企業におけるコロナ禍の影響および監査役等の監査活動の変化について」（2021年12月20日））。新型コロナウイルスによる行動制限が終息した後も、往査の手法としては、現地実査とリモート監査を組み合わせたハイブリッド監査が主流となっていくことが予想されており、リモート監査の実効性を高めるための取組みを進めることが求められる。

(i)　往査するべき子会社の選定

親会社監査役会では、毎年、重点監査するべき項目を検討して監査の方針および監査計画を策定し、常勤監査役・社外監査役の間で役割分担を定めて、監査を実施する。

その監査計画の中に子会社監査について盛り込むに当たり、最初に検討しなければならないのは、当該企業グループにおいて重点的に監査しなければならない重要子会社はどれなのかという点であり、その中から往査するべき子会社を選定する必要がある。

重点的に監査するべきなのは、まずは連結決算の中で大きな比重を占める子会社である。グループ経営・連結経営が主流となっている現在、子会社の業績が連結決算にも大きな影響を及ぼしかねず、仮に子会社の経理・会計に誤りがあれば、親会社の開示する有価証券報告書の連結決算情報が虚偽であったということにもなりかねない。したがって、連結決算に影響を及ぼす可能性のある規模の大きな子会社については、重要子会社として監査対象とするべきである。

また、会計・経理手続に関して何らかの課題を指摘されている子会社については、監査役監査においても重点的に監査する必要がある。たとえば、最終的な決算報告の数字は正しくても、そこに至る段階でミスや誤りが多い子会社、恒常的に経理・会計部門の人員が不足している子会社、経理・会計システムが古く手作業が多い子会社、過去に何らかの会計不正があった子会社などについては、経理・会計プロセスの実情や改善状況を確認するためにも監査対象とするべきである。

会計・経理手続のみならず、業務監査における指摘が多い子会社も注視しておく必要がある。不正行為が起こりやすい企業風土、風通しの悪い企業文化というものは、定量的に数値で示すことはできないけれども、実態としては存在すると言わざるをえない。そのような子会社も、重点的に監査するべき対象としておくべきであろう。

内部通報が多い子会社や過去の内部監査等において課題を指摘されている子会社も要注意である。それ以外にも、新しく買収した子会社、既存子会社ではあるけれども新規事業を開始した子会社などについても、業務の状況や管理体制をみておくことが望ましい。

そして、そのような重点的に監査するべき重要子会社の中から、本年度の監査計画において往査するべき子会社を選定することになる。

往査する必要性がある子会社が数多く存在し、全ての子会社を往査することができない場合には、定期的にローテーションを組んで往査する計画を立てるべきである。現地実査とリモート監査を組み合わせる場合には、負担の大きい現地実査についてローテーションを組み、往訪できない会社についてはリモート監査を実施することで全体をカバーするという方法も考えられる。

なお、日本監査役協会が実施したアンケートによれば、往査対象としている子会社の数および選定基準・方針については、以下のとおりである。

Q 8-5. 往査対象としている子会社の総数

Q 8-5-1. 国内子会社の往査対象社数（一つ選択）

	全　体	機関設計			会社規模	
		監査役会設置会社	指名委員会等設置会社	監査等委員会設置会社	大会社	大会社以外
全　体	769 100.0	564 100.0	16 100.0	189 100.0	712 100.0	57 100.0
0社	66 8.6	37 6.6	3 18.8	26 13.8	56 7.9	10 17.5
1社～5社	420 54.6	307 54.4	7 43.8	106 56.1	378 53.1	42 73.7

6社～10社	143 18.6	106 18.8	4 25.0	33 17.5	141 19.8	2 3.5
11社～30社	104 13.5	85 15.1	1 6.3	18 9.5	101 14.2	3 5.3
31社～50社	24 3.1	19 3.4	1 6.3	4 2.1	24 3.4	－ －
51社～100社	7 0.9	6 1.1	－ －	1 0.5	7 1.0	－ －
101社以上	5 0.7	4 0.7	－ －	1 0.5	5 0.7	－ －

Q 8-5-2. 海外子会社の往査対象社数（一つ選択）

	全　体	機関設計			会社規模	
		監査役会設置会社	指名委員会等設置会社	監査等委員会設置会社	大会社	大会社以外
全　体	693 100.0	512 100.0	16 100.0	165 100.0	649 100.0	44 100.0
0社	211 30.4	150 29.3	7 43.8	54 32.7	187 28.8	24 54.5
1社～5社	292 42.1	216 42.2	4 25.0	72 43.6	273 42.1	19 43.2
6社～10社	92 13.3	67 13.1	2 12.5	23 13.9	91 14.0	1 2.3
11社～30社	65 9.4	51 10.0	1 6.3	13 7.9	65 10.0	－ －
31社～50社	14 2.0	11 2.1	2 12.5	1 0.6	14 2.2	－ －
51社～100社	15 2.2	14 2.7	－ －	1 0.6	15 2.3	－ －
101社以上	4 0.6	3 0.6	－ －	1 0.6	4 0.6	－ －

(ii)　往査の実施

往査するべき子会社については、事前に当該子会社に関する情報を収集し、往査時に確認するべき事項やポイントを検討しておく必要がある。

当該子会社の事業の概要、業績等を確認しておくことは当然として、所管部署に対し、直近の当該子会社からの報告事項、その中で気になる点がないかどうかについてヒアリングしておくべきである。合わせて、経理・財務部や内部監査部に対しても、当該子会社に関して気になる点がないかどうかをヒアリングしておく必要がある。また、リモート監査を実施する場合には、上記のような事前準備に加えて、通信環境についても確認しておく必要がある。

当該子会社を往査対象に選んだ理由として、会計・経理手続にミスが多い、内部監査で指摘を受けたなどの明確な事情がある場合には、経理部・内部監査部に対し、各部が把握している事実関係、原因分析および対応策についての報告を求め、実態を把握してから往査に臨むべきである。また、新規の子会社あるいは新規事業を開始した子会社に関しては、当該新規事業の内容を確認し、新規事業に伴い新たに監査しなければならないポイントなどを整理しておくべきである。

そのほか、子会社への往査については、会計監査人の往査と合わせて実施する例もある。会計監査人は、自らの連結会計監査のため、重要な子会社を選定して定期的に往査を行っており、監査役会が選定する往査先と重なっていることも多い。そのような場合には、監査役が会計監査人の子会社往査に同行することもあり、事前に会計監査人と打ち合わせておく必要がある。

このような事前準備を経た上で、当該子会社の経営陣や幹部社員、監査役などと面談し、必要に応じて資料を閲覧し、営業現場などを視察する。その過程で、事業や管理体制の説明を受け、質疑応答を行い、懸案事項について改善されているかどうかを確認することとなる。

また、子会社において会計監査人を選定している場合には、子会社の会計監査人と面談して意見交換することも有益である。

このような子会社往査において不正行為を発見することは難しいかもしれないが、定期的に往査することによって子会社の側においても「見られている」という緊張感を持つことができる。また、子会社の役職員や監査役と面談し、関係を構築しておくことによって、何か問題が発生した場合に親会社監査役へ相談しやすくなるというメリットもある。

さらに、実際に足を運び、現場の従業員と直接話し合う機会を設けることによって、経営管理契約や子会社管理規程に則った正式な報告だけでは得られない生の情報や雰囲気、企業風土といったものに触れることができるという点でも、子会社往査には重要な意義があると考えられる。

ⅲ 往査後の対応

多くの場合、子会社往査を担当するのは常勤監査役であるが、非常勤の社外監査役が子会社への往査を行っている例もある。日監協グループ監査アンケートによれば、以下のとおりである。

Q 8-8. 非常勤監査役等による子会社への往査（一つ選択）

	全　体	機関設計			会社規模	
		監査役会設置会社	指名委員会等設置会社	監査等委員会設置会社	大会社	大会社以外
全　体	774 100.0	569 100.0	16 100.0	189 100.0	717 100.0	57 100.0
国内子会社、海外子会社ともに行う	113 14.6	86 15.1	4 25.0	23 12.2	112 15.6	1 1.8
国内子会社のみ行う	140 18.1	103 18.1	5 31.3	32 16.9	128 17.9	12 21.1
海外子会社のみ行う	37 4.8	30 5.3	－ －	7 3.7	36 5.0	1 1.8
国内子会社、海外子会社ともに行わない	463 59.8	334 58.7	7 43.8	122 64.6	420 58.6	43 75.4
非常勤者はいない	21 2.7	16 2.8	－ －	5 2.6	21 2.9	－ －

子会社往査を行ったのが常勤監査役・社外監査役のいずれであったとしても、これは監査役会としての監査計画において役割分担したものであるから、往査した結果については監査役会に報告し、全監査役で情報共有することが必要である。

また、監査役による子会社往査で収集した情報については、必要に応じて当該子会社を所管する部署や経理・財務部、内部監査部と共有し、今後の子会社管理に役立てなければならない。

子会社管理については、親会社の側で複数の所管部署がそれぞれ子会社に関する情報を収集し、それを他の部署と共有しないために適切な指導・

監督ができないといった事態に陥るおそれがある（営業部門の所管部署、経理・財務部門、内部監査部とそれぞれ監督の目線が異なるため）。そのため、収集した情報については、できる限り横展開するべきであり、特定された業務を担当せずに広く業務監査・会計監査を職責とする監査役が要となって、子会社管理を担当する各部署との間で情報共有・意見交換を行うことが期待される。

特に、監査役による監査と内部監査部門による内部監査はその目的において重なる部分も多いため、内部監査部と情報を共有し、事後的なモニタリング監査を徹底することが有益である。近年では、監査役会と内部監査部門の定例ミーティングを行う例も多いが、それらのミーティングでお互いの往査結果を報告して情報共有したり、定例ミーティングを行わない場合であってもお互いの往査記録を閲覧することなどが考えられる。

さらに、子会社往査は１度行ったら終わりということではなく、重要な子会社については定期的に往査する必要がある。懸案事項については、どの程度改善しているのかを定点観測することが重要であるから、往査で確認した内容を翌年以降に引き継いでいかなければならない。子会社往査で不正行為・不正の疑いのある行為が発見された場合には、親会社監査役としての立場から、経過報告を求めるなどのモニタリング監査を実施することが必要である。

⑷　子会社監査役との連携

グループ経営・連結経営が主流となった現在、親会社監査役には、連結計算書類を監査し、子会社を含む企業グループ全体の業務の適正を確保するための体制が整備されているかどうかを確認する責務がある。

とはいえ、子会社の業務が適正に行われているかどうかを監査するのは子会社監査役である。親会社監査役は、あくまでも自らの職務を行うために必要がある場合に限り、子会社の業務・財産状況を調査するのであるから、子会社監査のためには、当該子会社の監査役と連携する必要がある。

子会社監査役としても、子会社には監査役を支えるための体制が十分に整備されていないことが多いため、親会社監査役や監査役室スタッフに助けを借りながら監査を行わなければならないこともある。

このように、企業グループ全体の業務の適正を確保するためには、親会社監査役と子会社監査役が日頃から連携し、情報共有・意見交換を行っておく必要がある。

具体的には、親会社監査役が子会社監査役と定期的に面談して情報交換を行ったり、場合によっては、主要な子会社の監査役会（それに相当する会議）にオブザーバーとして出席して意見交換を行うといった方法が考えられる。

そのような個別の連携以外にも、グループ監査役連絡会などを開催し、親会社監査役とグループ内の子会社・関連会社の監査役が集まって情報共有・意見交換を行う機会を設けることも多い。

日監協グループ監査アンケートによれば、回答した上場企業のうち半数近くがグループ監査役連絡会といった会議体を設けており、その開催頻度は、以下のとおりである。

Q 8-3-2. グループ監査役連絡会の開催頻度（一つ選択）

	全　体	機関設計			会社規模	
		監査役会設置会社	指名委員会等設置会社	監査等委員会設置会社	大会社	大会社以外
全　体	354 100.0	272 100.0	14 100.0	68 100.0	340 100.0	14 100.0
毎　月	45 12.7	30 11.0	– –	15 22.1	41 12.1	4 28.6
隔　月	8 2.3	5 1.8	1 7.1	2 2.9	8 2.4	– –
四半期に1回	92 26.0	71 26.1	3 21.4	18 26.5	89 26.2	3 21.4
半年に1回	121 34.2	95 34.9	8 57.1	18 26.5	118 34.7	3 21.4
年に1回	56 15.8	48 17.6	1 7.1	7 10.3	54 15.9	2 14.3
数年に1回、不定期	32 9.0	23 8.5	1 7.1	8 11.8	30 8.8	2 14.3

ただし、そのような会議の場で具体的に何を報告・議論するのかといった運営方法は各社各様であり、実効性を上げるための取組みが課題となっている。特に海外子会社については、定期的にグループ監査役連絡会などに出席することは難しく、どのような形で親会社監査役との連携を深めていくべきか、工夫が必要である。

また、グループ監査役連絡会の一環として、子会社監査役向けの勉強会・研修会を実施することも考えられる。

監査役の職責というものは、営利企業の従業員としての使命（営業推進・業績向上）とは全く異なるため、初めて監査役に就任したときには誰でもとまどうものである。それに加えて、子会社の監査役は、親会社の役職員が兼務していることも多く、本来業務としての役割・責務と子会社の監査役としての役割・責務の間で混乱してしまい、具体的に何をしたらいいのか明確に理解しきれないまま子会社監査役に就任しているケースもあると考えられる。特に、親会社の営業部門の役職員が所管する子会社の監査役を兼務している場合には、本来業務（親会社の営業担当役職員）として営業推進・業績向上を目指す一方で、子会社の監査役として経営陣を始めとする営業部門を監査しなければならず、混乱するのもやむをえない。

このような実情を考えると、子会社監査役を兼務する親会社の役職員に対して、監査役としての役割・責務、当該子会社の監査役として何に注意しなければならないのか、親会社に報告すべき事項・報告してはならない事項は何かといった点を教育することは非常に有意義である。

グループ監査役連絡会については、グループ内の監査役どうしの情報共有・意見交換のため、さらには研修の場としても活用することを検討すべきである。

(5)　内部監査部門・会計監査人との連携

監査役は独任制の機関であり、個々の監査役に認められた調査・是正権限を行使して、業務監査・会計監査を行う。

しかし、会社の業務の範囲は拡大し、事業の内容も専門化・複雑化してくると、いかに独任制といわれても、１人で会社の業務全体を監査することはできない。公開大会社では３名以上の監査役を選任し、お互いに役割分担しながら監査を行うことが想定されているのであるが（法328条１項）、グループ経営・連結経営が主流となった現代においては、3～5名程度の監査役でグループ全体をカバーすることは難しい。

そのため、公開大会社では、経理・会計手続の正確性や業務の適正をチェックするための機関として外部の会計監査人を選任するほか、内部監査部門を設置して、それぞれグループ・連結ベースでの監査を実施している。

監査役としては、子会社の監査という側面においても、会計監査人や内部監査部門と緊密に連携していくことが必要である。

なお、監査等委員会設置会社および指名委員会等設置会社においては、監査等委員会・監査委員会は内部統制システムを通じた組織監査を行うこととされているため、特に内部監査部門との連携は必須である。

(i)　会計監査人との連携

親会社における会計監査人は、親会社単体の会計監査だけでなく、連結計算書類の監査も実施している（法444条４項）。さらに、会社法に基づく会計監査だけでなく、金商法に基づく財務諸表監査も実施しており（金商193条の２第１項）、こちらは当然連結ベースである。

会計監査人は、連結ベースでの会計監査を実施するため、子会社・関連会社の計算書類・財務諸表についても必要な範囲で確認している。また、子会社において会計監査人を選任している場合には、連結ベースでの会計監査を効率的に進めるため、親会社と同一の会計監査人を起用している例が多い。

そのため、会計監査人は、その会計監査業務の過程で、子会社・関連会社における経理部門の体制や経理・会計プロセスについてさまざまな情報を把握している。たとえば、この子会社では経理処理のミスが多い、経理部門の人数が足りずにパンクしている、初歩的な質問が多い（経理部門の専門的知識が不足している）など、外部の会計専門家だからこそ気がつく情報もあるはずである。

したがって、親会社監査役としては、会計監査人と緊密に連携し、会計監査人が子会社・関連会社の経理・会計プロセスに関して抱いている問題意識や懸念材料について報告してもらうように努めるべきである。

一方で、監査役は、子会社を所管する業務執行ライン（事業部門、経理部門、子会社管理部門）から報告を受け、あるいは自ら子会社を往査するなどして、子会社に関する内部情報を収集している。それらの中には、たとえば、この子会社では新規事業を開始したために従前とは異なる経理・会計処理が必要になるとか、この子会社の経理部門では退職者が続いて一時的に人員体制が不足しているなど、会計監査人に注意喚起を促しておいた方がよい情報もある。

このように、親会社監査役と会計監査人がお互いに子会社・関連会社に関する情報を共有することは、連結ベースでの会計監査の実効性を高める上で大変有意義であるといえる。

親会社監査役と会計監査人との情報共有の頻度・方法については、ここ数年で増えてきており、四半期ごとの決算報告のほか、会計監査人における業務の適正確保のための体制の状況や報酬額について報告を受けるため、定期的に面談している例が多い。しかも、かつてのように常勤監査役のみが面談するのではなく、社外監査役も出席している監査役会に会計監査人が出席して報告するなど、社外監査役との連携も進んでいる。

今後は、このような面談・報告の内容をより一層充実させ、グループ監査の実効性を高めるために活用していくことが期待される。

(ii)　内部監査部門との連携

親会社における内部監査部門は、親会社単体だけでなく、子会社を含む企業集団としての業務の効率性・適法性が確保されているかどうかを監査している。

具体的には、内部監査部門は、親会社の業務執行ラインにおける子会社管理部署（事業部門、経理部門、子会社管理部門など）に対し、各部における子会社管理体制が機能しているかどうかを監査するとともに、重要な子会社については内部監査計画の対象として往査も行っている。親会社の監査役会においても、重点的に監査するべき子会社を選定し、それらの重要子会社を定期的に往査しているが、それと同様、内部監査部門においても、重要子会社を選定して内部監査計画に組み込み、定期的に内部監査を行っているのが通例である。

そのほか、子会社に独立した内部監査部門が設置されている例は少ないものの、設置されている場合には、子会社の内部監査部門から定期的に報告を受けるなど、内部監査部門どうしでの連携を図りながら、企業グループとしての内部監査の実効性を高める工夫を行っている。

このように、親会社の内部監査部門は、企業グループ全体を対象として内部監査を実施しており、子会社に関するさまざまな情報を把握している。

したがって、親会社監査役としては、内部監査部門と緊密に連携し、内部監査の内容および結果について報告を受けるとともに、内部監査部門が把握している子会社の状況や問題点、懸念材料などについても情報を共有しておくべきである。

内部監査部門から報告される内容は、監査役による監査（子会社往査など）を行う上でとても重要な参考情報となる。それに加えて、内部監査と監査役による監査は、その目的において重なる部分も大きいため、お互いに役割分担して企業グループ全体の監査の実効性を高める工夫も必要である。たとえば、当年度における内部監査部門による内部監査計画について事前に報告を受け、それとむやみに重複しないように監査役の監査計画を立てるといった工夫も必要である。このように監査・内部監査の対象が重ならないようにすることで、企業グループ全体を広くカバーすることができるだけでなく、監査・内部監査を受ける子会社の側に過剰な負担をかけることを防止できる。

その一方で、監査役は、自らも業務執行ラインの子会社管理部署から報告を受け、子会社を往査し、会計監査人とも情報共有・意見交換を行って、子会社に関する情報を収集している。これらの情報を内部監査部門と共有することで、内部監査の実効性を高めることに寄与できる。

監査役、会計監査人および内部監査部門は、それぞれの役割・職責に従い、企業グループ内の子会社・関連会社を対象として監査・会計監査・内部監査を行っており、その過程で収集した子会社に関する情報を共有することで、お互いの監査等の実効性を高めていくことが可能となる。監査役には、子会社管理という面においても、このような三様監査の要となることが期待されている。

そのほか、監査役は、事業報告に記載された内部統制システムの整備・運用状況が相当でないと認めるときは、その旨およびその理由を監査報告に記載することとされており（施129条1項5号、130条2項2号）、企業集団における内部統制システムの整備・運用状況が相当なのかどうかについて確認しておかなければならない。

大会社においては、業務の効率性・適法性を確保するための体制（内部統制システム）を整備・運用しなければならず（法362条4項6号、施100条）、内部監査部門は、内部統制システムの運用状況をチェックするための専門部署である。そうだとすれば、監査役としては、内部統制システムの整備・運用状況が相当かどうかを確認するという意味においても、内部監査部門から定期的に報告を受け、内部監査の内容および結果を確認しておく必要がある。

なお、監査等委員会設置会社および指名委員会等設置会社においては、独任制の監査役による実査を監査の基本とする監査役会設置会社と異なり、監査（等）委員会は内部統制システムを通じた組織監査を行うこととされている。このような組織監査においては、内部統制システムが適切に機能しているかどうかをモニタリングすることが想定されており、監査（等）委員会と内部監査部門とは、より緊密に連携することが求められる。

日本監査役協会が実施したアンケートによれば、内部監査部門が把握した子会社の情報が親会社監査役に報告される頻度・方法は、以下のとおりである。子会社管理の重要性が高まっている中、親会社監査役と内部監査部門との情報共有は極めて重要であり、報告の頻度・方法・内容ともに充実させていくことが期待される。

Q 6-4 SQ1. 内部監査部門から親会社監査役への報告の頻度

	全　体	機関設計			会社規模	
		監査役会設置会社	指名委員会等設置会社	監査等委員会設置会社	大会社	大会社以外
全　体	658 100.0	483 100.0	14 100.0	161 100.0	607 100.0	51 100.0
都　度	394 59.9	285 59.0	6 42.9	103 64.0	367 60.5	27 52.9
毎　月	154 23.4	117 24.2	4 28.6	33 20.5	135 22.2	19 37.3
四半期	62 9.4	49 10.1	2 14.3	11 6.8	61 10.0	1 2.0
半　年	48 7.3	32 6.6	2 14.3	14 8.7	44 7.2	4 7.8

Q 6-4 SQ2. 内部監査部門から親会社監査役への報告方法

	全　体	機関設計			会社規模	
		監査役会設置会社	指名委員会等設置会社	監査等委員会設置会社	大会社	大会社以外
全　体	504 100.0	369 100.0	12 100.0	123 100.0	466 100.0	38 100.0
書面で	283 56.2	207 56.1	4 33.3	72 58.5	262 56.2	21 55.3
面談で	193 38.3	144 39.0	7 58.3	42 34.1	177 38.0	16 42.1
その他の方法で	28 5.6	18 4.9	1 8.3	9 7.3	27 5.8	1 2.6

4　子会社監査役に求められる役割および具体的な活動状況

(1)　子会社監査役に求められる役割

(i)　子会社監査役としての役割

子会社監査役に求められる役割・職務は、子会社の取締役の職務執行に対する監査である（法 381 条１項）。

そのために行うべき具体的な活動内容は原則として、親会社監査役のそれと同様であり、子会社の取締役会等に出席し、業務執行ラインに報告を求め、会計監査人・内部監査部門がある場合には彼らと連携しながら、子会社の業務の適法性を確保するように努めなければならない。

また、仮に当該子会社が子会社（親会社にとっての孫会社）を有している場合には、その子会社（孫会社）に対して子会社調査権を行使できるほか（法 381 条３項）、当該子会社が大会社の場合には、企業集団における内部統制システムの相当性の確認もしなければならない（施 129 条１項５号、130 条２項２号）。

さらに、当該子会社が親会社にとって 100％子会社でない場合には、子会社監査役は、親会社との取引において子会社の利益が不当に侵害されていないかどうかを確認し、意見があれば監査報告に記載しなければならない（施 129 条１項６号、130 条２項２号）。親子会社間の取引では、不透明なプロセスで不公正な取引条件が設定されるなど、粉飾決算の温床となるリスクもあるため、親会社・子会社の双方の監査役に対し、特に注意して監査することが求められている。

子会社監査役には、会社法上、これらの役割・職務が期待されている。親会社が子会社の機関設計として監査役を選任することとしたのは、子会社の内部に子会社取締役の業務執行を監査するポジションを設置することで業務執行の適法性を確保することを期待しているからであり、子会社監査役はそのような自らの役割を理解した上でその職責を果たさなければならない。

(ii)　親会社から派遣された子会社監査役としての役割

それに加えて、親会社から派遣された子会社監査役には、親会社による子会社管理の実効性を高めるため、子会社の情報を適切に収集・報告することが期待されている。

子会社を適切に管理・監督するためには、子会社の情報を収集しなければならない。グループ経営・連結経営が主流となった現在、親会社には子会社を適切に管理する役割が強く期待されている。

その一方で、子会社は親会社とは別個の独立した法人であるため、指揮命令関係にあるわけではなく、会社法で定められているのは株主総会における報告・決議のみであって、情報ルートは細く限定されている。

そこで、親会社においては、子会社との間で経営管理契約等を締結し、あるいは子会社管理規程等を定めて子会社側にも遵守させることで、子会社の重要な業務執行について親会社取締役会への報告・承認を求めたり、親会社の役職員の決裁を求めるなどの子会社管理体制を構築しようとしている。さらに、親会社の役職員を子会社へ派遣することで、子会社の情報を収集し、子会社の業務執行の効率性・適法性が確保されているかどうかを管理・監督しようとする試みも広く行われている。

たとえば、子会社の情報のうち、業務執行の適法性に関わる事項（不正・違法行為やコンプライアンス違反の事実など）については、重要な業務執行に関する承認・報告・決裁の対象となるものではなく、子会社において進んで報告したい内容ではないため、子会社任せにしておくと、親会社において、適時適切に情報を入手できない可能性が高い。

そこで重要な役割を期待されるのが、親会社から派遣された子会社監査役である。子会社監査役には、子会社内部において業務執行の適法性を確保するために監査役としての職責を果たすとともに、子会社による不正・違法行為などの不祥事リスクに対して親会社が適切に対応できるように、子会社の情報を親会社に報告することが求められている。それだけでなく、子会社の自助努力では対応しきれない不祥事が発生した場合には、親子間で連携して対応しなければならず、そのような連携の要となることも期待されている。

さらに、親会社・子会社の業務執行ラインにおいて問題が発生している場合には、親会社の業務執行ラインではなく、親会社監査役と連携しながら対応しなければならないなど、事案の内容・性質に応じた臨機応変な対応が必要とされる。

このように、親会社から派遣される子会社監査役は、会社法に基づく役割・責務だけでなく、親会社による子会社管理体制を機能させ、子会社における不祥事を予防する重要な役割を担っている。

したがって、新たに子会社監査役を兼務することになった親会社役職員に対しては、期待されている役割と活動を十分に理解した上で職務に当たってもらう必要がある。

⑵　子会社監査役としての具体的な活動状況

(i)　子会社取締役の職務執行に対する監査

子会社監査役の職務は、子会社取締役の職務執行に対する監査である（法381条１項）。そのため、事業および財産の状況を調査する権限が認められ（法381条２項、399条の３第１項、405条１項）、取締役会に出席して、必要があると認めるときは意見を述べなければならない（法383条１項）。また、取締役の不正行為あるいはそのおそれがある行為、法令・定款違反の事実、著しく不当な事実を発見したときには、取締役会へ報告し（法382条）、場合によっては取締役の違法行為の差止請求をすることも認められている（法385条）。

これらの子会社監査役に認められる権限は、親会社監査役の場合と同様であり、子会社監査役はこれらの権限を適切に行使して子会社取締役の職務執行を監査し、違法・不正な行為が行われないように努めなければならない。

そのための具体的な活動も、基本的には親会社監査役の場合と同様である。もちろん、子会社には親会社と同様の人員・組織体制は備わっておらず、総務、経理・財務、内部監査といった部署の人員も少ない。監査役の業務を支えるスタッフも少ないため（そもそも監査業務に専属するスタッフなど配置されていないことも多い）、親会社と同じレベルの監査を実施することが難しい場面もあるものの、日常的にやるべきことは同じである。取締役会、経営会議、その他の重要会議へ出席し、取締役の職務執行の状況を監督すること、出席できない会議の資料や議事録等を確認すること、重要な幹部社員と定期的に面談すること、主要な支店・営業所などを往査することなどを通じて、子会社における業務執行の状況について情報を収集し、違法・不正な行為が行われていないかどうかを監査することが求められる。

もっとも、これらの監査業務を担当するのは、原則として子会社の常勤監査役である。親会社から派遣されている子会社監査役であっても、非常勤監査役である場合には、日常の監査業務は常勤監査役に任せざるをえず、その結果を報告してもらう形で情報収集することになる。

ただし、親会社における子会社の所管部署から派遣されている場合には、いわゆる独立社外の非常勤監査役と異なり、子会社の業務の状況や課題について相当な情報・知識を有している。したがって、常勤監査役から報告を受けるだけでなく、その報告内容に不十分な点がないかどうかを検証し、さらなる調査を指示するなどの積極的・能動的な対応をとることが期待される。さらに、非常勤監査役であっても、子会社の取締役会に出席するだけでなく、必要と判断される重要な会議には出席するとか、子会社の幹部社員と定期的に面談するなどの監査業務を行って直接情報を収集することも検討すべきである。

(ii)　親会社への報告・連携

監査役は、取締役の職務執行を監査することを職務としており、取締役とは別に株主総会で選任される独立した機関である。そのため、監査の結果については監査報告を作成して株主総会へ報告することとされており（法381条1項、437条）、取締役会などの業務執行ラインに報告することは想定されていない。

しかし、親会社が子会社に対して役職員を派遣するのは、子会社の業務執行の状況について情報を収集し、子会社を適切に管理・監督するためである。

したがって、親会社から子会社に派遣された役職員には、その業務を通じて収集した子会社の情報のうち、親会社による適切な子会社管理のために必要と考えられる情報を親会社へ報告することが求められる。これは子会社監査役として派遣された場合であっても同様である。

その場合、報告する先は当該子会社監査役が親会社において所属している部署とするのが一般的である。親会社の事業・営業部門、経理・財務部門、子会社管理部門などに籍を置いている役職員が子会社監査役を兼務している場合には、その者が所属している部門が当該子会社の所管部署であることがほとんどであり、所管部署にて当該子会社の情報を収集・管理することとなる。

しかし、子会社監査役が収集した情報の中には、所管部署（事業・営業部門、経理・財務部門、子会社管理部門など）において一元管理するのに適した情報ばかりでなく、親会社監査役として把握しておくべき情報も多いはずであり、所管部署へのレポートラインだけでなく、親会社監査役へのレポートラインも構築しておく必要がある。特に、不正・違法行為やコンプライアンス違反に関する情報については、親会社の事業・営業部門に報告しても適切に対処されない可能性もあるため、注意が必要である。

さらに、親会社において事業・営業部門に在籍している役職員が子会社監査役を兼務している場合には、どうしても営業・業績に関する情報にばかり関心が集まり、コンプライアンス違反などの本来監査役が注意しなければならない情報に関心を払わない傾向がある。その結果、親会社監査役のところにも子会社のコンプライアンス違反に関する情報が報告されず、適切な対応がとられないまま、子会社の不祥事につながるといった可能性も否定できない。

子会社監査役は、仮に親会社の事業・営業部門から派遣されていたとしても、監査役として子会社の違法性監査を担う責任を負っていることを自覚し、親会社監査役へのレポートラインをきちんとルール化しておく必要がある。

ⅲ　非100%子会社における留意点

子会社監査役には、当該子会社の取締役の職務執行を監査し、不正・違法行為やコンプライアンス違反の事実については親会社監査役へ報告し、連携しながら企業集団における業務の適法性を確保するよう努めることが期待されている。

しかし、子会社といえども別法人であるため、どのような事項であっても親会社へ報告できるわけではない。特に当該子会社が非100%子会社である場合には、当該子会社の取締役・監査役が善管注意義務を負っているのは当該子会社であり、親会社の利益だけでなく少数株主の利益を考慮しながら職務に当たることが求められている。

そのため、親会社への報告についても、子会社の営業秘密・企業秘密に関わる事項や親会社と利害対立する可能性のある事項については、原則として対象外としなければならない。どのような事項を報告対象とするべきかについては、親子会社間の経営管理契約や子会社管理規程において明確化しておく必要があり、子会社監査役においても留意しておく必要がある。親会社から派遣されてきた者は、親会社の利益と当該子会社の利益が一致している前提で職務に当たる傾向が強いため、少数株主の利益保護という観点を常に意識しておく必要がある。

そのほか、親子間の取引については、子会社の取締役会で親会社との取引が子会社の利益を害さないかどうかについて検討し、その判断および理由を事業報告に記載することとされており（施118条5号）、子会社監査役には、事業報告に記載された上記内容についての意見を監査報告に記載することが求められている（施129条1項6号、130条2項2号）。

親会社から派遣された子会社監査役は、どうしても親会社の立場に立ってしまう傾向が強いが、子会社の少数株主の立場に立って親会社との取引が合理的かどうかを確認する責務を負っていることに留意すべきである。

第4章　不祥事等への対応

※　本章においては「監査役」の責務として論じるが、ここでの議論は監査等委員・監査委員たる取締役にも当てはまるものである。

1　内部通報への対応

(1)　内部通報制度の意義

内部通報制度とは、公益通報者保護法をふまえ、不正を知る従業員等からの通報を受け付け、通報者の保護を図りつつ、適切な調査、是正および再発防止策を講じる事業者内の仕組みである。

内部通報制度によって、企業における違法行為・不正行為を早期に発見することができ、問題の早期かつ適切な把握により、組織の自浄作用による問題への対処・是正を図ることが可能となり、また、違法行為・不正行為の防止にも資する。

内部通報制度の効用について、公益通報者保護法を所管する消費者庁は、「事業者が実効性のある内部公益通報対応体制を整備・運用することは、法令遵守の推進や組織の自浄作用の向上に寄与し、ステークホルダーや国民からの信頼の獲得にも資するものである。また、内部公益通報制度を積極的に活用したリスク管理等を通じて、事業者が適切に事業を運営し、充実した商品・サービスを提供していくことは、事業者の社会的責任を果たすとともに、ひいては持続可能な社会の形成に寄与するものである」と説明している（消費者庁「公益通報者保護法に基づく指針（令和３年内閣府告示第

118号）の解説」（令和3年10月））。

CGコードにおいても、内部通報制度の整備が求められており、「上場会社は、内部通報に係る体制整備の一環として、経営陣から独立した窓口の設置（例えば、社外取締役と監査役による合議体を窓口とする等）を行うべきであり、また、情報提供者の秘匿と不利益取扱の禁止に関する規律を整備すべきである」と規定されているところである（補充原則2-5①）。

これに加えて、内部通報制度の重要な効用は、実効性のある内部通報制度を整備することによって、企業不祥事の兆しを早期に発見し、企業の自浄努力によって問題を解決することが期待できるという点である。重大な不正・不祥事であっても、自浄作用により早期に対処することにより、マスコミや行政機関等の外部への告発（いわゆる内部告発）とそれによるレピュテーションの毀損という二次的不祥事の発生を防止することが期待でき、業績や株価への悪影響を最小化することにもつながる。この二次的不祥事の方が世間の非難を招きやすいため、それを防止する上でも、内部通報制度の実効性を高めていくことが重要である。

監査役は、主に違法性・適法性の観点から取締役の職務執行を監査する立場であり、当社および企業グループ内において違法行為・不正行為が行われていないかどうか、行われるリスクがないかどうかを確認・調査しなければならない。そのための情報収集ルートとして、従業員・関係者からの自発的な通報を受け付ける内部通報制度は極めて有用であり、内部通報制度の適切な構築・運用は、監査役の役割を実効的に果たすために極めて重要である。

内部通報制度も、内部統制システムの一部（リスク管理体制）であり、その内容は、リスクが現実化して惹起するさまざまな事件事故の経験の蓄積とリスク管理に関する研究の進展により、充実していくものであるから、監査役としては、当社の内部通報制度が、その時々の水準に照らして適切に設計・運用されているかどうかを検証しておく必要がある。

また、内部通報制度で寄せられる通報は、監査役が行うべき違法性監査の観点から極めて重要な情報提供であるため、通報窓口や調査・是正措置の担当部署から、通報内容・調査・結果・是正措置の内容などについて報告を受け、当該通報で指摘された違法・不正行為への対応が適切であったかどうかを検証しておかなければならない。

さらに、通報内容が経営幹部の違法・不正行為を告発するものであるなど、業務執行ラインの担当部署だけで適切な調査・是正措置を講じることは難しいと考えられる場合には、独立した立場の監査役あるいは社外取締役が通報対応の主体として関与することが求められることもある。

監査役としては、内部通報制度の適切な活用がコンプライアンス経営の推進、ひいては企業価値の向上・持続的成長につながるものであることを意識し、その設計・運用状況を検証し、実効性を高めるように働きかけていくべきである。

⑵　内部通報制度の仕組み・留意点

(i)　内部通報制度の仕組み

内部通報制度の典型的な仕組みは、内部通報制度に係る社内規程を策定し、社内の通報窓口としての受付担当部署その他の通報窓口を設置し、場合によっては、法律事務所や民間の専門機関等の社外の通報窓口を設置した上で、当該通報窓口に寄せられた通報の対象事項について、社内規程に沿って、通報の受付、調査・是正措置の実施、再発防止策の策定を行うというものである。社内規程では、通報の受付から調査・是正措置の実施および再発防止策の策定までを適切に行うため、経営幹部を責任者とし、部署間で横断的に通報を取り扱う仕組みが規定される。

また、役職員に対して通報対応の仕組みや公益通報者保護法の趣旨を周知・啓蒙するとともに、客観的な評価・点検を定期的に実施し、その結果をふまえ、経営幹部の責任の下で、制度を継続的に改善することも、必要となる。

内部通報制度については、一定の要件を満たした内部通報を行った通報者に対する不利益取扱いを禁止し、通報者の法的地位を保護する「公益通報者保護法」（平成16年法律第122号）が2006年4月1日から施行されている。同法は、内部通報制度が有効に機能することを制度的に後押しする法律と位置づけられる。同法施行以降も公益通報者保護制度の実効性の向上について学識経験者や実務専門家による検討が行われ、かかる検討を経て、同法は2020年6月に改正され、2022年6月に施行された。改正法により、公益通報の保護範囲はより一層拡充されている。

とりわけ、公益通報者保護法は、常時使用する労働者が300人を超える事業者に対し、①公益通報の受理、調査、是正措置をとる業務に従事する者（従事者）を定めることと、②公益通報に応じ、適切に対応するために必要な体制（内部公益通報対応体制）の整備その他の必要な措置をとることを義務づけたことが重要である（公益通報者保護法11条1項・2項）。従事者には守秘義務が課されるとともに、義務違反には刑事罰が導入されている。

かかる法改正を受けて、消費者庁は、2021年8月20日、「公益通報者保護法第11条第1項及び第2項の規定に基づき事業者がとるべき措置に関して、その適切かつ有効な実施を図るために必要な指針」（指針）を公表し、また、同年10月13日、この指針を解説する「公益通報者保護法に基づく指針（令和3年内閣府告示第118号）の解説」（指針の解説）を公表した。

「指針」は、公益通報者保護法11条4項の規定に基づき、従事者の定めおよび内部公益通報対応体制の整備その他の必要な措置に関して、その適切かつ有効な実施を図るために必要な事項を定めたものである。指針において定める事項は、公益通報者保護法11条1項・2項に定める事業者の義務の内容を、その事業規模等にかかわらず具体化したものである。指針に沿った必要な措置を講じていない場合は、報告徴収、助言、指導、勧告といった行政措置の対象となりうる（公益通報者保護法15条）。そのため、事業者は、「指針」に沿った措置を講じる必要がある。

「指針の解説」には、「指針」を遵守するために参考となる考え方や「指針」が求める措置に関する具体的な取組例を示すとともに、「指針」を遵守するための取組みを超えて、事業者が自主的に取り組むことが期待される推奨事項に関する考え方や具体例についても併せて盛り込まれている。

(ii)　内部通報制度の設計・運用における留意点

内部通報制度も内部統制システムの1つである以上、監査役としては、制度が適切に構築（設計）されているかどうか、適切に運用されているかどうかを検証する必要がある。

(a)　制度設計における留意点

どのような内部通報制度を整備するかについては、経営判断の一部であり、取締役の裁量に属する事項である。

しかし、内部通報制度の必要性・有効性は広く認識されており、同規模の事業者が内部通報制度を整備しているにもかかわらず、自社では内部通報制度を全く整備しない場合や整備した内部通報制度が形骸化して運用されない場合には、内部統制システム構築・運用義務の違反を問われる可能性がある。そのため、監査役としては、内部通報制度の整備・改善が適切になされているかを検証しなければならない。

内部通報制度の整備・改善にあたっては、公益通報者保護法をふまえ、「指針」に沿った対応をとる必要がある。「指針」において定める事項は、公益通報者保護法に基づく事業者の義務の内容を具体化したものだからである。また、「指針の解説」において、「指針」を遵守するために必要な事項に加え、参考になる考え方や想定される具体的取組事項等を示されていることから、かかる対応にあたっては「指針の解説」の検討も必須である。

「指針」においては、事業者がとるべき措置の個別具体的な内容ではなく、事業者がとるべき措置の大要が示されている。「指針」を遵守するために事業者がとるべき措置の具体的な内容は、事業者規模や状況、事業者を取り巻く社会背景によって異なりうるのであり、各事業者において、「指針」に沿った対応をとるためにいかなる取組等が必要であるか、主体的に検討を行った上で、通報対応体制を整備・改善することが必要である。「指針の解説」は、「指針」に沿った対応をとるに当たり参考となる考え方や具体例を記載したものであり、必ず採用しなければならないものではないが、上場企業の多数が対応することが想定されるものであり、監査役等としても、自社の内部通報制度の整備・改善にあたって、その対応について検討しておくべきである。

具体的には、以下のような「指針」および「指針の解説」の指摘事項に留意する必要がある。

まず、通報を部門横断的に受け付ける窓口を設けること、通報対応業務を行う部署および責任者を明確に定めることが重要であるとされている。たとえば、通報窓口を設置する場合には、グループ企業共通の一元的な窓口を設置するなどして情報把握の機会の拡充に努めることのほか、企業グループ全体やサプライチェーン等におけるコンプライアンス経営を推進するため、関係会社・取引先を含めた内部通報制度を整備することや、関係会社・取引先における内部通報制度の整備・運用状況を定期的に確認・評価した上で、必要に応じ助言・支援をすること等が適当であるとされている。

また、組織の長や経営幹部からの独立性を有する通報受付・調査是正の仕組み（社外取締役や監査役等への通報ルート等）を整備することが適当であるとされている。独立性を確保する方法として、通報受付窓口を事業者外部（外部委託先、親会社等）に設置することも考えられる。

通報対応業務の実施にあたっては、通報に対して適切に受付、調査が行われ、当該調査の結果、通報対象事実に係る法令違反行為が明らかになった場合には、是正に必要な措置がとられ、さらに、是正措置が機能しているか否かを確認する、という一連の措置が確実にとられる必要がある。そのためには、たとえば、匿名の内部公益通報も受け付けることが必要であるとされている。また、通報窓口の利用者および通報対象事項の範囲の拡大などが推奨されている。法令違反等に関与した者が、自主的な通報や調査協力をする等、問題の早期発見・解決に協力した者に対する懲戒処分等を減免することができる仕組みを整備すること（社内リニエンシー制度）も考えられるとされる。

また、通報対応業務の中立性・公正性を確保するため、実質的に公正な通報対応業務の実施を阻害しない場合を除いて、通報に係る事案に関係する者を通報対応業務から除外する必要があるとされる。

内部通報制度は、経験の蓄積や研究の進展により充実・進化していくものであるから、内部監査や中立・公正な第三者等を活用した客観的な評価・点検を定期的に実施し、その結果をふまえ、経営幹部の責任の下で、制度を継続的に改善していくことが必要である。また、定期的に他社水準と比較して、制度の内容をチェックすることも必要である。

⒝　制度運用における留意点

「指針」および「指針の解説」は、内部通報制度の実効的な運用方法について事業者がとるべき措置の大要、参考となる考え方や具体的な取組例、推奨事項を取りまとめたものである。そのため、内部通報制度が適切に運用されているかを検証するにあたっても、「指針」および「指針の解説」を踏まえるべきである。

運用上の要諦として監査役が特にチェックすべき点は、情報提供者の秘匿、不利益取扱いの禁止、制度の周知・啓蒙である。

通報者の秘密が職場内に漏洩することは、通報者に対する重大な不利益につながるとともに、内部通報制度に対する信頼が失われ、内部通報による有益な情報提供の萎縮につながる。そのため、通報に係る秘密保持は内部通報制度の要諦であり、これを確保するための措置を適切に講じる必要がある。「指針の解説」においては、通報者を特定させる事項を必要最小限の範囲を超えて共有する行為（範囲外共有）や通報者の探索が防止される必要があることが、特に強調されている。監査役としては、自社の内部通報制度において通報に係る秘密保持が徹底されているか、かかる秘密保持が経営幹部および全ての従業員に周知徹底されているかを確認する必要がある。

また、内部通報や内部通報を端緒とする調査に協力したことを理由として、通報者等に対し、解雇その他不利益な取扱いをしてはならない。通報等をしたことを理由として、通報者等が解雇その他不利益な取扱いを受けたことが判明した場合、適切な救済・回復の措置を講じる必要がある。監査役としては、個々の内部通報において、被通報者が通報者等に対して解雇その他不利益な取扱いを行っていないかを確認するとともに、そのような不利益取扱いの禁止について注意喚起をする等の措置が講じられ、それによって通報者等の保護の徹底を図られているかを確認する必要がある。

さらに、内部通報制度を設けていても、その周知を行わなければ活用されない。通報対応の仕組みについて、経営幹部および全ての従業員に対し、十分かつ継続的に周知・啓蒙することが重要であり、監査役としては、その状況を確認し、不十分なときには、さらなる周知徹底を働きかけるべきである。

内部通報制度の実効的な運用を確保するため、機関投資家と企業との対話においても、内部通報に係る体制・運用実績について開示・説明する際にはそれがわかりやすいものとなっているか否かも議論の対象とすべきであるとされる（対話ガイドライン3-12）。

(3) 監査役として取るべき対応

(i) 監査役への報告

取締役会は、「取締役の職務の執行が法令及び定款に適合することを確保するための体制その他株式会社の業務並びに当該株式会社及びその子会社から成る企業集団の業務の適正を確保するために必要なものとして法務省令で定める体制の整備」（グループ内部統制システムの整備）について決議することとされており（法348条3項4号、362条4項6号、399条の13第1項1号ハ、416条1項1号ホ）、これを受けて、取締役会が決議すべき体制の1つに、以下に掲げる体制その他の当該監査役設置会社の監査役への報告に関する体制がある（施98条4項4号、100条3項4号、110条の4第1項4号、112条1項4号）。

イ　当該株式会社の取締役等・使用人が当該株式会社の監査役に報告をするための体制
ロ　当該株式会社の子会社の取締役、監査役、執行役等及び使用人又はこれらの者から報告を受けた者が当該株式会社の監査役に報告をするための体制

かかる規定に基づき、内部通報窓口に寄せられた通報内容を監査役に報告するための体制を整備する必要がある。

内部通報の通報状況とその対応についての監査役への報告の方法については、内部通報がされる都度、受け付けた部署から概要を報告する方法や、一定期間（毎月、四半期、半年）ごとに、受け付けた内部通報の概要をまとめて報告する方法などが考えられる。

(ii) 内部通報に対する調査・結果・対応状況の確認

内部通報に対する監査役の関与の方法として、監査役を通報窓口に含め

るかどうかについては、会社の実情に応じて検討すべきであるが、基本的には、監査役への通報ルートは設けておくべきである。

「指針」および「指針の解説」においては、通常の通報対応の仕組みのほか、社外取締役や監査役への通報ルート等、経営幹部からも独立性を有する通報受付・調査是正の仕組みを整備することが適当であるとされている。CG コードにおいても、「経営陣から独立した窓口の設置（たとえば、社外取締役と監査役による合議体を窓口とする等）」（補充原則 2-5①）が求められている。

日本監査役協会の 2022 年のアンケートによれば、監査役が内部通報の窓口になっている上場会社は、回答上場会社数（1,455 社）のうち 42.2%であり増加傾向にある（日本監査役協会第 22 回定例アンケート）。

また、通報受付のみならず、調査是正についても、経営幹部から独立した仕組みの整備が必要である。

しかし、通報事実の調査、是正措置および再発防止策の案の策定といった実務的な作業については、コンプライアンス部などの担当部署が実施することになろう。なぜなら、監査役室にはこのような実務的作業を担うことのできる十分なスタッフがいないであろうからである。この点は、監査役宛てになされた内部通報であっても同様である。

とはいえ、違法性監査を担う監査役としては、調査結果の報告を受けるとともに、策定された是正措置・再発防止策の妥当性について、確認し、検証することが求められる。通報内容には様々なものがあるため、監査役が関与すべき通報については、通報窓口担当者や外部担当窓口が、その規模や性質に基づく重要性に応じて一定のスクリーニングをかける必要はあるものの、内部通報窓口に寄せられた情報は、違法性監査という観点から重要なものが含まれている可能性が高いため、過度に限定すべきではない。

通報事実に関する調査の結果、法令違反等の事実が明らかになった場合には、速やかに是正措置・再発防止策を講じ、必要に応じ関係者の社内処分・関係行政機関への報告等を行うことが必要である。監査役としても、内部通報に対する対応として、これらの是正措置および報告が適時に行われているかどうかを確認する必要がある。

(iii)　従事者の定め方

公益通報者保護法における、従事者の定めの義務化と従事者の守秘義務違反に対する刑事罰の導入は、内部公益通報を安心して行えるようにするため、また、従事者による慎重な管理を行わせるために重要である。したがって、従事者の定めに関する対応においては、監査役等として特に留意が必要となる。「指針」においては、従事者の定めに関し、従事者として定めなければならない者の範囲、従事者を定める方法を定めている。

監査役等の職務の遂行にあたっての従事者の指定の要否については、以下のように考えられる（日本監査役協会「改正公益通報者保護法施行に当たっての監査役等としての留意点―公益通報対応業務従事者制度との関係を中心に―」（2022年4月25日））。

まず、前提として、従事者の指定の有無は、監査役等の監査権限の範囲を変更する趣旨ではない。監査役等の監査権限は会社法によって与えられたものだからである。

監査役等が内部通報窓口の１つとなっている場合、要件を満たせば、監査役等も従事者に指定される必要がある。非業務執行者であり執行側から独立した立場である監査役等であっても変わりはない。また、常勤の監査役等を内部通報窓口とし、通報された情報を他の監査役等と共有した上で、監査役会等として調査および是正に向けた必要な措置を主体的に行うかまたはこれらの業務の重要な部分を行うことが想定される場合、通報者特定事項が共有される以上、監査役会等を構成する監査役等全員が従事者に指定される必要がある。他方、通報者特定事項が、内部通報窓口の常勤の監査役等限りとし、他の監査役等には共有されない場合は、内部通報窓口となっている常勤の監査役等のみを従事者に指定すれば足りる。監査役等が通報窓口の１つとなっており、監査役等がその職務を補助すべき使用人に対して調査等の業務を行わせる場合（その過程で、通報者特定事項も共有される場合）、当該補助使用人も従事者として指定される必要がある。

監査役等が内部通報窓口となっていない場合であっても、内部通報に関する情報が監査役等に対し定期的に報告される体制が構築されており、通報者特定事項も含む形で監査役等への報告がなされている場合には、実務上の取扱いとしては、当該監査役等を従事者に指定する必要があると解される。

通報者特定事項も共有されないために従事者と指定されていない監査役等や補助使用人も、個別の事例において、実際に調査および是正のために通報者特定事項を共有する必要が生じた場合には、その都度、従事者に指定する必要がある。

監査役等が、単に報告を受けるだけでなく、会社法上付与されている権限（調査権、報告徴求権、取締役の目的外行為その他法令・定款違反行為の差止請求権）を行使し、通報者特定情報を入手する場合においても、当該権限の行使が「内部公益通報の受付、調査、是正に必要な措置について、主体的に関与、又は、重要部分について関与」している場合は、従事者に指定される必要がある。

ⅳ　事後的なモニタリング

内部通報への対応にあたっては、通報の対象となった事案の処理そのもののみならず、通報後、通報者に対して解雇等の不利益な取扱いが行われていないか、是正措置等の終了後、是正措置・再発防止策が十分に機能しているか等を確認する必要がある。

そのため、監査役としては、このような内部通報の対象となった事実の調査是正だけでなく、通報者保護も含めた制度全体の運用面における評価・点検が必要である。

また、内部通報が続く部署や子会社については、何らかの構造的・組織的な要因が背景にある可能性も否定できず、調査・是正措置が完了した後も継続的なモニタリングを実施することが望ましく、監査計画にも盛り込む必要がある。

監査役が監査を行うに際しての重点監査項目の決定においては、各対象項目についてリスク顕在化の蓋然性と顕在化した場合の定量的および定性的インパクトを勘案し、監査の実効性と効率性の両方を追求するリスクアプローチが取られるところ、内部通報において発見された問題は、リスクの顕在化の蓋然性が高く、顕在化した時のインパクトも高いものが多いと考えられることから、重点監査項目の有力な候補となる。

内部通報制度の運用にあたっても、制度の存在意義や重要性についての経営トップによる十分な理解が必要であり、そのような理解のもとで、実効性のある制度設計と適切な運用について、経営トップがどれだけ意識的であるかということが重要である。したがって、代表取締役との定期的会合の場などを通じて、内部通報制度の実効性の向上に向けた意識の確認や共有を行うことも肝要である。

内部通報制度の実効的な運用のためには、内部通報窓口担当者の力量が重要であり、通報者対応、調査、事実認定、是正措置、再発防止、適正手続の確保、情報管理、周知啓発等に係る、誠実・公正な取組みと知識・スキルの確保・向上が求められる。そのため、内部通報窓口担当者として、必要な能力・適性を有する者を配置し、十分な教育・研修を行うことが必要となる。また、内部通報窓口担当者の貢献を、積極的に評価することも適当である。これらの施策が講じられているかについても、監査役による確認が必要となる。

(v)　監査役が主体的に対応すべき場面

内部通報で寄せられる情報の多くは、従業員による違法・不正行為や内規違反などを指摘するものであるが、中には取締役・執行役などの経営幹部による違法・不正行為を告発するものもありうる。

このような経営幹部、とりわけ経営トップが関わる内部通報の場合には、通常の内部通報における調査体制では適切な調査・是正措置をとることが難しい。

一般的に、内部通報を受け付けた後の対応（調査・是正措置の検討など）は、コンプライアンス部などの担当部署が行い、監査役はその報告を受けて対応が適切であったかどうかの検証を行う。しかし、経営幹部が関わる内部通報の場合には、業務執行ラインに属する担当部署に対し、何らかの圧力がかかって適切な調査・是正措置の検討が行われない可能性を否定できない。「指針」および「指針の解説」においても、内部通報制度の信頼性および実効性を確保するためには利益相反関係の排除が重要であると指摘されているが、経営幹部が関与した事案については、業務執行ラインにおいて対応すること自体が利益相反を内包するものといわざるをえない。

取締役など経営幹部の違法・不正行為に対する監視機能を期待されてい

るのは、業務執行から離れた立場の監査役および経営幹部から独立した社外取締役である。

したがって、経営幹部の違法・不正行為に関わる通報が寄せられた場合には、調査を開始する段階から監査役・社外取締役が関与し、利益相反関係を排除しながら調査を進める必要がある。

そのほか、経営幹部が違法・不正行為に直接関与していないケースであっても、その通報内容が会社の事業活動全体に影響するような横断的な広がりを持ち、重大な不祥事に発展する可能性がある場合や、社会的な注目を集めてレピュテーション・リスクを惹起する可能性がある場合には、最終的に経営トップの責任問題につながるため、利益相反関係があるといわざるをえない。このような通報においても、調査を開始する段階から監査役・社外取締役が関与して進めるべきかどうか、検討するべきである。

次に、監査役・社外取締役が調査に関与する場合であっても、実際に具体的な調査活動を担当するのは業務執行ラインの社員である。監査役室スタッフだけで十分な調査活動を行うことはむずかしく、内部監査部門、コンプライアンス部、経理・財務部などの職員、さらには事業部の職員を動員しなければ調査を進められないケースも多い。経営幹部が関与する事案や重大不祥事につながる事案となれば、調査にも相当な時間と手間がかかることになる。

しかし、業務執行ラインの社員は、経営トップの指揮命令下にあるため、そのような職員を動員して調査を進める場合には、利益相反関係を排除するための工夫が必要である。調査期間中は日常業務から切り離して調査に専念させる、調査活動や進捗状況などについて上司への報告はしないようにするなど、できる限り独立した調査体制を構築する必要がある。

さらに、独立性を確保するためには外部の専門家を依頼することも重要である。不祥事調査に当たっては、弁護士・会計士といった専門家のアドバイスが必要なことも多く、その際には会社の顧問弁護士等ではなく、独立した立場の弁護士等を起用するべきである。

⑷　グループ企業における内部通報と取るべき対応

(i)　グループ内部通報制度の設置

ⓐ　グループ内部通報制度の設計

子会社などのグループ企業において発生した不祥事に係る内部通報について、親会社の監査役としては、どのように対応すべきか。これは、企業グループにおいて内部通報窓口をどのような方式で設置しているかによる。

グループ内部通報制度の設置方法としては、①子会社（国内・海外問わない）を含めたグループ全体に共通して適用される内部通報制度を設けている場合、②子会社（国内のみ）を含めた内部通報制度を設けている場合、③親会社と各グループ企業で別々の内部通報制度を設けている場合、④グループ企業においては内部通報制度を設けていない場合などに分けられよう。日監協グループ監査アンケートによれば、Q 5-1 の結果のとおり、国内・海外を問わず子会社を含めた内部通報制度があると答えた企業が半数以上に及んだ。また、子会社（国内のみ）を含めた内部通報制度がある企業は 29.2%、子会社独自の内部通報制度がある企業は 11.4%であり、合計すると、自社および子会社（国内子会社のみを含む）の両方に内部通報制度を設けている企業は 90.9%に及んでいる。

Q 5-1.　子会社を含めた内部通報制度の有無および概要（一つ選択）

	全　体	機関設計			会社規模	
		監査役会設置会社	指名委員会等設置会社	監査等委員会設置会社	大会社	大会社以外
全　体	837 100.0	619 100.0	16 100.0	202 100.0	773 100.0	64 100.0
子会社（国内／海外問わず）を含めた内部通報制度がある	421 50.3	317 51.2	9 56.3	95 47.0	395 51.1	26 40.6
子会社（国内のみ）を含めた内部通報制度がある	244 29.2	179 28.9	4 25.0	61 30.2	227 29.4	17 26.6
自社（親会社）の内部通報制度とは別に、子会社独自の内部通報制度がある	95 11.4	69 11.1	3 18.8	23 11.4	89 11.5	6 9.4

自社（親会社）の内部通報制度はあるが子会社は対象に含めておらず、子会社には内部通報制度がない	76 9.1	54 8.7	－ －	22 10.9	61 7.9	15 23.4
親会社、子会社とも内部通報制度はない	1 0.1	－ －	－ －	1 0.5	1 0.1	－ －

まず、①国内・海外を問わずグループ全体に共通して適用される内部通報制度を設けている場合（グループ内部通報制度）とは、内部通報制度の対象範囲をグループ企業全体とし、内部通報を受け付ける一元的な窓口を設置する場合である。親会社と子会社の間においては、さまざまな理由で業務執行ラインにおける情報の伝達・共有が機能しない場合があり、グループ内部通報制度は、そのような場合における補完的な情報伝達・共有の手段となりうる。また、内部通報によって提供されるべき情報の重大性について、子会社の認識が甘く、親会社に対する報告が疎かになることもありうる。グループ内部通報制度は、このような問題を防止することが可能となる。

他方、②国内子会社のみを含めたグループ内部通報制度しか設けていない場合も多い。海外子会社においては、商慣行や雇用規制その他の法規制の違いから、親会社と一体的な内部通報制度を設けることが難しい場合もある。しかし、海外子会社における内部通報制度を整備しなかった結果、海外子会社に起因する問題の適切な解決が図られない可能性がある。海外子会社における不祥事が企業グループ全体をゆるがす大問題に発展しているケースも散見されるところであり、海外事業の比重が増えている企業グループにおいては、なるべく早く海外子会社を含めた内部通報制度の設計を検討することが望ましい。

③親会社と子会社で別々の内部通報制度を設ける場合というのは、すでに内部通報制度を有する会社を子会社化した場合や海外子会社で現地の内部通報制度を整備する場合などである。ただし、その場合も親会社への報告が適切に行われないなどの問題が生じうる。グループ内部通報制度の対象外の子会社における独自の内部通報窓口に入った情報については、親会社にも共有される体制を構築しておく必要がある。また、子会社の内部通

報制度の体制・運用が適切かどうかについても、親会社としてモニタリングしておく必要がある。

最後に、④子会社に内部通報制度を設けていない場合（あるいは、②におけるように、海外子会社には独自の内部通報制度がない場合）には、少なくとも、親会社における内部通報制度において通報対象者を拡充しておくといった方法を検討すべきである。グループ内部通報制度の設計にあたって、「指針の解説」は、通報窓口の利用者および通報対象となる事項の範囲については、子会社・取引先の従業員（退職した者を含む）および役員も含めることによって幅広く設定することが望ましいとしている。

日監協グループ監査アンケートの結果によれば、親会社の内部通報制度における子会社役職員からの通報に対して、親会社担当部署が通報窓口になっているかについて尋ねた結果はQ 5-2のとおりであり、国内・海外を問わず通報窓口となっている企業は23.6%、国内のみ通報窓口になっている企業は19.1%であり、合計すると、親会社担当部署が通報窓口になっている企業は42.7%と全体の半数をやや下回る状況であった。

Q 5-2. 親会社の内部通報制度における子会社役職員からの通報（子会社管理を担当する部署が通報窓口になっている）（一つ選択）

	全　体	機関設計			会社規模	
		監査役会設置会社	指名委員会等設置会社	監査等委員会設置会社	大会社	大会社以外
全　体	660 100.0	492 100.0	13 100.0	155 100.0	619 100.0	41 100.0
国内／海外問わず通報窓口となっている	156 23.6	111 22.6	1 7.7	44 28.4	145 23.4	11 26.8
国内のみ通報窓口になっている	126 19.1	93 18.9	2 15.4	31 20.0	113 18.3	13 31.7
通報窓口にはなっていない	378 57.3	288 58.5	10 76.9	80 51.6	361 58.3	17 41.5

自社（親会社）の内部通報制度の対象に子会社を含めていない企業に対して、今後の子会社の内部通報制度の設置に関する対応方針を尋ねた結果は、Q 5-8のとおりである。子会社として内部通報制度を設ける予定の企

業は22.9％（うち、通報窓口として親会社の部署を含めることを原則とする予定の企業は18.6％、親会社の部署を通報窓口に含めることは求めない予定の企業は4.3％)、子会社を含めた内部通報制度とする予定の企業は17.1％であり、合計すると、子会社にも内部通報制度を設置する予定であると回答した企業は40％であった。

Q 5-8. 今後の子会社の内部通報制度の設置に関する方針（一つ選択）

	全　体	機関設計			会社規模	
		監査役会設置会社	指名委員会等設置会社	監査等委員会設置会社	大会社	大会社以外
全　体	70 100.0	50 100.0	－ －	20 100.0	56 100.0	14 100.0
子会社として内部通報制度を設け、通報窓口として親会社の部署を含めることを原則とする予定である	13 18.6	10 20.0	－ －	3 15.0	11 19.6	2 14.3
子会社として内部通報制度を設け、親会社の部署を通報窓口に含めることは求めない予定である	3 4.3	3 6.0	－ －	－ －	1 1.8	2 14.3
子会社の自主性に任せており、特段対応していない	32 45.7	23 46.0	－ －	9 45.0	29 51.8	3 21.4
子会社を含めた内部通報制度とする予定である	12 17.1	9 18.0	－ －	3 15.0	7 12.5	5 35.7
その他	10 14.3	5 10.0	－ －	5 25.0	8 14.3	2 14.3

(b)　海外を含めたグループ内部通報制度

海外子会社からの不正事案が昨今増加していることから、企業グループにとって、不正発見の端緒として、海外向けの実効的な内部通報制度の整備・運用が重要性を増している。

Q 5-1の結果のとおり、海外向けグループ内部通報制度を設置する企業は、国内・海外問わず子会社を含めた内部通報制度がある企業（50.3％）に、子会社独自の内部通報制度がある企業（11.4％）も含めれば、アンケートに答えた企業の61.7％に及んでいる。

海外向けグループ内部通報制度の設置方法としては、企業グループ全体からの通報を受け付けるグローバルな内部通報制度を設置する方法と、海外における拠点ごとあるいは国・地域とのローカルな内部通報制度を設置する方法がありうる。

拠点・国・地域ごとのローカルな内部通報制度の場合、通報窓口は不正・不祥事が発生した地点に設置され、同窓口が対応を行うことになるため、現地の実情・実務等に即した迅速な対応が期待できる。しかし、グループ企業管理そのものがそもそも難しい中、親会社が現地の通報窓口の対応状況を把握するのは必ずしも容易ではないし、現地の通報窓口に一次的な対応をさせることは、不正・不祥事に対する重大性の意識において親会社との温度差がある場合があり、却って適切・迅速な対応がなされないリスクもある。

他方、グローバルなグループ内部通報制度を設置することは、親会社の考える水準の内部通報対応の体制を統一的なものとして整えることができ、通報窓口も一元化することができるため、より適切な不正・不祥事対応が期待できる。ただし、グローバルなグループ内部通報制度においては、各国・地域における公益通報等に係る法制度に沿った内容とする必要があるし、通報窓口の現地語対応をどの程度までカバーするかについても、検討を要するという問題はある。

また、各国・地域における個人情報保護法制に抵触しないようにしなければならないことについても、留意しておく必要がある。特に、欧州においてグローバルなグループ内部通報制度を展開するにあたっては、EU一般データ保護規則（GDPR）への抵触を回避する必要がある。GDPRにおいては、欧州経済領域（EEA）域内から域外への個人データの移転が原則禁止されている（GDPR 44～49条）。しかし、日本は、EEA域外への個人データ移転の例外にあたる十分性認定を取得したため、日本への個人データ移転については、この点に関する対応は不要となっている。

日本監査役協会によるアンケートにおいて、海外子会社における内部通報制度の設計に当たり悩んでいる点を尋ねたところ、現地の文化・言語・法規制の違いがあることを理由に、海外子会社における内部通報制度の設置や親会社の通報窓口に含めることに踏み切れていない企業が多く見られた。他方、必要に応じて、現地の弁護士なども活用しながら、個別に対応することが望ましいと考える企業もあった。

(ii)　グループ企業からの内部通報への対応方法

(a)　親会社監査役への報告体制

グループ内部通報制度を設けた場合、子会社に寄せられた内部通報を親会社の監査役に報告するための体制を整備する必要があり、そのような体制についても取締役会で決議しておく必要がある。企業集団における業務の適正を確保するための体制として、取締役会は、「当該株式会社の子会社の取締役等の職務の執行に係る事項の当該株式会社への報告に関する体制」を決議する義務があるからである（施 98 条 1 項 5 号、100 条 1 項 5 号、110 条の 4 第 2 項 5 号、112 条 2 項 5 号）。

日監協グループ監査アンケートの結果によれば、グループ内部通報制度において寄せられた通報が、どのような方法で親会社監査役に報告されるかについては、Q 5-3 の結果のとおり、監査役を通報窓口とする企業が 26.5％、都度または一定期間ごとに内部通報の概要を監査役に報告する企業が 83.9％であった。

Q 5-3.　内部通報制度において寄せられた通報が親会社監査役に報告される方法（複数選択可）

	全　体	機関設計			会社規模	
		監査役会設置会社	指名委員会等設置会社	監査等委員会設置会社	大会社	大会社以外
全　体	653 100.0	486 100.0	13 100.0	154 100.0	612 100.0	41 100.0
自社監査役は通報窓口となっている	173 26.5	118 24.3	3 23.1	52 33.8	160 26.1	13 31.7
内部通報がされる都度、受け付けた部署から概要を監査役に報告する	357 54.7	268 55.1	6 46.2	83 53.9	333 54.4	24 58.5
一定期間ごとに、受け付けた内部通報の概要を監査役に報告する	191 29.2	145 29.8	2 15.4	44 28.6	184 30.1	7 17.1
その他	89 13.6	69 14.2	4 30.8	16 10.4	85 13.9	4 9.8

また、その報告頻度については、Q 5-3 SQ の結果のとおりであるが、重要事項や緊急事項については内部通報がされる都度、監査役に報告するとする企業が多い。

Q 5-3 SQ. 内部通報の概要を親会社監査役に報告する頻度

	全　体	機関設計			会社規模	
		監査役会設置会社	指名委員会等設置会社	監査等委員会設置会社	大会社	大会社以外
全　体	164 100.0	126 100.0	2 100.0	36 100.0	157 100.0	7 100.0
毎　月	64 39.0	48 38.1	− −	16 44.4	60 38.2	4 57.1
四半期	49 29.9	37 29.4	− −	12 33.3	47 29.9	2 28.6
半　年	51 31.1	41 32.5	2 100.0	8 22.2	50 31.8	1 14.3

(b)　内部通報に対する調査・結果・対応状況の確認

子会社従業員等からグループ内部通報制度の通報窓口に対して子会社の個別事案に関する通報がなされた場合、通報対応の調査は、原則として、不正・不祥事の現場である子会社の内部通報担当部署が行うことになる。

しかし、内部通報制度の実効性を確保するためには、通報者対応、調査、情報管理等において知識・スキルが必要であり、能力・適性を有する担当者を配置する必要があるが、子会社は人的リソースが少なく、そのような適切で充実した調査体制を組めないこともある。

そのような場合においては、親会社の内部通報担当部署が当該調査において連携・支援を行うことも考えられる。グループ企業としての統一的なポリシーのもとで調査・対応を行う観点からも、親会社との連携が必要となりうる。

日監協グループ監査アンケートの結果によれば、親会社の内部通報制度において子会社役職員から親会社に通報することを認めている企業は、Q 5-6 のアンケート結果のとおり、全体の３分の２以上（69.2%）であった。

Q 5-6. 自社子会社役職員から自社親会社への内部通報の可否（一つ選択）

	全　体	機関設計			会社規模	
		監査役会設置会社	指名委員会等設置会社	監査等委員会設置会社	大会社	大会社以外
全　体	91 100.0	66 100.0	3 100.0	22 100.0	86 100.0	5 100.0
子会社役職員から親会社への内部通報は認められていない	28 30.8	20 30.3	– –	8 36.4	26 30.2	2 40.0
子会社役職員から親会社への内部通報は認められている	63 69.2	46 69.7	3 100.0	14 63.6	60 69.8	3 60.0

また、Q 5-6 SQ のアンケート結果のとおり、子会社役職員から親会社に通報することが認められている場合において、親会社宛ての内部通報の対象事項に、親会社役職員に関する事項を含めている企業は 41.0%、重大な法令違反・非違行為に関する事項を含めている企業は 60.7%であった。他方、多くの企業は、親会社宛ての内部通報の対象事項に特に制限を設けておらず、どのような事項であっても通報を受け付けている。

Q 5-6 SQ. 親会社への内部通報の対象事項（複数選択可）

	全　体	機関設計			会社規模	
		監査役会設置会社	指名委員会等設置会社	監査等委員会設置会社	大会社	大会社以外
全　体	61 100.0	44 100.0	3 100.0	14 100.0	58 100.0	3 100.0
親会社役職員に関する事項	25 41.0	20 45.5	– –	5 35.7	24 41.4	1 33.3
重大な法令違反・非違行為に関する事項	37 60.7	29 65.9	1 33.3	7 50.0	35 60.3	2 66.7
その他	28 45.9	19 43.2	2 66.7	7 50.0	27 46.6	1 33.3

子会社の内部通報制度において寄せられた子会社役職員からの通報が、どのような頻度・方法で親会社に報告されるかについては、Q 5-7 の結果

のとおり、都度または一定期間ごとに内部通報の概要を親会社に報告する企業が62.2%であった。報告頻度を半年とする企業が半数であった。他方、親会社への報告義務を定めていない企業も相当数あった。

Q 5-7. 子会社の内部通報制度において寄せられた通報が親会社に報告される頻度・方法（一つ選択）

	全　体	機関設計			会社規模	
		監査役会設置会社	指名委員会等設置会社	監査等委員会設置会社	大会社	大会社以外
全　体	90 100.0	64 100.0	3 100.0	23 100.0	85 100.0	5 100.0
内部通報がされる都度、受け付けた部署から概要を親会社に報告する	40 44.4	31 48.4	1 33.3	8 34.8	38 44.7	2 40.0
一定期間ごとに、受け付けた内部通報の概要を親会社に報告する	16 17.8	10 15.6	1 33.3	5 21.7	16 18.8	− −
親会社の部署を通報窓口に含めている	5 5.6	4 6.3	− −	1 4.3	4 4.7	1 20.0
その他	29 32.2	19 29.7	1 33.3	9 39.1	27 31.8	2 40.0

このように子会社の内部通報が親会社に報告された場合、親会社の監査役として求められることは、当該子会社における調査が適切に行われ、是正措置・再発防止策がきちんと講じられているか、親会社による連携・支援として適切な対応がとられているかどうかを検証すること、さらには、当該不正・不祥事の調査結果を監査計画等に反映させることにより違法性監査を充実させることである。

それ以上に、親会社の監査役がグループ内部通報についての通報受付や調査是正に直接関与することは、子会社とはいえ別の法人格を有する独立した組織である以上、実務的には非常に困難であると考えられる。

もっとも、この点に関連して、最高裁は、企業グループにおいてグループ内部通報制度を設けている場合、親会社は、内部通報制度の相談窓口への申出の具体的状況等の如何によっては、グループ会社の従業員に対しても適切に対処すべき信義則上の義務を負う場合があると判示した（最判平成30年2月15日判時2383号15頁）。

> 上告人〔イビデン株式会社〕は、本件当時、本件法令遵守体制の一環として、本件グループ会社の事業場内で就労する者から法令等の遵守に関する相談を受ける本件相談窓口制度を設け、上記の者に対し、本件相談窓口制度を周知してその利用を促し、現に本件相談窓口における相談への対応を行っていたものである。その趣旨は、本件グループ会社から成る企業集団の業務の適正の確保等を目的として、本件相談窓口における相談への対応を通じて、本件グループ会社の業務に関して生じる可能性がある法令等に違反する行為（以下「法令等違反行為」という。）を予防し、又は現に生じた法令等違反行為に対処することにあると解される。これらのことに照らすと、本件グループ会社の事業場内で就労した際に、法令等違反行為によって被害を受けた従業員等が、本件相談窓口に対しその旨の相談の申出をすれば、上告人は、相応の対応をするよう努めることが想定されていたものといえ、上記申出の具体的状況いかんによっては、当該申出をした者に対し、当該申出を受け、体制として整備された仕組みの内容、当該申出に係る相談の内容等に応じて適切に対応すべき信義則上の義務を負う場合があると解される。

本判決では、結論としては、同制度は相談窓口に申出をした者の求めるとおりの対応を義務づけるものではないことなどを理由に、当該義務違反を否定している。

しかし、本判決は、いったんグループ内部通報制度を設ければ、同制度の「体制として整備された仕組みの内容、当該申出に係る相談の内容等」に応じて、親会社は指揮命令関係のないグループ会社従業員に対して、相談の内容等に応じて適切に対応すべき信義則上の義務を負う場合があるということを示唆しているように読める。

したがって、親会社の監査役としては、親会社の取締役がそのような信義則上の義務を履行したか否かという点についても監査対象となることに留意する必要がある。

そのほか、グループ内部通報制度の通報窓口に対しては、子会社の役員の不正・不祥事が通報されることがある。

本来、役員の不正・不祥事の場面では、当該会社の監査役が調査等の対応を行うべきものであるが、子会社の監査役は親会社の業務執行ラインに属することが多く、独立性に懸念が残ることがある。このような場合には、親会社による支援が必要となる。

なお、親会社として調査等の支援を行うのは、親会社監査役と親会社の内部通報担当部署のいずれにすべきかについても、事案に応じて検討される。子会社の役員の不正・不祥事といっても、当該不祥事の重大性、親会社の執行サイドによる関与の有無などの事情を勘案し、親会社の内部通報担当部署では適切な調査・是正措置の検討が行われない可能性があるのであれば、親会社の監査役が直接対応することも検討する必要がある。

(c) 子会社監査役への報告・意見交換・注意喚起

グループ内部通報制度において一元的な外部窓口が設置されている場合、当該窓口に寄せられた情報は、対象グループ企業の監査役にも報告し、意見交換や注意喚起を行うことも重要である。

日監協グループ監査アンケートによれば、グループ内部通報制度において寄せられた子会社役職員からの通報が、当該子会社の監査役に報告されているか否か、どのような頻度・方法で子会社監査役に報告されることとなっているかについては、Q 5-4の結果のとおりであり、半数以上の企業において、内部通報がされる都度、受け付けた部署から概要を子会社監査役に報告すると回答している。

Q 5-4. 親会社の内部通報制度において寄せられた子会社役職員からの通報が当該子会社の監査役に報告される方法（一つ選択）

	全　体	機関設計			会社規模	
		監査役会設置会社	指名委員会等設置会社	監査等委員会設置会社	大会社	大会社以外
全　体	641 100.0	477 100.0	13 100.0	151 100.0	600 100.0	41 100.0
内部通報がされる都度、受け付けた部署から概要を子会社監査役に報告する	353 55.1	259 54.3	6 46.2	88 58.3	327 54.5	26 63.4
一定期間ごとに、受け付けた内部通報の概要を子会社監査役に報告する	90 14.0	63 13.2	4 30.8	23 15.2	84 14.0	6 14.6

その他	198 30.9	155 32.5	3 23.1	40 26.5	189 31.5	9 22.0

報告頻度については、Q 5-4 SQ の結果のとおりであり、毎月報告するとする企業が約半数である。報告の頻度について特に決まりはないが、必要に応じて対応する、という企業も多い。

Q 5-4 SQ. 受け付けた内部通報の概要を子会社監査役に報告する頻度

	全　体	機関設計			会社規模	
		監査役会設置会社	指名委員会等設置会社	監査等委員会設置会社	大会社	大会社以外
全　体	74 100.0	52 100.0	3 100.0	19 100.0	69 100.0	5 100.0
毎　月	35 47.3	23 44.2	− −	12 63.2	31 44.9	4 80.0
四半期	19 25.7	14 26.9	1 33.3	4 21.1	18 26.1	1 20.0
半　年	20 27.0	15 28.8	2 66.7	3 15.8	20 29.0	− −

他方、子会社監査役には報告しないとする企業も相当数見られた。もっとも、そのような企業であっても、親会社役員が子会社監査役を兼務している企業も多く、その場合には、子会社監査役は、親会社役員に対する報告を通じて内部通報を知ることとなる。

グループ内部通報窓口への通報であっても、グループ企業の窓口への通報であっても、あるいは、外部窓口への通報であっても、特定の会社における通報を親会社その他のグループ企業で情報共有する場合、当該通報に含まれる個人情報の取扱いは個人情報保護法への対応が必要となる。

外部窓口との情報共有については、個人情報の取扱いの委託にあたると解することができ、特に問題は生じない。

しかし、グループ企業間における通報内容の共有については、個人情報保護法上は原則として第三者提供に該当するため、注意が必要である。

グループ内部通報制度の構築においては、グループ企業間において個人情報の共同利用に関する手続を講じておく必要がある。

(d)　事後的なモニタリング

親会社の監査役としては、グループ企業全体において、通報者に対して解雇等の不利益な取扱いが行われていないか、個々の事案で提示された是正措置・再発防止策が、以後も十分に機能しているか等、グループ内部通報制度の運用面における評価・点検を行う必要がある。かかるフォローアップについては、グループ全体の監査計画に盛り込むことも有益である。グループ内部通報を通じて発見された問題は、グループ監査における重点監査項目の有力な候補となりうる。

また、グループ内部通報制度が十分に機能するかどうかの点検にあたっては、子会社の監査役や内部統制部門からの情報共有や意見交換が必要となるので、親会社の監査役としては、グループ内部通報制度の実効性の観点も意識しながら、子会社の監査役等との連携を図るべきである。

そのほか、グループ内部通報制度の構築には、多言語対応を含めた通報担当者のスキルの確保、現地法制への対応、グループ企業間の情報共有体制の整備など、特有の問題があるため、親会社の監査役は、これらの点を含めた制度の整備・運用についてもチェックする必要がある。

2　不祥事対応

(1)　不祥事調査等への関与の必要性

監査役の職務は、取締役の職務執行を監査することであり（法381条1項）、その過程で不正・違法行為の兆候を発見した場合には、業務・財産状況調査権あるいは取締役・従業員等に対する報告徴求権（同条2項）を行使して調査を行う。そして、調査の結果、不正・違法行為があり、または行われるおそれがあると判断した場合には、遅滞なく取締役会へ報告し（法382条）、取締役にその是正を促す。それにもかかわらず、取締役が不正・違法行為の是正対応をとらず、会社に著しい損害が発生するおそれが認められる場合には、取締役に対して違法行為差止請求を行うこともできる（法385条）。

監査役の職務の本質は違法性の監査であるため、監査役には上記のとおり、不正・違法行為を調査・是正し、未然に防止するためのさまざまな権限が認められている。

これらの権限の多くは不正・違法行為の「おそれがある」段階で行使できるとされており（法382条、385条）、不祥事に至る不正・違法行為の兆候を発見した段階で適切に行使されることが期待されている。

また、監査役には、日常的な監査業務の過程で発見した問題点をふまえて、取締役会で必要な意見を述べなければならない（法383条）。内部統制システムの相当性についても意見を述べ、必要に応じて助言・勧告すること（施129条1項5号、監査役監査基準21～27条）が求められており、監査活動を通じて不祥事を未然に防ぐことが期待されている。

しかし、いかに監査役が違法性監査を徹底的に行ったとしても、不祥事を完全に防止することはできない。

不祥事については、未然の防止策と同じく、あるいはそれ以上に事後の対応策が重要である。万一不祥事が発生してしまった場合には、事実関係・原因を究明して適切な再発防止策を講じることが重要であるとともに、重大な不祥事については速やかに株主・市場に報告することが求められる。

しかし、不祥事に関して責任追及される立場の取締役ら経営陣に任せていると、不祥事について適切な原因究明を行わず、あるいはその事実を開示せずに隠蔽してしまうリスクがある。意図的な隠蔽とまではいかなくとも、不祥事を過小評価して穏便に処理しようとする傾向があり、それが発覚してマスコミ等から非難され、重大不祥事に発展してしまうといった例も散見される。

このように、企業不祥事については、発生した後の事実調査・原因究明・再発防止策の検討およびそれらの公表を適切に行うことが重要である。そして、調査の客観性・公正性を担保するためには、業務執行から離れた立場の監査役が不祥事に関する調査等に適切に関与し、原因究明と再発防止策が適切に行われているかどうか、株主・市場へ適切に情報が開示されているかどうかを監督しておくことが必要である。

また、監査役は、1年間の監査業務の結果をまとめた監査報告を作成しなければならず（法381条1項）、そこには、①当該株式会社の取締役の職務の遂行に関し、不正の行為または法令もしくは定款に違反する重大な事実があったときは、その旨、②内部統制システムの整備についての決定または決議およびその運用状況が相当でないと認めるときは、その旨およびその理由、を記載しなければならない（施129条1項3号・5号）。

取締役が不祥事に関与していた場合には、取締役の職務の遂行に関して不正・違法行為があったわけであるから、上記①として監査報告に記載すべきかどうかを検討しなければならない。従業員が不祥事に関与していた場合には、従業員の不正・違法行為を未然に防止するためのリスク管理体制や内部統制システムが適切に構築・運用されていなかったのではないかという指摘を受ける可能性があり、上記②として監査報告に記載すべきかどうかを検討する必要がある。

このように、監査役としては、当該事業年度に何らかの不祥事が発生した場合には、監査報告において何らかの指摘・意見を記載すべきかどうかを検討しなければならないのであり、そのためにも、不祥事の内容・原因を正しく把握しておかなければならない。

とはいえ、大規模な不祥事調査となると、書類・データの調査や関与した従業員に対するヒアリングなど、かなりの作業が必要となる。監査役や監査役室のスタッフだけでそれらの調査を指揮することは困難であり、やはり業務執行ラインでしかるべき調査体制をとって進めることになる。その際、監査役としては、不祥事の内容・原因を究明するために適切な調査体制がとられているかどうか、調査の方法・結果は相当かどうかといった点を監視・監督することが必要である。

さらに、上場企業においては、不祥事という業績・株価へ影響を及ぼしかねない情報について適時適切に開示することが重要であり、不祥事に関する情報開示が適切に行われているかどうかについても確認しておくべきである。

(i)　調査体制

不祥事が発生した場合には、まずは具体的に何が起きたのかという事実関係を調査することが重要である。前提となるべき事実関係が明らかにならなければ、その原因を分析・究明し、適切な再発防止策を講じることもできないため、まずは事案の解明に努めなければならない。

その際にどのような調査体制を組むべきかについては、不祥事の内容、関与した役職員の数、不祥事が行われた期間の長さ、被害者の有無・員数、被害の程度、社会的な注目度の高さなど、さまざまな要素を考慮して検討しなければならない。

まず、大前提として、調査する側とされる側を明確に分けることが必要である。不祥事に直接関与していた役職員や直接関与していなくとも不祥事を起こしたことに関して一定の責任を負うべき役職員が調査する側に加わっていると、調査手法が甘いのではないか、実態を過小評価しているのではないか、何か都合の悪い事実を隠しているのではないかという批判を受け、調査の客観性・公正性に疑義を呈される可能性がある。

そのような批判を避け、不都合な事実について正確に把握するためにも、不祥事に関して責任追及される可能性のある役職員が調査する側に加わることがないように留意する必要がある。長期間にわたって行われていた不祥事については、現在の役職としては無関係であっても、過去に関与していたということもありうる（その意味では、監査役であっても過去に不祥事へ関与していた可能性がある）のであり、不祥事の全容に照らして適切な調査体制が組まれているかどうかを確認しておく必要がある。

また、不祥事の原因を究明し、再発を防ぐためには、実際に何が起きたのかという事実関係をできる限り正確に調査・把握することが必要であるところ、大規模な不祥事の場合には調査する側にも相当数の人員を投入しなければならず、コンプライアンス部や内部監査部などの管理系の部署の職員だけでなく、経営企画部、経理・財務部のほか、事業部などの営業系の部署の職員も動員して調査を行う必要が出てくる。そのような場合、調査を担当する職員が彼らの上司に報告してしまうと、調査する側・される側の区分が不明確になりかねない。調査の客観性・公正性を担保するためには、実際に調査を担当する職員の独立性を確保するべく、調査期間中の指揮命令関係について何らかの手当をしておくことも有益である。

さらに、重大な不祥事の調査においては、調査主体の独立性をどこまで厳格に求めるべきかという問題がある。

調査体制を組むに当たり、いかに調査する側・される側を明確に区別したとしても、社内出身者で調査している限り、どうしても調査の客観性・公正性には疑念が残る。というのも、不祥事が発生した場合、当該企業の経営トップは、たとえ不祥事に直接関与していなくても、何らかの形で不祥事の責任を負わなければならない立場にあるからである。

企業に重大な不祥事が発生した場合、経営トップは当該不祥事に関与しておらず、法的な損害賠償責任等が発生する余地など全くないにもかかわらず、道義的な経営責任を追及されて退任するといったケースも散見される。そうだとすれば、経営トップとしては、不祥事を大事にしたくない、できる限り穏便に事を納めたいと考えるのは必然であり、不祥事の全容解明や対外公表には消極的となる可能性が高い。実際には経営トップはそのような意図を有しておらず、不祥事の全容解明を第一に考えていたとしても、マスコミを含めた社外からそのような疑念を持たれてしまう懸念が高いのである。

そのような疑念を回避するため、近年では、外部者を交えた委員会を設けて不祥事調査を実施するケースが増えている。

特に社会的に注目を集める重大な不祥事が発生してしまった場合には、株主・投資家、取引先・債権者、消費者、従業員、監督官庁、マスコミなどに対して説得力のある説明責任を果たすことが重要であり、そのためには経営トップから独立した第三者から構成される委員会を設置し、当該委員会を調査主体として徹底した調査を行い、原因究明と再発防止策の提言まで行ってもらい、それを対外的に公表することが有益である。そのような対応をすることで、不祥事を再発させないという企業の姿勢を示し、不祥事によるダメージを最小限に抑えることができる。

とはいえ、独立した第三者による委員会を設置して不祥事調査を進めることは、相当な手間とコストがかかるため、独立した第三者委員会を設置するべきか、社内メンバーだけで調査委員会などを設置して調査を進めるべきか、その間をとって、社内調査委員会に弁護士・会計士などの第三者を参加させる形で進めるべきかについては、最終的には経営トップの判断に委ねられる。

前述したとおり、経営トップは不祥事をあまり大事にしたくないという意識を持つ可能性があるため、業務執行から離れた立場の監査役としては、不祥事の内容・性質・規模や社会的影響の度合いなどに照らし、経営トップの選んだ調査体制が適切であるかどうかを確認し、必要があると認めるときは第三者委員会の設置を進言するなどの対応を検討する必要がある。

(ii)　調査の方法・結果

不祥事の調査体制としてどのようなメンバーの調査委員会になったとしても、監査役は、その職責に照らし、何らかの形で調査に参加することが多い。会社内部の調査委員会であれば、常勤監査役がメンバーに加わる可能性が高く、独立した第三者による調査委員会であれば、専門的知見を有する社外監査役がメンバーに選ばれる可能性がある。

調査に参加している監査役は、不祥事の全容解明のために必要かつ十分な調査が実施されているかどうかを確認し、不足があると感じた場合にはより詳細な調査の実施を求めるなど、事実の究明に努めるべきである。

また、仮に監査役が調査委員会に参加していないとしても、後述するとおり、監査役会としては不祥事に関連して監査報告の中で指摘しなければならない事項があるため、必要に応じて調査の進捗状況について調査委員会から報告を受け、情報共有・意見交換をしておくべきである。

監査役会としては、そのような協議を通じて、調査委員会が行っている調査の方法・結果が相当であるかどうかを検証し、監査報告にどのように記載して株主へ報告するべきかを検討することになる。

(iii)　調査結果の公表

上場企業は、金融商品取引所の規則に従い、有価証券の投資判断に影響を与える上場会社の業務、運営または業績等に関する情報（軽微基準に該当するものを除く）について直ちにその内容を開示することが義務づけられている。

適時開示が求められる会社情報は、上場会社の情報（決定事実、発生事実、決算情報、業績予想・配当予想の修正等、その他）および子会社等の情報（決定事実、発生事実、業績予想の修正等）であり、それぞれについて適時開示事由が列記されている。

企業に発生した不祥事は、「災害に起因する損害又は業務遂行の過程で生じた損害」あるいは「その他上場会社の運営、業務若しくは財産又は当該上場株券等に関する重要な事実」として、適時開示事実に該当することが多い。

「災害に起因する損害又は業務遂行の過程で生じた損害」に該当する場合には、①損害・損失の内容（損害・損失の発生年月日および経緯、営業損失・営業外損失・特別損失の別、損害の種類）、②今後の見通し（当期以降の業績に与える影響の見込み、今後の方針等）、③その他投資者が会社情報を適切に理解・判断するために必要な事項、を開示しなければならない。

「その他上場会社の運営、業務若しくは財産又は当該上場株券等に関する重要な事実」に該当する場合には、①事実の概要、②発生の経緯、③今後の見通し（当期以降の業績に与える影響の見込み、今後の方針等）、④その他投資者が会社情報を適切に理解・判断するために必要な事項、を開示しなければならない。

このように、不祥事が発生し、それが当社の業績等に影響を及ぼし、株主・投資家の判断に影響を及ぼす可能性がある場合には、上場企業としては、不祥事の概要、発生経緯、今後の見通し等を直ちに市場に開示しなければならない。

しかし、「直ちに」開示せよといわれても、開示するからには事実概要、発生経緯を調査し、今後の見通し等について検討しなければならず、それなりに時間がかかるため、どのタイミングで開示すれば「直ちに」開示したことになるのか、その判断は難しい。事案の解明が十分にできていない段階で開示しても、かえって市場に不安・混乱を与えるだけになってしまう可能性がある。それに加えて、経営幹部としては、不祥事の公表によってバッシングを受け、引責辞任といった可能性もあることから、できることなら開示したくない、開示するにしても、事実・原因分析・再発防止策までの目処を立ててから開示したいという意識が働き、結果として、適時開示を行うのが本来するべきタイミングよりも遅れてしまう可能性が高い。

その一方で、詳しい調査が完了するまで待っている間にマスコミ等に情報がリークされてしまうと、隠蔽だとしてバッシングされるリスクがある。

さらに、情報開示が遅れたために損害を被った株主・投資家がいる場合には、当該株主・投資家から不適切な適時開示に関して役員責任を追及される可能性も否定できない。

このように、不祥事が発生した場合に、いつのタイミングで、どのような内容を適時開示するべきかについては、実務的には判断に悩む場面も多いのであるが、監査役としては、業務執行から離れた立場から、株主・投資家の目線もふまえて適切なタイミングで情報開示がなされているかどうかを確認し、仮に適時開示するべきタイミングで情報開示がなされていないと感じられる場合には、経営陣に対し、適時開示するように意見を述べるべきである。

過去の裁判例では、食品販売会社が食品衛生法に違反する無認可添加物を含む「肉まん」を販売したため、その回収や販売店に対する補償により会社が損害を被ったという事案において、代表取締役が当該事実の公表等の要否等を含めた損害回避に向けた対応策を積極的に検討しなかったこと、その他の取締役が当該事実を積極的には公表しない旨の方針を当然の前提として取締役会で了解したことが善管注意義務違反に該当し、監査役についても、問題対応方策の検討に参加しながら、取締役らの任務懈怠に対する監査を怠ったことが善管注意義務違反となると判断された事案がある（大阪高判平成18年6月9日判時1979号115頁）。

上場企業にとって、不祥事に関して正確な情報を適時に開示することは、株主・投資家のみならず、取引先・消費者に対する極めて重要な責務であるから、監査役としても、取締役がかかる適時開示の義務を尽くしているかどうかを確認しておくべきである。

⑵　監査報告における不祥事の記載

監査役は、１年間の監査業務の結果をまとめた監査報告を作成しなければならず（法381条１項）、この監査報告は、計算書類および事業報告とともに、株主総会において株主に提供される（法437条）。

株主総会とは、当該事業年度における事業の状況およびその成果を出資者たる株主に対して説明・報告するための年に１度の会議である。したがって、当該事業年度において不祥事が発生し、それが会社の業績あるいはレピュテーションに何らかの影響を及ぼしかねない場合には、株主から負託を受けた会社役員としては、当然に当該不祥事の内容・原因・対策などについて株主に説明・報告するべきである。

しかしながら、不祥事といっても千差万別であり、どのような性質・規模の不祥事であれば説明・報告するべきなのかについては、特段の決まりはない。また、説明・報告の方法としても、株主総会の場で説明すればいいのか、事前に提供する招集通知・事業報告・参考書類の中で記載する必要があるのか、記載するとして、どのような項目として記載するべきなのかについても、明確な基準は存しない（社外役員に関する記載事項としての定めはある。施74条4項3号、76条4項3号、124条4号ニ）。

監査報告の記載事項を検討するに当たっては、事業報告・参考書類の中で当該不祥事についてどのように記載されているのかといった全体のバランスも考慮しつつ、監査役として報告するべき内容を検討する必要がある。

(i)　事業報告・参考書類における不祥事の記載方法

事業報告は、当該事業年度における当該株式会社の状況に関する重要な事項、内部統制システムの決定または決議の内容の概要および運用状況の概要、会社の支配に関する基本方針などを株主に対して報告するものである（施118条）。

したがって、当該事業年度中に何らかの不祥事が発生し、それが当該株式会社の業績やレピュテーションに影響を及ぼしうるような重大なものである場合には、その事実を事業報告に記載し、その原因・再発防止策などを含めた会社としての姿勢・取組みについて株主に対して報告する必要がある。

しかし、どのような不祥事であれば記載する必要があるのか、事業報告の中のどこに記載するべきなのか、どのような内容を記載すればいいのかについては、会社法施行規則でも特段の定めは置かれておらず、各社の判断に委ねられている。

事業報告の中のどこで不祥事について記載すべきかについては、過去の記載事例をみると、「その他株式会社（企業集団）の現況に関する重要事項」

（施120条１項９号）として独立した項を設ける方法のほか、「対処すべき課題」（同条１項８号）として記載する方法、「当該事業年度における事業の経過及びその成果」（同条１項４号）として記載する方法も考えられる。そのほか、任意の記載事項として、全く別の項目を設けたり、社長のあいさつ等の中で触れる例もある。

また、どのような不祥事について記載されているのかについては、過去の記載事例をみると、マスコミ報道されるなど社会的注目を集めた不祥事（近年では、検査データの不正など）、独占禁止法違反（刑事罰、公正取引委員会による排除措置命令・課徴金納付命令、立入検査など）、行政処分（監督官庁からの営業停止命令、措置命令など）、大型の訴訟・和解、事故（工場火災、列車事故など）、不適切な会計処理・過年度修正などの例がある。

一般論としては、まずは定量的なインパクトの大きさで判断することになる。多数の被害者が出るなど社会的な注目を集めている場合、売上減少等により業績にかなりの悪影響が出ている場合など、いわゆる重大な不祥事が発生した場合には、独立した項目を設けるなどして大きく採り上げた方がよく、そこまで重大ではないと考えられる場合には「対処すべき課題」、さらには「当該事業年度における事業の経過及びその成果」へと記載場所を検討していくことになる。ただし、業績への影響は大きくなくても、死亡事故などの結果の重大性やレピュテーションへの影響など、定性的なインパクトの大きい事案もあるため、不祥事の内容に照らして慎重に検討する必要がある。

いずれにせよ、当該事業年度中に何らかの不祥事が発生した場合には、当該不祥事の内容、会社の業績やレピュテーションに与えた影響、社会的な注目度などを勘案しつつ、「当該事業年度における会社の状況に関する重要な事項を株主に報告する」という事業報告の趣旨に照らして、当該不祥事について事業報告に記載して株主に報告する必要があるのかどうか、必要があると判断された場合には、事業報告の中のどこに記載するべきか、記載するとしてどのような内容を記載するべきかについて検討する必要がある。

また、社外役員がいる場合には、事業報告のうち「会社役員に関する事項」として、「当該事業年度中に当該株式会社において法令又は定款に違反する事実その他不当（社外監査役については「不正」）な業務の執行が行われた事実（重要でないものを除く。）があるときは、各社外役員が当該事実の発生の予防のために行った行為及び当該事実の発生後の対応として行った行為の概要」を記載しなければならない（施124条4号ニ）。

さらに、当該社外役員が再任される場合には、その選任議案の参考書類においても、「当該候補者が最後に選任された後在任中に当該会社に法令又は定款に違反する事実その他不当（社外監査役については「不正」）な業務の執行が行われた事実（重要でないものを除く。）があるときは、その事実並びに当該候補者が当該事実の発生の予防又は事後対応として行った行為の概要」を記載しなければならない（施74条4項3号、76条4項3号）。

どのような不祥事が「重要でない」といえるのかについては、特に決まりはなく、各社の判断に任されている。したがって、この重要性の判断基準についても、事業報告の趣旨に照らして、不祥事の内容、業績やレピュテーションに与えた影響、社会的な注目度などのほか、当該不祥事の原因（組織的・体制的な要因があるのかどうか）、再発防止対策の必要性なども勘案しつつ、検討する必要がある。

なお、注意しなければならないのは、社外役員選任議案の参考書類においては、「当該候補者が過去5年間に他の株式会社の取締役、執行役又は監査役に就任していた場合において、その在任中に当該他の株式会社において法令又は定款に違反する事実その他不当（社外監査役については「不正」）な業務執行が行われた事実があることを当該株式会社が知っているときは、その事実（重要でないものを除き、当該候補者が当該他の株式会社における社外取締役又は監査役であったときは、当該事実の発生の予防のために当該候補者が行った行為及び当該事実の発生後の対応として行った行為の概要を含む。）」を記載しなければならないという点である（施74条4項4号、76条4項4号）。

これは、当社における役員候補者が他社で社外役員を兼務している状況下で当社に不祥事が発生した場合において、他社が当社不祥事を重要と判断してしまうと、他社における社外役員選任議案において、当社で不祥事が発生したことや当該候補者がその不祥事の予防・再発防止のために行った事実を記載されてしまう可能性があるということを意味する。しかし、当社において重要ではないと判断して参考書類に記載しなかった不祥事を、他社の社外役員選任議案において記載されてしまうという事態は避けなければならない。

したがって、当社役員が他社の社外役員を兼務している場合には、当社不祥事を重要なものとして事業報告や参考書類に記載するべきかどうかについて、他社と事前に意見交換しておく必要がある。

(ii)　監査報告における不祥事の記載方法

監査役は、監査報告において「当該株式会社の取締役の職務の遂行に関し、不正の行為又は法令若しくは定款に違反する重大な事実があったときは、その事実」を記載しなければならない（施129条１項３号、130条２項２号）。

したがって、不祥事の内容が取締役の職務の遂行に関わるものである場合には、監査報告に記載するかどうかを検討しなければならない。

監査役は、取締役の業務執行の当・不当を判断する立場ではなく、その違法性を監査する立場であるから、取締役の不当な業務執行については記載対象とならない。もちろん、著しく不当な業務執行については善管注意義務違反に該当するが、そのような経営判断の誤りについて記載することは稀であろう。

また、取締役の私生活におけるスキャンダル等は「職務の執行に関する」違法行為等ではないから、記載対象とはならない。

さらに、「取締役の」職務の執行に関する違法行為等でなければならないから、従業員の違法行為等による不祥事についても、原則として記載対象とはならない。ただし、取締役は従業員の職務執行を監督する義務があるので、当該不祥事の原因・経緯等によっては取締役の法令違反に該当する可能性はゼロではない。もっとも、取締役が部下の従業員の違法行為を見過ごしたという監督義務違反については、よほどの事情がない限り、「重大な」事実に該当することはないと考えられる。

しかしながら、このような従業員の違法行為等による不祥事が起きた場合には、内部統制システムの相当性としての検討が別途必要となる。

取締役・取締役会には内部統制システム構築義務があるため（法348条３

項4号、362条4項6号)、従業員の違法行為等によって会社に重大な損害が発生した場合には、必ずといっていいほど、取締役がそのような違法行為を予防するためのリスク管理体制（内部統制システム）を構築していなかったのではないか、内部統制システム構築義務違反ではないかという議論となる。

そして、監査役は、「事案報告に内部統制システムについての決定又は決議の概要及び運用状況の概要の記載（施118条2号）がある場合において、その内容が相当でないと認めるときは、その旨及びその理由」を監査報告に記載しなければならない（施129条1項5号、130条2項2号)。そのため、従業員の違法行為等による不祥事であっても、取締役会による内部統制システムの決定および運用状況が相当であるかどうかという観点から、監査報告に記載するべきかどうかの検討が必要となってくるのである。

この内部統制システムの相当性の判断基準についても、法律・規則における特別の決まりはなく、いかなる場合に不相当となるのかについては、各社の判断に任されている。

ただし、過去の記載例等を見ると、「内部統制システムに関する決定・決議の内容および運用状況が相当でない」という記載をしている例は少ないように思われる。監査報告の中で不相当であると指摘してしまうと、不祥事に関して役員責任追及訴訟を提起された場合に内部統制システムの構築・運用義務違反があったことの根拠とされてしまう可能性もあるため、監査報告にどのように記載するのかについては慎重な検討が必要である。

そのため、監査報告では内部統制システムに関する決定・決議の内容や運用状況が相当かどうかについては言及せず、「内部統制システムを見直して再発防止に努めております」という記載をしている例などが見受けられる。

(3)　株主総会における説明

不祥事が発生した場合には、株主総会の場において質問されることも想定される。株主総会に出席しているのは、単なる第三者ではなく株主という利害関係者であるから、単に当該不祥事の内容・原因について説明を求めるといった一般的な質問ではなく、当該不祥事によって会社にどのような悪影響が出たのか、それはひいては株主の損害ではないか、そのような損害を回復するための対策を講じているのかどうか、そのような損害をもたらした役員の責任はどうなっているのかなど、もう一歩踏み込んだ質問が出ることが多い。

さらに近年では、取締役の職務執行を監査・監督するべき立場の監査役や社外役員に対し、どうして不祥事を防止できなかったのか、不祥事を起こした役員責任についてどのように考えているのかといった質問が出されることも想定される。

監査役には、株主総会において株主から特定の事項について説明を求められた場合に当該事項について必要な説明をするべき義務があるため（法314条）、このような質問が出された場合には、監査役の立場として説明しなければならない。

その一方で、これらの不祥事に関する質問の中には、被害弁償の方針など総会の時点では確約できないものもあるほか、答え方によっては役員責任につながりかねない微妙な問題を含んでいることもある。そのため、回答にあたって不用意・不適切な発言が出ないように、慎重に準備しておく必要がある。

不祥事に関する質問として想定されるのは、①不祥事の内容・原因・再発防止策、②業績への影響、③被害者への補償、④加害者への損害賠償請求、⑤役員責任の追及、などである。これらのうち、監査役に対して質問される可能性が高いのは、①不祥事の内容・原因・再発防止策に関連して、当社の内部統制システムの整備・運用状況は相当なのか、⑤不祥事に関して取締役の責任を追及する必要はないのか、といった点である。

(i)　不祥事の内容・原因・再発防止策

不祥事が発生した場合には、その内容（事実関係）および原因について質問が出ることが想定される。これは最も基本的な質問であり、会社としても当該事業年度の状況として当然に説明するべき事柄であるから、取締役ら経営陣から説明が行われることになる。

不祥事に関しては、その内容（事実関係）および原因だけでなく、今後の再発防止策について質問されることが多い。不祥事は、起きないように予防することが一番大切ではあるものの、それと同じくらい、会社が適切に事後対応および再発防止策を行ったのかどうかが重要である。いかにリスク管理体制を構築したとしても避けられない不祥事というものは存在するのであり、株主からは「起きてしまったことは仕方ないが、今後の再発防止はだいじょうぶなのか」という観点から質問が出ることが多い。会社としても、不祥事が起きて不安を感じている株主に対して、会社の姿勢・取組みを説明して安心させるということは非常に重要であり、取締役ら経営陣から説明が行われることになる。

このように、不祥事の内容・原因・再発防止策に関する質問に対しては、原則として取締役ら経営陣から回答するべきであるが、「不祥事の原因が内部統制システムの不備にあるのではないか」という質問については、監査役の見解を求められることがある。

企業不祥事の多くは従業員によるものであり、なぜ従業員による不祥事を未然に防止できなかったのかという問いかけは、不祥事を予防するためのリスク管理体制や内部統制システムが不備だったのではないかという疑問につながりやすい。そのため、内部統制システムの整備・運用状況の相当性について監督するべき立場の監査役はどのように考えているのかという、監査役を名指しした質問が出される可能性が高いのである。発覚した不祥事が過去から継続していた場合には、過去の監査報告において内部統制システムの整備・運用状況の相当性について何ら指摘がなかったことを理由に、監査役による内部統制システムのモニタリングが不十分だったのではないかといった批判的な質問が出る可能性もゼロではない。

このような監査役に対する質問が出た場合、かつての総会実務では、まず取締役の側で回答し、監査役は回答しない、あるいは取締役の回答を受けて補足的に回答するといった方針をとることが多かった。

しかし、近年では、監査役や社外役員の役割の重要性が広く認識されるようになり、監査役・社外役員に対する質問については監査役・社外役員から回答してもらうといった方針をとる企業が増えている。

そのため、監査役としては、不祥事の内容・原因・再発防止策に関して内部統制システムの整備・運用状況が相当かどうかという質問が出された場合に監査役の立場としてどのように回答するべきか、あらかじめ検討して準備しておく必要がある。

この回答に当たっては、会社が以前に行った不祥事の内容・原因に関する説明内容とずれることがないよう注意する必要がある。

不祥事についてマスコミ等で報道された場合には、マスコミ関係者向けに記者会見を行っていたり、決算短信その他の説明会でアナリスト向けに説明を行っていることがある。また、被害者が存在する場合には、被害者に対する説明会などを行っていることもある。これらの説明会・記者会見の場面でも、当然ながら当該不祥事の内容・原因について質問され、会社としての見解を説明しているはずである。

監査役の立場から内部統制システムの整備・運用状況の相当性について回答する場合であっても、不祥事の内容（事実関係）・原因について言及することになるため、会社が従前に行っていた説明内容とずれが生じないように留意する必要がある。その際、どの程度詳しく説明しなければならないのかという点についても、すでにマスコミ・アナリスト・被害者等に向けた説明会を行っているのであれば、そこでの説明内容が基準となるはずである。そのため、株主総会に向けた想定問答を準備するに当たっては、会社がすでに行った記者会見・説明会、その他広報を通じて発表した内容などをすべて再確認しておく必要がある。

さらに、内部統制システムの整備・運用状況が相当であったかどうかについては、後述する役員責任（法的責任）にもつながりかねないため、慎重に回答する必要がある。この点については、監査報告の記載内容を決める際にも慎重に検討しているはずであり、監査報告における意見と整合する形で回答内容を準備しておく必要がある。

(ii)　役員責任追及の必要性

不祥事が起きた場合に株主から特に厳しく糾弾される可能性があるのは、役員責任に関する質問である。不祥事によって業績が悪化し、株価が低迷し、万一にも配当額に影響が出たような場合には、株主から「今回の不祥事に関して役員責任をどう考えているのか」という質問が出されることが多い。

このような質問は、責任追及の対象となっている経営トップら取締役に対して出されることが多いが、監査役に対して出される可能性もゼロではない。というのも、会社法上、会社役員に対して会社が責任を追及する場面では監査役が会社を代表することとされているためである（法386条1項1号）。

そのため、監査役としては、不祥事に関連して経営トップら取締役の責任を追及するべきではないかという質問が出された場合にどのように回答するべきか、あらかじめ検討して準備しておく必要がある。

会社とすれば、仮に不祥事によって業績の悪化という結果が生じた場合には、業績悪化を招いた役員に経営責任があることは否定できないから、「経営責任を認めて謝罪する」というスタンスで臨むのが一般的である。たとえば、経営責任として取締役の報酬減額・賞与返上や一部の役員の辞任・降格といった社内処分を実施している場合には、それらの措置をとっていることを回答して株主の理解を求めることになる。

しかし、これらの「経営責任」と、役員の会社に対する損害賠償責任を意味する「法的責任」は全く異なるものである。法的責任とは、役員の会社に対する善管注意義務・忠実義務違反があったということであり、担当役員に善管注意義務違反があったということになれば、それを見過ごした担当外役員の監督義務違反、ひいては内部統制システム構築義務違反にもつながりかねない。

したがって、役員責任に関する質問に回答するに当たっては、「経営責任」と「法的責任」を明確に分けて回答するべきである。実際に法的責任（任務懈怠）が認められる場合、たとえば旧役員の特別背任行為が発覚して会社が当該役員を訴追しているようなケースは別であるが、会社として役員の法的責任を認めていない場合には、誤解を招くことがないよう「経営責任・道義的責任は認めるが、法的責任は認めない」というスタンスを明確にして回答しなければならない。

監査役に対して役員責任を追及しないのかという質問が出された場合、そこで株主が想定しているのは法的責任であると考えられるため、回答に当たっては慎重に言葉を選んで誤解を招かないように留意する必要がある。

◆3◆　役員に対する責任追及

(1)　役員に対する責任追及

企業不祥事の中には、特定の取締役の任務懈怠により会社に損害が生じたというケースも存在する。そのような場合、会社は当該取締役に対して損害賠償請求することができるが、その際に会社を代表するのは、代表取締役ではなく監査役である。

会社法は、監査役設置会社が取締役（取締役であった者を含む。以下、本項において同じ）に対し、または取締役が監査役設置会社に対して訴えを提起する場合には、当該訴えについては、監査役が会社を代表すると定めている（法386条1項1号）。取締役と会社の間の訴訟では、類型的になれ合い訴訟となる危険性が高いため、監査役が会社を代表することとされたものである。

このような法の趣旨に照らし、監査役には、訴訟が提起された場合に会社を代表するというだけでなく、会社を代表して取締役に対する訴訟を提起するかどうかを決定する権限も認められている（最判平成9年12月16日判時1627号144頁）。

そのため、監査役としては、不祥事により会社に損害が発生し、その責任が取締役にあると考えられる場合には、当該取締役に対して訴訟を提起するべきかどうかを検討し、必要がある場合には訴えを提起しなければならない。本来訴えを提起するべきであるのに提起しない場合には、監査役に対して善管注意義務違反が問われる可能性もあるので注意が必要である（HB新訂第3版251頁）。

ただし、いかなる場合に取締役に対して訴訟提起するべきかについては、判断に迷うケースも多い。

会社から取締役に対して訴訟を提起するには、相当なコストもかかる上、社会的な注目を集めてしまうことでかえって会社のレピュテーションを毀損してしまうリスクを伴う。そのため、経営陣ら執行サイドのスタンスとしては、会社として特定の取締役・元取締役などに訴えを提起することには消極的になることが多いと思われる。

もちろん、特定の取締役が特別背任・業務上横領などといった会社に損害を与えて私的な利益を追求しており、会社として刑事責任を追及するべきケース、重大な不祥事として社会的な注目を集めており、会社が毅然とした対応をとることがレピュテーション上も求められるケースなどであれば、経営陣も含めて訴訟提起に踏み切るべきという意見でまとまるものと考えられるが、会社の業務の過程で特定の取締役の任務懈怠があり、その結果として会社に損害が発生したというケースでは、法的には取締役に責任が認められる場合であっても、あえて訴訟提起に踏み切るべきかどうか、悩ましいことが多い。

会社法では、取締役が責任を負うと認められる場合でも、責任追及の訴えを提起しないときがありうることを想定した規定（施218条3号）が置かれており、学説においても、取締役が無資力である場合や賠償額が少額で勝訴しても会社に利益がない場合、あるいはその他の政策的判断等に基づき、提訴しなくても監査役の善管注意義務違反にならないとされている（山下友信「取締役の責任・代表訴訟と監査役」商事法務1336号（1993）12頁、岩原紳作「監査役制度の見直し」前田重行ほか編『前田庸先生喜寿記念――企業法の変遷』（有斐閣、2009）15頁）。

したがって、監査役としては、不祥事により会社に損害が発生し、取締役に法的責任があるのではないかと疑われる場合には、不祥事の重大性、会社が被った損害の大きさ、取締役の任務懈怠の有無、訴えを提起した場合のコストと回収見込み、訴え提起に代替する措置（報酬の自主返納など）が採られているかどうか、訴えを提起することによるレピュテーション・リスクなどを総合的に考慮して、当該取締役に対して訴訟を提起するべきかどうかを検討する必要がある。

なお、訴えを提起しない場合には、それに不服を感じる株主から提訴請求を受ける可能性があるため、不提訴の理由と合理性をきちんと説明できるように検討を尽くしておくべきである。

(2) 提訴請求への対応

監査役は、会社と取締役の間で訴訟が提起された場合には会社を代表することとされており（法386条1項）、そのため、取締役に対して訴訟を提起するかどうかを決定する権限を有している。

それだけでなく、株主が取締役に対して訴訟を提起するべきだと考えて提訴請求をしてきた場合においても、監査役は会社を代表して対応しなければならない。

不祥事により会社に損害が発生した場合には、配当の減額、株価の下落といった形で株主にも損害が生じることが多い。そのような形で損害を被った株主は、不祥事を発生させたことについて取締役に責任があると主張して、会社が当該取締役に対して責任追及訴訟を提起するべきだと請求してくる可能性がある。

前述したとおり、監査役は、提訴請求の有無にかかわらず、不祥事に関連して取締役の法的責任が疑われる場合には、当該取締役に訴えを提起するべきかどうかを検討しておくべきであるが、提訴請求が来た場合には、株主の請求に応じて提訴しない理由を通知しなければならないため（法847条4項）、より一層慎重な検討が求められる。

(i) 提訴請求の仕組み

会社役員の任務懈怠により会社が損害を被った場合、本来であれば、会社が当該役員に対して損害賠償請求するべきであるが、会社役員どうしの関係性から、会社は自らの役員に対して責任追及を怠る可能性が高い。そこで、会社法は、株主が会社を代表して会社役員の責任を追及する訴訟（株主代表訴訟）を提起することを認めている（法847条）。

ただし、いきなり株主代表訴訟を提起することを認めているわけではなく、いくつかの要件・手続が定められている。

まず、公開会社の場合には、6ヶ月前から引き続き株式を有する株主でなければ、株主代表訴訟を提起することはできない。株式保有数については制限はなく、1株しか保有していない株主でも可能である。また、責任原因事実（不祥事）が発生した後に株式を取得した株主であっても認められる。

ただし、定款で単元未満株主に株主代表訴訟の提訴権が認められない旨の定めがある場合には単元未満株主の提訴請求は認められない（法189条2項、847条1項）。

また、この要件を満たした株主であっても、いきなり株主代表訴訟を提起できるわけではない。株主代表訴訟しようとする株主は、まず会社に対して会社役員の責任を追及する訴えの提起を請求しなければならない（法847条1項）。会社が提訴請求の日から60日以内に訴訟を提起しないときに初めて、株主代表訴訟を提起することが認められる（法847条3項。ただし、この期間の経過により会社に回復することができない損害が生ずるおそれがある場合を除く。同条4項）。

会社法は、この提訴請求が取締役の責任を追及する訴えであるときは、監査役が会社を代表すると定めている（法386条2項1号）。取締役に対して訴訟を提起するかどうかを決定する権限を有しているのは監査役であるため、提訴請求を受領する権限も監査役に帰属することとされたものである。

そのため、監査役は、提訴請求を受けた日から速やかに検討を開始し、60日以内に会社役員に対する責任追及の訴えを提起するかどうかを決めなければならない。

さらに、提訴請求した株主は、会社役員に対する責任追及の訴えを提起しない場合にはその理由を書面等により通知するよう請求することができる（法847条4項、施218条）。そのため、この請求を受けた監査役は、単に提訴するかどうかを60日以内に決めるだけでなく、不提訴の理由を提訴請求した株主に対し通知しなければならない。

提訴請求してきた株主は、監査役から通知された理由が合理的かどうかについて検討した上で、株主代表訴訟を提起するかどうかを判断することになるため、監査役としては、提訴するかどうかの判断および理由について慎重に検討する必要がある。

(ii)　提訴請求を受けた後の調査体制

監査役は、提訴請求を受けた場合には、役員に対する責任追及の訴えを提起すべきかどうかの検討を開始しなければならない。60日以内に提訴しないと、提訴請求株主が株主代表訴訟を提起することができるため、それまでに決断する必要がある。

さらに、提訴請求株主が不提訴理由の通知を請求してきた場合には、監査役はその理由を書面等で通知しなければならないため、提訴請求書を受領した場合には、できる限り速やかに調査・検討を開始すべきである。

提訴請求書は会社に送付されてくるのが通例であり、これを受領した部門は速やかに全監査役に対して提訴請求書を回付し、監査役の調査・検討をサポートするための対応を検討する必要がある。

監査役側においては、提訴請求書の内容を確認し、そこで指摘されている取締役の責任の有無を検討するために必要な事実調査の範囲、そのために確認するべき関係資料・関係者の有無、調査スケジュールや体制等について決定しなければならない。監査役は独任制の機関であるため、提訴すべきかどうかの判断も各監査役が行うのが原則であるが、実際には監査役会において役割分担等を協議し、意見交換しながら対応を決めることが多い。

取締役の責任の有無を検討するためには、事実調査のための資料収集、関係者へのヒアリング、それらをふまえた法律解釈などの一連の作業が必要となるため、どうしても常勤監査役が中心となって担当せざるをえない。しかし、常勤監査役は社内出身者であり、取締役に対する責任追及という場面では馴れ合いではないかという批判を受けやすい。そのため、提訴請求書で指摘されている役員責任の原因となっている事実（不祥事）が社会的な注目を集めている重大事案の場合には、社外監査役が中心となって提訴するかどうかの調査を進めるといった体制も検討する必要がある。

また、これらの調査・検討作業を行うためには、業務執行部門に対し、関係資料の提出、関係者へのヒアリングの打診などを依頼する必要があり、監査役スタッフのほかに業務執行部門の役職員にも一定のサポートを求めなければならないこともある。責任原因事実（不祥事）が重大事案の場合には、調査の客観性を担保するため、サポート要員についても業務執行部門からの独立性を求めることが望ましい。具体的には、調査活動については業務執行ラインではなく監査役からの指揮命令に従い、報告等についても監査役に対して行うといった措置をとることも考えられる。

そのほか、提訴請求するかどうかの判断においては、対象とされている取締役に対して法的責任（損害賠償責任）を追及できるかどうかという法律解釈が必要となるため、法律専門家である弁護士の助言が必要になる。会計に関わる不祥事等の場合には、会計専門家である公認会計士等の助言が必要となることもある。調査の客観性を担保する必要がある場合には、ここで起用する弁護士等についても会社の顧問弁護士等ではなく、監査役会として独自に起用することも検討すべきである。

なお、これらの専門家を起用するための費用は、監査役がその職務の執行について要した費用として会社に請求することができる（法388条1項）。

(iii)　提訴請求の適法性についての確認

提訴請求を受けた監査役は、そこで指摘されている責任原因事実（不祥事）に関連して取締役の責任追及の訴えを提起するべきかどうかを検討することになるが、その前提として、そもそも提訴請求が適法なものかどうかを検討する。

前述したとおり、公開会社の場合には、提訴請求することができるのは提訴請求時点において6ヶ月前から継続して株式を有する株主である（法847条1項）。1株しか保有していない株主であっても提訴請求することができ（ただし、定款で単元未満株主に提訴請求権が認められない旨の定めがある場合には、単元未満株主には認められない）、責任原因事実（不祥事）が発生した後に株式を取得した株主であっても認められる。

また、振替株式発行会社の場合には、会社に対して個別株主通知がなされてから4週間以内に提訴請求していることが求められる（振替法154条2項・3項、振替法施行令40条）。本人確認の方法については、会社の株式取扱規程で定められていることが通例である。

監査役としては、提訴請求してきた者が株主であるかどうか、6ヶ月以上保有しているかどうか、その他の要件を備えているかどうかを確認する必要があり、次に、提訴請求が正しい宛先に対して提出されていることを確認する。取締役の責任追及を求めている場合には監査役、監査役の責任追及を求めている場合には代表取締役に対して提訴請求する必要がある。ただし、提訴請求の宛先が間違っていたとしても、本来提訴請求を受けるべきものにおいて、責任追及等の訴えを提起すべきかどうかを判断する機会があった場合には、提訴請求は有効とするのが判例である（最判平成21年3月31日民集63巻3号472頁）。提訴請求書は会社に届くことが多いため、たとえ宛先が間違っていたとしても、それを理由に受け付けないといった対応をすることは難しく、本来の宛先に回付して対応するべきである。

さらに、提訴請求書の記載事項を確認する必要がある。提訴請求書には、①被告となるべき者、②請求の趣旨および請求を特定するのに必要な事実を記載することとされている（施217条）。

しかし、提訴請求株主は責任原因事実の詳細な内容まで知らないことが多く、関与した取締役の氏名や責任を根拠づける事実まで正確に記載されている必要はない。被告となるべき者について、氏名が記載されていなくても、役職や在任期間などによって他の取締役と区別できる程度の記載があれば適法とされている。

また、請求を特定するのに必要な事実についても、取締役に対する請求がどのような権利または法律関係についての主張であるか、何についての責任を追及されているのかを識別できる程度の特定がされていれば足りるとされている。ただし、提訴請求の対象となる責任とは、原則として取締役の任務懈怠に基づく責任（法423条）であり、取締役が自らの職務とは関係なく会社に対して行った不法行為に基づく責任は含まれない。また、取締役に就任する前あるいは退任後に生じた責任は含まれないが、取締役在任中に生じた責任であれば、退任後であっても提訴請求の対象となる。

最後に、提訴請求は、提訴請求株主または第三者の不正な利益を図り、または会社に損害を加える目的で行われた場合には無効となる（法847条1項但書）。また、取締役個人に損害を加える目的で行われた場合にも、権利濫用により無効となる（民法1条3項）。提訴株主がこれらの不当な目的を有していることの立証は難しいが、監査役としては、これらの目的の有無についても確認しておく必要がある。

ⅳ　責任追及の訴えを提起すべきかどうかについての検討

提訴請求が適法である場合には、監査役は、提訴請求書に記載されている「請求を特定するのに必要な事実」が認められるかどうか、特定の取締役について法的責任が認められるかどうかを調査・検討しなければならない。

そのためには、まずは取締役の責任を根拠づけるための事実を裏づける客観証拠があるのかどうかを確認する必要がある。責任原因事実（不祥事）が発生した当時の組織体制、関与が疑われる取締役・従業員の範囲を確認し、責任原因事実に関連する社内資料（取締役会その他の会議体の資料・議事録、稟議書、伝票や帳簿類、関係者のメール等）を収集して内容をチェックする必要がある。

また、資料だけでは確認しきれない部分については、関係者（関与した取締役・従業員）のヒアリング等を実施する必要がある。過去の不祥事については、関係者がすでに退職している可能性も高い上、取引先など社外の関係者に対してヒアリングを実施したいケースもあるため、業務執行ラインとも連携してできる限りの調査を実施するべきである。

これらの社内資料のチェックや関係者へのヒアリングについては、そこで確認された事実関係をふまえて特定の取締役の法的責任が認められるかどうかを検討しなければならず、専門的な知識・経験が求められるため、監査役会において起用した弁護士・会計士の助言を得ながら、あるいは弁護士等に主導してもらいながら進めるべきである。

そして、これらの調査・検討をふまえて、提訴請求で特定された取締役について法的責任が認められるかどうか、責任追及の訴えを提起するべきかどうかを決定しなければならない。

ただし、監査役としては、特定の取締役に法的責任が認められる可能性が高いという結論になったとしても、必ず責任追及の訴えを提起しなければならないわけではなく、過去の裁判例を見ると、そこには一定の範囲で裁量が認められている。

まず、取締役が第三者に対して訴訟を提起しなかったことが善管注意義務違反に該当するかどうかが争われた裁判例では、訴訟不提起が善管注意義務違反に該当するためには、①勝訴の高度の蓋然性、②勝訴した場合の債権回収の確実性、③訴訟追行により回収が期待できる利益がそのために見込まれる諸費用等を上回ることが必要であると判示されている（東京地判平成16年7月28日判タ1228号269頁）。

その後、株主から提訴請求を受けた監査委員たる取締役が会社を代表して責任追及訴訟を提起しなかったことが監査委員としての任務懈怠に該当するかどうかが争われた裁判例では、「監査委員の善管注意義務・忠実義務の違反の有無は、当該判断・決定時に監査委員が合理的に知り得た情報を基礎として、同訴えを提起するか否かの判断・決定権を会社のために最善となるよう行使したか否かによって決するのが相当であるが、少なくとも、責任追及の訴えを提起した場合の勝訴の可能性が非常に低い場合には、会社がコストを負担してまで同訴えを提起することが会社のために最善であるとは解されないから、監査委員が同訴えを提起しないと判断・決定したことをもって、上記義務違反があるとはいえない」と判示されている（東京地判平成28年7月28日金判1510号47頁）。

後者の裁判例では、前者の裁判例よりも厳しい基準が採用されているようであり、その理由について、会社の取締役に対する責任追及の訴えについて、会社の第三者に対する訴訟と同様の枠組みで訴訟提起の是非につき広い裁量を認めてしまうと、馴れ合い訴訟により会社の利益が害されることを防ぐという目的で取締役との間の訴えについては監査役等に会社を代表させることとした法の趣旨を没却することになりかねないという配慮がされたのではないかという指摘がされている（中村直人編『コンプライアンス・内部統制ハンドブックⅡ』（商事法務、2019）18頁）。

したがって、監査役としては、調査・検討の結果、特定の取締役に対して法的責任が認められる可能性があるという結論に至った場合であっても、実際に訴訟提起して勝訴判決となる可能性がどの程度認められるのか、コストを負担して訴えを提起することが、会社・株主の利益を最大化することにつながるのかどうかという観点から判断するべきである。

なお、監査役は独任制の機関であるため、提訴するかどうかの判断も各監査役が行うのが原則であるが、実務的には監査役会で協議してから各監査役が判断するのが一般的である。

監査役会においては、実際に調査を担当した監査役から報告を行い、提訴すべきかどうかを審議し、議事録を作成することになる。この監査役会議事録は、後に提訴請求株主が株主代表訴訟を提起してきた場合には証拠提出を求められる可能性が高いため、提訴・不提訴という結論に至った理由を必要十分な範囲で記載しておくべきであり、結論を導く根拠となった証拠についても整理して保管しておくべきである。

⒱　不提訴理由の通知

監査役は、調査・検討の結果、提訴すべきという結論になった場合には、60日以内に取締役に対する責任追及の訴えを提起する。提訴しないという結論になった場合においては、提訴請求株主から請求があれば、提訴請求株主に対し、不提訴の理由を書面等で通知しなければならない（法847条4項）。

これは、取締役・監査役の間の馴れ合いにより、本来責任追及するべきなのに提訴しないという事態が生じないように牽制するとともに、提訴請求株主に対し、株主代表訴訟を提起する上で必要な情報や訴訟資料の有無等を事前に開示させることで、将来の株主代表訴訟の効率化を図るための制度である。

かかる趣旨から、不提訴理由通知においては、①会社が行った調査の内容（判断の基礎とした資料を含む）、②提訴請求対象者の責任または義務の有無についての判断およびその理由、③上記の責任または義務があると判断した場合において責任追及等の訴えを提起しないときはその理由、を記載しなければならない（施218条）。

①調査の内容とは、調査の時期、調査を行った者、判断の基礎とした資料の標目、調査の方法（書類上の調査か、聞き取りをしたか等）、調査により判明した事実等をいう（論点解説351頁）。判断の基礎とした資料として、調査した資料全てを記載する必要はないが、提訴請求の対象とされた取締役の責任の有無を判断する上で基礎とした資料については記載しなければならない。ここで資料の標目を記載すると、将来の株主代表訴訟において証拠提出を求められることになる可能性が高いことに留意しておくべきである。

②提訴請求対象者の法的責任等の有無についての判断およびその理由、③法的責任等があると判断した場合において責任追及等の訴えを提起しない理由については、法律解釈に関わるため、弁護士等の専門家の助言を得ながら、どのように記載すべきか、どこまで具体的に記載する必要がある

のかを慎重に検討する必要がある。

また、不提訴理由通知は、監査役が提訴・不提訴を検討した結果および理由を提訴請求株主に伝えることで、当該株主が株主代表訴訟を提起するべきかどうかを判断する上で参考とすることが期待されている。そのため、不提訴理由通知は、提訴請求株主が株主代表訴訟を提起できるようになる期限（提訴請求の日から60日以内）までに通知するべきである。

(3)　違法行為差止請求

監査役は、取締役が会社の目的の範囲外の行為その他法令もしくは定款に違反する行為をし、またはこれらの行為をするおそれがある場合において、当該行為によって会社に著しい損害が生ずるおそれがあるときは、当該取締役に対し、当該行為をやめることを請求することができる（法385条）。

不正・違法行為の兆候を発見した場合、監査役は業務・財産状況の調査権等を行使して事実関係を調査し（法381条2項）、取締役会に報告して是正を促すとともに（法382条）、監査報告を通じて株主に報告する（法381条1項、437条1項）。しかし、当該違法行為によって会社に著しい損害が発生するおそれがある場合には、そのような悠長な方法をとっていたのでは間に合わない。

そのため、直ちに取締役の違法行為をストップする必要があるという緊急事態においては、違法行為を是正するための社内手続（不正・違法行為を取締役会に報告して、取締役会として是正措置をとること）を飛ばして、当該取締役に対して違法行為の差止請求をすることが認められている。

(i)　差止請求の要件

監査役が違法行為差止請求を行うための要件は、①取締役が会社の目的の範囲外の行為その他法令もしくは定款に違反する行為をし、またはこれらの行為をするおそれがあること、②当該行為によって会社に著しい損害が生ずるおそれがあること、である。

法文上は取締役の行為が対象とされているが、実際には代表取締役の行為に限られ、平取締役の行為は含まれないと解するのが通説である。また、取締役会の決議自体を差し止めることはできないと解されている（類型別会社訴訟Ⅱ911頁。ただし、反対説もある。会社法コンメ(8)138頁〔岩原紳作〕）。

会社の目的の範囲については、一般に、取引の安全を考慮して、会社の目的を達成するために必要または有益な行為と客観的に認められる限り、会社の目的の範囲内であると解されている。しかし、違法行為差止請求権が認められるかどうかの場面においては、取引の安全を考慮する必要がないため、客観的には会社の目的の範囲内の行為であっても、主観的には会社の目的達成のために必要でない場合には、会社の目的の範囲外の行為であるとされている（類型別会社訴訟Ⅱ909頁）。

法令・定款違反の「法令」には、会社法に限られず、それ以外の法令のほか行政法規違反なども含まれる。

監査役は、取締役の不正行為または法令・定款に違反する事実もしくは著しく不当な事実があると認めるときは、遅滞なく取締役会に報告することを要するとされているが（法382条）、違法行為差止請求権においては「著しく不当」な行為は対象とされていない。ただし、著しく不当な行為が善管注意義務違反に該当する場合には、法令違反に該当すると解される。

これらの行為は、実行される前でなければ差止請求の対象とはならない。また、第三者の権利を侵害することはできないため、第三者との間で会社の目的の範囲外または法令・定款違反ではあるが有効な契約が締結された場合には、契約締結後に履行行為の差止めを請求することはできない。そのため、違法行為が実行される前に速やかに差し止める必要があり、訴訟ではなく仮処分として提起されることが多い。

次に、差止請求が認められるためには、当該行為によって会社に著しい損害が生ずるおそれがあることが必要である。

特定の行為が会社の目的の範囲外かどうか、法令・定款違反に該当するかどうかについては、明確に判断できるものではなく、最終的に裁判所の判断を待たなければ白黒決着つかないことも多い。そのような状況の下で、取締役が行おうとしている経営判断に対して監査役が過度に介入して差止請求を行うことで、かえって経営に混乱をきたす事態もありうるため、会社に著しい損害が生ずる場面に限定して差止請求権を認めたものである。

どのような場合に「会社に著しい損害が生ずるおそれ」があると認められるのかについては、あまり明確になっておらず、損害の質・量などから判断される。

なお、このような取締役の違法行為差止請求権は、監査役だけでなく株主に対しても認められているが、株主による違法行為差止請求については、要件がより厳しく設定されている。

株主（公開会社の場合には、6ヶ月前から引き続き株式を有する株主）は、取締役が会社の目的の範囲外の行為その他法令もしくは定款に違反する行為をし、またはこれらの行為をするおそれがある場合において、当該行為によって会社に回復することができない損害が生ずるおそれがあるときは、当該取締役に対し、当該行為をやめることを請求することができる（法380条）。

株主による違法行為差止請求の場合には、監査役による場合と異なり濫訴のおそれ等も懸念されるため、監査役による差止請求の要件（会社に著しい損害が生ずるおそれ）よりも要件を厳しくし、「会社に回復することができない損害が生ずるおそれがあるとき」に限定しているものである。

(ii)　仮処分の手続

監査役による違法行為の差止請求は、対象となる違法行為が実行されてしまう前に行使しなければならないため、判決が出るまでに時間のかかる訴訟手続ではなく、仮処分として提起することが多い。

これは違法行為差止請求権を被保全権利とする仮の地位を定める仮処分であり（民事保全法23条2項）、債権者となるのは違法行為差止請求権を有する監査役個人、債務者となるのは違法行為を行おうとしている取締役である。

仮処分を申し立てる場合には、申立書を作成し、証拠資料を整理して提出するなどの作業が必要であり、監査役として弁護士を選任する必要がある。このような場合、会社の顧問弁護士は監査役・取締役のいずれの代理人にも就任しないため、監査役としては独自に弁護士を選任して申立手続を遂行する必要がある。この弁護士費用については、監査に要する費用として会社に請求することができる（法388条）。

取締役の違法行為差止仮処分は、仮の地位を定める仮処分であるため、債務者（取締役）が立ち会える審尋期日を開催しなければならない（民事保全法23条4項）。実際には、債権者・債務者の双方が立ち会う双方審尋期日が開催されるのが通例であり、当事者は書面または口頭で事件について陳述する。

この手続の中で、債権者（監査役）は、①被保全権利（取締役の違法行為差止請求権）があること、②保全の必要性、を疎明しなければならない。

もっとも、違法行為差止請求権が認められるためには、取締役の違法行為によって会社に著しい損害が生ずるおそれがあることを疎明しなければならず、当該行為が実行されてしまえば差止請求が奏功しないという緊急の場面であることが多いため、被保全権利（取締役の違法行為差止請求権）が認められれば、原則として、保全の必要性も認められる。

監査役が違法行為差止仮処分を申し立て、審尋の結果、認容決定が出される場合には、株主が違法行為差止仮処分を申し立てた場合と異なり、担保を立てさせないこととされている（法385条2項）。通常の保全処分では、認容決定に際して債権者に担保を立てさせるのが通例であるが（民事保全法14条1項）、監査役は株主から選任され、会社の利益のために職務として差止請求を行っているものであるから、濫用のおそれは少なく、審尋の結果として被保全権利・保全の必要性が認められた場合には担保を立てさせる必要はないとされたものである。

ⅲ　違法行為差止請求権の行使にかかる監査役の義務

以上のとおり、監査役は、取締役による違法行為により会社に著しい損害が生ずるおそれがあると判断した場合には、違法行為の差止を請求することができるという極めて強力な権限が認められている（法385条1項）。

しかも、監査役は独任制であるため、単独で違法行為差止請求権を行使することができる。この点は、組織監査を原則とする監査委員会・監査等委員会の場合も同様であり、監査委員・監査等委員たる取締役は、委員会の決議によることなく、単独で違法行為差止請求権を行使することが認められている（法399条の6第1項、407条1項）。

このような強力な権限が認められている以上、仮に監査役が権限を行使することを懈怠して会社に著しい損害が生じた場合には、監査役の義務違反を問われる可能性があることに留意しておくべきである。

取締役に明らかな法令・定款違反行為が認められる場合、監査役に違法行為差止請求を行うべき義務があるかどうかについては、いくつかの裁判例で争われている。

更生会社の取締役の違法行為を防止するべき義務があったかどうかが争われた裁判例（大阪地決平成27年12月14日金判1483号52頁）では、以下のとおり判示され、監査役の職務として、①取締役会への報告義務、②取締役の違法行為差止請求権の行使が指摘され、監査役が取締役の違法行為またはそのおそれのある具体的な事情を認識し、または認識することができたと認められる場合には、任務懈怠に該当するとされている。

［大阪地決平成27年12月14日］

> 相手方は、更生会社の監査役として、……更生会社の取締役の職務執行に法令若しくは定款に違反する事実又は著しく不当な事実があるか否かを監査し、更生会社の取締役が違法又は著しく不当な業務執行をしないように防止する職務を有していた。すなわち、相手方は、上記期間中、更生会社の監査役として、更生会社の取締役会に出席して意見を述べることができる一方（旧商法260条の3第1項）、更生会社の取締役が会社の目的の範囲内にない行為その他法令若しくは定款に違反する行為をし、又は、するおそれがあると認めるときは、取締役会にこれを報告する義務を負うほか（同法260条の3第2項）、取締役が法令違反行為をすることによって会社に著しい損害を生ずるおそれがある場合には、当該取締役に対しその行為の差止めを請求することができ（同法275条の2第1項）、他方、相手方が、更生会社の監査役としての任務を懈怠したことによって更生会社に損害が生じた場合は、連帯して賠償する責任を負っていた（同法277条）。
>
> そして、相手方が監査役としての任務を懈怠したというためには、更生会社の取締役が善管注意義務に違反する行為等をした、又は、するおそれがあるとの具体的な事情があり、相手方がその事情を認識し、又は、認識することができたと認められることを要すると解するのが相当である。

また、代表取締役が違法行為を繰り返していた場合の社外監査役の責任が争われた裁判例（大阪高判平成27年5月21日判時2279号96頁）でも、以下のとおり判示され、監査役の職務として、①取締役会への報告義務、②具体的な内部統制システムの構築に関する助言勧告義務、③取締役の違法行為差止請求権の行使が指摘されている。もっとも、この事案においては、①および②の義務違反を認定しつつ、③取締役の違法行為差止請求権を行使しなかったことについては、義務違反とまではいえないとされている。

［大阪高判平成27年5月21日］

監査役の監査には、取締役の職務執行を事後的に評価する（事後監査）だけでなく、取締役が違法・不当な業務執行をしないように防止する（事前監査）ことも含まれているので、監査役は、取締役会に出席し、必要があると認めるときは、意見を述べなければならないとされており（〔会社法〕383条1項本文）、また、取締役が不正の行為をし、若しくは当該行為をするおそれがあると認めるとき、又は法令若しくは定款に違反する事実若しくは著しく不当な事実があると認めるときは、遅滞なく、その旨を……取締役会……に報告しなければならず（同法382条）、さらに、このような場合において、必要があると認めるときは、取締役会の招集権者（同法366条1項）に対し、取締役会の招集を請求することができるものとされており（同法383条2項）、その他、取締役が監査役設置会社の目的の範囲外の行為その他法令若しくは定款に違反する行為をし、又はこれらの行為をするおそれがある場合において、当該行為によって当該監査役設置会社に著しい損害が生ずるおそれがあるときは、当該取締役に対し、当該行為をやめることを請求することができるものとされている（同法385条1項）。

……本件監査役監査規程18条において、監査役は、取締役会決議その他における取締役の意思決定の状況及び取締役会の監督義務の履行状況を監視すること、取締役が、内部統制システムを適切に構築し運用しているかを監視し検証すること、取締役が会社の目的外の行為その他法令若しくは定款に違反する行為をし、又はするおそれがあると認めたとき、会社に著しい損害又は重大な事故等を招くおそれがある事実を認めたとき、会社の業務に著しく不当な事実を認めたときは、取締役に対して助言又は勧告を行うなど、必要な措置を講じることなどが定められているほか、監査役は、上記の事項に関し、必要があると認めたときは、取締役会の招集又は取締役の行為の差止めを求めなければならないとされている。

このように、監査役が違法行為差止請求権を行使しなかったことが義務違反に該当するとして監査役の責任を追及する訴訟も散見されるところであり、監査役としては、自らがこのような強力な権限を有していることを自覚し、万一取締役の違法行為により会社に損害が発生するおそれを認識した場合には、違法行為差止請求権を行使するべきかどうかを検討しなければならない。

具体的にどのような事情があれば違法行為差止請求をするべきなのかについては、過去の裁判例でも特に触れられていない。

しかし、取締役に対する責任追及の訴えを提起するべきかどうかという場面であれば、すでに会社に損害は発生してしまっているため、責任追及の訴えを提起した場合の勝訴の可能性やコストを勘案して検討することも認められるが、違法行為差止請求を行使するべきかどうかという場面では、まだ会社に損害は発生しておらず、差止請求することで損害を防止しようというものであるから、コストと比較検討すべきなのは、発生する可能性のある損害の大きさということになる。

もちろん、取締役の行為が会社の目的の範囲外かどうか、法令・定款違反に該当するかどうか、会社に著しい損害が生ずるおそれがあるかどうかといった要件については、法律的専門的な判断であり、意見が分かれることもあると思われるが、発生する可能性のある損害が大きなものである場合には、政策的な判断の余地は少なくならざるをえないと思われる。

とはいえ、取締役の違法行為差止仮処分が提起された場合には、適時開示の対象となり（上場規程402条2号e、上場規程施行規則402条3号a)、社会的にも注目される。しかも、株主ではなく監査役が差止仮処分を提起したとなれば、取締役が違法行為を行っている可能性が高いとして、株主・市場関係者のみならず、マスコミ等を含めて社会的に非常に大きな注目を集めることになる。

したがって、違法行為差止請求の要件を満たしているかどうかについては、弁護士等の助言を受けながら慎重に検討するべきであり、その上で要件を満たしていると判断された場合には、差止請求するべきということになる。

4　株主提案を受領した場面における監査役の対応

(1)　総説

株主には、株主総会において、①一定の事項を株主総会の目的とすることを請求する権利（議題提案権。法303条）、②株主総会の目的事項につき議案を提出する権利（議案提案権。法304条）、③株主総会の目的事項につき当該株主が提案しようとする議案の要領を各株主に通知することを請求する権利（議案の通知請求権。法305条）が認められている。

②は、すでに株主総会の目的とされている事項について、株主総会の議場で会社提案とは別の議案を提出できる権利であり、いわゆる「修正動議」である。これに対し、①と③は、会社が株主総会の目的（議題）としていない事項について、株主の側から当該事項を株主総会の目的とし、併せて、当該議題に係る株主の提案内容を議案として各株主に対して通知するよう請求できる権利であり、これがいわゆる「株主提案」である。

株主提案の件数は増加傾向にあり、とりわけ、アクティビストといわれる株主からの株主提案が増加している。しかも、相当の賛成数を集める事例や可決に至る事例も増えている。

株主提案に対する会社の対応も監査役監査の対象であることから、株主提案を受けた会社の監査役としては、会社が株主提案に適法・適切に対応しているかどうか確認する必要がある。具体的には、株主総会会日までの会社の一連の対応の適法性の確認であるが、監査役自ら対応が求められる場面もある（株主との面談、総会当日の質問など）。また、株主提案の対応に関する論点は多岐に渡るが、過去の裁判例において判断が分かれたような論点については、監査役としても取締役会の判断の適法性を特に慎重に確認する必要がある。

⑵　株主からの面談要請

株主提案に先立ち、会社は株主から面談が要請される場合がある。面談の相手に監査役が指定されることもある。会社としては、戦略的対応が求められるところであるが、CGコードは、「株主との実際の対話（面談）の対応者については、株主の希望と面談の主な関心事項も踏まえた上で、合理的な範囲で、経営陣幹部、社外取締役を含む取締役または監査役が面談に臨むことを基本とすべきである」（補充原則5-1①）としており、株主の関心事項によっては、監査役も面談に臨むべき場合があるため、監査役としては、かかる面談要請に対して無碍に拒絶するのではなく、要請の趣旨を確認する必要がある。

⑶　株主提案の受領（行使要件の確認）

株主提案はその行使要件を充足する必要があり、会社としては、当該行使要件を備えているかどうかを確認する必要がある。そのため、監査役としても、株主提案の行使要件の充足性を確認することとなる。

過去の裁判例においてその充足の有無について判断が分かれがちな行使要件は、個別株主通知と議案の適法性であり、これらについては監査役として特に慎重な検討が必要となる。

(i)　個別株主通知

株主提案権は、一定の株式保有要件を満たす株主だけが行使できる「少数株主権等」（社債、株式等の振替に関する法律147条4項）に該当する。そのため、株主提案権は、個別株主通知がされた後でなければ、行使することができない（社債、株式等の振替に関する法律154条2項。なお、個別株主通知の有効期間は、個別株主通知がされた後4週間（社債、株式等の振替に関する法律施行令40条）が経過する日までである）。

個別株主通知については、株主による申し出から実際に発行会社に対して通知がされるまでの間に一定のタイムラグがある。振替機関から発行会社に対して個別株主通知がされるのは、全部通知の場合は株主が個別株主通知の申出を行った日の翌営業日から起算して原則として4営業日目、一部通知の場合は2営業日目とされる。

株主提案は、株主総会の日の8週間前までに取締役に対して請求しなければならない（法303条2項、305条1項）。株主提案の行使期限よりも前に個別株主通知の申出を行ったにもかかわらず、実際に振替機関から発行会社に対して個別株主通知がされたのは行使期限よりも後であったという場合に、当該株主提案は適法かどうかが問題となる。

初期の実務では、ひとまず個別株主通知の受付票の提供を受け、個別株主通知の申し出がなされていることを確認した上、権利行使を認めるという対応を想定していた（全国株懇連合会編『全株懇株式実務総覧』（商事法務、2011）61頁）。しかし、かかる対応はあくまで会社側の任意の対応にすぎない。社債等振替法では「〔個別株主〕通知がされた後」と規定されているところである（社債、株式等の振替に関する法律154条2項）。

裁判例（大阪地判平成24年2月8日金判1396号56頁）では、提案株主が口座管理機関である証券会社に対して個別株主通知の申し出をしたのは平成23年4月27日であり、株主提案権の行使期限（5月6日）よりも前であったにもかかわらず、休日・祝日（ゴールデンウィーク）の関係で、振替機関から発行会社に対して個別株主通知がされたのは5月9日であったというケースで、株主提案権は5月6日までに行使される必要があったが、実際に個別株主通知がされたのは5月9日であったから、当該株主提案に係る議題および議案の要領を招集通知に記載しなかったとしても、法令違反があったとはいえないと判示されている。このように、暦の上では株主提案権の行使期限よりも1週間以上も早く個別株主通知の申し出をしたにもかかわらず、会社に個別株主通知がされたのが行使期限を過ぎていたことをもって法令違反に該当しないと判断された事例がある。

それゆえ、株主提案権の行使期限までに会社に個別株主通知が届くよう申し出がなされているか、また、行使期限までに個別株主通知が届いているか否か、株主提案に関わる会社の監査役としては確認する必要がある。

(ii)　議案の適法性

株主の議案提案権（法304条）および議案の通知請求権（法305条）につ

いては、①当該議案が法令もしくは定款に違反する場合には、②実質的に同一の議案につき株主総会において総株主の議決権の10分の1以上の賛成を得られなかった日から3年を経過していない場合のいずれかに該当するときには、提案することができないと定められている（法304条、305条6項）。このような議案が株主から提出された場合、株主総会の目的事項について議案とすることを拒絶できる（提出された議案の拒絶事由）。株主提案に関わる会社の監査役としては、特に、①の株主提案の適法性をチェックする必要がある。議案の適法性について、過去の裁判例で問題となったケースは、解任議案と買収への対応方針（買収防衛策）の廃止議案である。

⒜　解任議案

定時株主総会の終結をもって任期が満了する取締役につき、株主が当該定時株主総会の議案として当該取締役の解任の件を提案できるかどうかについて争われ、議案として取り上げられなかった提案株主が「株主提案権」を侵害されたと主張して損害賠償を求めた裁判例がある。

地裁判決（東京地判平成26年9月30日金判1455号8頁）では、取締役が任期満了により退任する場合と解任決議により終任する場合とでは、法律上も取扱いが異なっており、当該株主総会の終結をもって任期が満了するという理由で、解任決議を行う必要がないとはいえず、解任を求める株主提案を招集通知に記載しなかったことに正当な理由があったとはいえない（提案可。ただし、この点については学説上も対立しており、解任決議不要説にも相当の根拠が存在するため、両説を比較した上で不要説に立った取締役らに過失があったということはできない）と判示された。

これに対し、高裁判決（東京高判平成27年5月19日金判1473号26頁）では、確立した法律解釈や企業法務の取扱いがあるといえず、定時株主総会が終結する短時間後には任期満了により退任する取締役をあえて解任する実益はないことを理由とする消極（提案不可）の解釈にも相応の合理性があると判示されている。

提案株主が、任期満了ではなく解任によって終任させるべきであるという趣旨で解任議案を提案してきた場合、かかる提案を採用しないことによって提案株主から訴えられるリスクがある以上、株主提案として採用するか否か、監査役としては慎重に検討する必要がある。

(b)　買収への対応方針（買収防衛策）の廃止議案

買収への対応方針（事前警告型買収防衛策）の廃止を求める株主提案について、株主総会の議案にしないことができるかどうかが問題となる。

ヨロズ事件（東京高決令和元年5月27日資料版商事法務424号118頁）では、法303条2項、305条1項に照らすと、株主の議案提出権の対象となるのは株主総会の権限の範囲に属する事項に限られるため、買収への対応方針の廃止が株主総会の権限の範囲に属する事項である必要があり、そのことが定款に記載されていなければならないところ、その範囲は厳格に解するのが相当であるなどとして、買収への対応方針の廃止は、定款に定められていないと解し、会社に株主総会で議題として取り上げるよう要求する株主提案権はないと判断した。

買収への対応方針（買収防衛策）の廃止に限らず、会社の定款上の株主総会決議事項として定められているか否かが問題となる事案においては、会社としては、定款上の株主総会決議事項ではないとして株主提案を議案として取り上げない対応が考えられる。しかし、そのような対応を行う会社の監査役としては、株主提案を取り上げないとの判断に至った根拠や事実関係を慎重に確認する必要がある。

なお、別の裁判例（東京地判令和4年5月20日）で、買収防衛策の廃止を求める株主提案を取り上げないことについて監査役が異議はない旨の意見を表明したことについて、監査役の解任が請求された事案もある（結論は棄却）。

(4)　議決権行使促進策としての利益供与の是非

委任状勧誘に際して被勧誘者（一般株主）に対し利益を供与することについて、これを会社が行うことは、株主平等原則（法109条1項）および株主への利益供与の禁止（法120条1項）に違反するため許されない。

この点で問題となるのは、委任状争奪戦の下で書面による議決権行使を促進するための優待制度（議決権行使促進策）を実施することの可否である。

かかる優待制度とは、議決権行使書面を提出した株主に優待品（たとえば、クオカードなど）を送ることである。

かかる優待制度は、書面による議決権行使を促すために株主に優待品を交付することであり、まさに株主の権利の行使に関して財産上の利益を供与することであるため、形式的には株主への利益供与に該当するが、定足数を確保するためなどの目的で社会通念上相当と認められる程度の優待品を交付する場合には正当行為として違法性が阻却されると解され、実務上許容されている。

この点に関して、東京地判平成19年12月6日金判1281号37頁（決議取消肯定）は、株主提案が出されて委任状争奪戦が行われている状況の下、有効に議決権を行使（委任状による行使を含む）した株主1名につきクオカード1枚（500円分）を贈呈する旨の優待制度を実施した事案において、そのような優待を伴う議決権行使の勧誘が、一面において、株主による議決権行使を促すことを目的とするものであったことは否定されないとしても、委任状争奪戦がなされている状況を考慮すると、そのような優待は、会社提案へ賛成する議決権行使の獲得をも目的としたものであると推認することができるとして、かかる優待の実施は法120条1項の禁止する利益供与に該当すると判示した。その結果、会社提案に係る役員選任議案は、決議の方法の法令違反（法831条1項1号）に該当するとしてすべて取り消された。

同判決では、会社は「議決権を行使（委任状による行使を含む）」した全株主にクオカードを贈呈するとしつつも、①「【重要】」とした上で、「是非とも、会社提案にご賛同のうえ、議決権を行使して頂きたくお願い申し上げます。」と記載したこと、クオカードの贈呈の記載と重要事項の記載に、それぞれ下線と傍点を施して、相互の関連を印象付ける記載がされていたこと、②昨年の定時株主総会までは優待制度を実施しておらず、委任状争奪戦が生じた今回の株主総会において初めて行ったこと、③議決権行使比率は例年に比較して約30％増加しており、会社に返送された議決権行使書の中にはクオカードを要求する旨の記載のあるものが存在することから、クオカードの提供が株主による議決権行使に少なからぬ影響を及ぼしたことが窺われると認定している。

他方、東京高決令和2年11月2日金判1607号38頁（決議取消否定）では、クオカードの贈与の表明は、株主総会の招集手続またはその一部として行われたものではないから、これによって、株主総会の招集手続がそれ自体直ちに違法になりうるものとは認められないと判示している。

同判決の事案においては、株主に交付した書面において、太字・下線付きの書体で「あくまでも、今回の株主総会を通じて、より多くの株主様のご意見を〔会社〕の経営に反映させるべく、本株主総会担当事務局への委任状による議決権行使の謝礼として、クオカードを提供させていただくものであるため、株主提案に賛成の場合……はもちろんのこと、反対の場合……や、中立のお立場で棄権を選択される場合……にも、一律2000円分のクオカードを株主様のご住所あてに、後日お贈りいたします」（ただし、後に3000円分に増額した）との記載があった。

このとおり、委任状争奪戦の下で議決権行使促進策の一環としてクオカードの贈呈などの優待制度を実施することについては、一律に不適法とされるものではないが、注意文言の記載ぶりも判断に影響しているようである。クオカードの贈呈と会社提案への賛成行使を関連づけるような記載がある場合に、かかる優待制度の実施が株主に対する利益供与と判断される可能性が高まる。他方、そのような記載はなくとも、一般的にクオカードをもらう以上は贈呈してくれる側（会社）に賛成しようという心理が働くことは容易に推測されるところである。

会社と提案株主の間で委任状争奪戦が行われている株主総会において、議決権行使を促進するための優待制度を実施することの適否は、その態様も含めて監査役としては慎重に検討する必要がある。

⑸　株主総会の運営

ⅰ　代理人弁護士の入場の可否

会社法は、議決権の代理行使を濫用されて適法かつ円滑な総会運営を妨害されることのないよう、会社の側で代理人資格を定めることを認めており（規63条5号）、多くの上場企業においては、議決権行使の代理人資格を株主に限る旨の定款規定が置かれている。

この点に関し、株主ではない弁護士を代理人として議決権行使させることができるかどうか、すなわち、弁護士を代理人とする場合に定款による代理人資格の制限が及ぶかどうかについては、裁判例が分かれている。弁護士には定款による代理人資格の制限規定が及ばない（制限否定）とした裁判例（神戸地尼崎支判平成12年3月28日判タ1028号288頁、札幌高判令和元年7月12日金判1598号30頁、東京地判令和3年11月25日判タ1503号196頁）と、弁護士にも定款による代理人資格の制限規定が及ぶ（制限肯定）とした裁判例（東京地判昭和57年1月26日判時1052号123頁、宮崎地判平成14年4月25日金判1159号43頁、東京高判平成22年11月24日資料版商事法務322号180頁、名古屋地判平成28年9月30日金判1509号38頁）に分かれている。

このとおり判断の分かれているところであるため、定款による代理人資格の制限規定を理由として弁護士の入場を拒絶してよいかどうかについては、監査役としても慎重な検討が必要である。

(ii)　株主からの質問

株主総会当日において、株主から質問が出され、監査役からの答弁を求められる可能性がある。答弁者は議長の裁量事項であるものの、監査役による答弁が相応しい場合もあるため（なお、監査役にも株主総会の説明義務がある。法314条）、事前に想定問答を検討しておく必要がある。

第5章　監査役の責任

※　過去の裁判例では、監査役の責任が問題となったものがほとんどであり、監査等委員・監査委員たる取締役の責任について論じられたものは見当たらない。そのため、本章においては「監査役」の責任として論じるが、ここでの議論は監査等委員・監査委員たる取締役にも当てはまるものである。

1　監査役の責任

(1)　監査役の義務

会社と監査役との関係は、委任に関する規定に従う（法330条）。それゆえ、監査役はその職務を遂行するにあたって、会社に対して善管注意義務を負う（民法644条）。

(2)　監査役の会社に対する責任

監査役は、会社に対し、その任務懈怠によって生じた損害を賠償する責任を負う（法423条1項）。複数の監査役に責任がある場合や、取締役・会計監査人にも責任がある場合、監査役はこれらの者と連帯して損害賠償責任を負う（法430条）。

監査役と会社の関係は委任契約の関係であるから、監査役の会社に対する責任とは、会社との間の委任契約違反、すなわち任務懈怠に基づく責任である。この任務懈怠とは、会社に対する善管注意義務の違反である。それゆえ、取締役の業務執行に法令違反がある場合や取締役の行った経営判断について善管注意義務違反がある場合において、かかる違法を看過した監査役にも、任務懈怠による善管注意義務違反が問われうる。

また、監査役は、業務監査において、内部統制システムの構築・運用状況が相当かどうかを確認することが求められることから（施 129 条１項５号、130 条２項２号、130 条の２第１項２号、131 条１項２号）、内部統制システムの監査も監査役の職務に含まれる。それゆえ、取締役において内部統制システム構築・運用義務違反がある場合においては、かかる違反を看過した監査役にも、任務懈怠による善管注意義務違反が問われうる。

⑶　監査役の第三者に対する責任

監査役がその職務を行うについて悪意または重大な過失があったときは、当該監査役は、これによって第三者に生じた損害を賠償する責任を負う（法 429 条１項）。これは、監査役の会社に対する責任（法 423 条１項）と同じく、任務懈怠がある他の役員との連帯責任となる（法 430 条）。

また、監査役が、監査報告に記載しまたは記録すべき重要な事項についての虚偽の記載または記録をしたときは、その者が当該行為をすることについて注意を怠らなかったことを証明しない限り、第三者に対する損害賠償責任を負うこととされ（法 429 条２項）、任務懈怠の立証責任が監査役の側に転換されている。

⑷　有価証券報告書等の虚偽記載に基づく監査役の責任

有価証券報告書等について虚偽記載がなされた場合、その提出の時における監査役（役員）は、有価証券の取得者に対して損害賠償責任を負う（金商 24 条の４、22 条１項、21 条１項１号）。

また、かかる虚偽記載においては、民法上の不法行為（民法 709 条）、計算書類等の虚偽記載に係る会社法の適用がありうる（法 429 条２項）。さらに、それが監査役の任務懈怠に当たる場合には、会社に対する責任（法 423 条１項）の根拠ともなりうる。

(5)　監査役の会社に対する責任の免除・限定

役員等の会社に対する責任は、総株主の同意があれば免除することができる（法424条、120条5項、462条3項ただし書、464条2項、465条2項）。

また、会社に対する責任（法423条1項）については一部免除も可能である。すなわち、役員等が職務を行うにつき善意かつ無重過失である場合、①株主総会の特別決議による方法（法425条）、②定款の定めに基づき取締役会決議による方法（法426条）、③定款の定めに基づく責任限定契約を締結する方法（法427条）により、それぞれの方法において定められた額を責任の上限とする賠償額の一部免除が可能である。

(6)　監査役の責任を追及する訴訟

会社が原告となって監査役の責任を追及する訴訟においては、監査役が会社を代表する権利（法386条1項1号）は及ばず、原則どおり取締役が会社を代表する。

会社が原告となって取締役または取締役であった者の責任を追及する訴えに係る訴訟において和解をする場合、監査役全員の同意が必要である（法849条の2）。しかし、これは監査役の責任を追及する訴えに係る訴訟における和解には適用されない（竹林俊憲編『一問一答　令和元年改正会社法』（商事法務、2020）231頁）。

株主代表訴訟における訴訟上の和解において、会社が和解の当事者となっていない場合は、裁判所は会社に対して和解の内容を通知し、その和解に異議があるときは2週間以内に異議を述べるべき旨を催告し（法850条2項）、会社がその期間内に書面で異議を述べなかったときは、通知した内容で株主が和解することを承認したものとみなされ、取締役の責任免除にあたって総株主の同意が不要である（法850条3項）。

会社が補助参加人や利害関係人として和解に参加する場合において、誰が会社を代表するかが問題となるが、訴えの提起について判断する権限を有する者が和解をすべきかどうかを判断し、訴えにおいて会社を代表する者が和解の際に会社を代表すると解するのが適当と考えられる（会社法コンメ⑲594～595頁〔伊藤靖史〕。反対説あり）。

2 監査役の責任に関する裁判例（総説）

監査役の法的責任が問われた近時の裁判例を分析すると、監査役がその職務の遂行にあたって留意しておくべき重要な教訓が含まれていることがわかる。

役員責任に関する裁判では、かつては経営トップや業務執行取締役の責任が中心に論じられ、監査役の責任についてはほとんど争点となっていないものも見受けられたが、近年では監査役の責任が大きく論じられているものも増えている。特に、会計不祥事の増加を背景に金融商品取引法に基づく責任追及事案も増えており、これらの裁判例の中には、監査役の義務・責任をやや意外なほどに重く捉えるものも見受けられるところである。

本章では、監査役の責任について論じられた近時の裁判例を紹介し、監査役が心得ておくべき教訓について解説する。

3 業務監査に関する責任

⑴ 取締役会における意見・助言

監査役は、取締役会に出席し、必要があると認めるときは、意見を述べなければならない（法383条１項）。この取締役会への出席義務は、取締役会における業務執行状況報告を通じて情報収集するというだけでなく、取締役会の場で直接取締役の不正・違法行為がないかどうかを監視するという意義を有する。したがって、取締役会における審議を通じて取締役の違法・不正行為を認識した場合には、それを防ぐために意見を述べ、助言・勧告するなどの行動が期待されている。

そこで、以下では、意見・助言等を述べなかったことについて監査役の責任が問われた事案をまず紹介する。

(i) 不祥事の公表義務の違反に対する監査義務

[教訓] 企業の社会的責任に関わる不祥事の場合、法令や取引所規則上求められていない場合であっても、取締役等には不祥事を任意に公表する義務があるとされる可能性があり、当該不祥事を認識した監査役も、当該義務違反の有無を監査する義務が生じる。

企業不祥事が発生した場合、取締役は当該不祥事の発生について善管注意義務違反が問われうるが、それに加えて、当該不祥事の事後処理に係る判断についても善管注意義務違反の有無が問題となる。

不祥事については、未然の防止だけでなく事後の対応が重要であり、事後処理が拙劣であったために会社の損害が拡大したという事案は枚挙にいとまがない。そのような場合、事後処理の判断を誤った取締役は善管注意義務違反となりうるが、監査役についても、取締役の任務懈怠に対する監査を怠ったとして、業務監査における善管注意義務違反が問われることがある。不祥事の事後対応として当該不祥事の公表をしないという対応がとられた事案において、監査役の責任が肯定された裁判例がある。

ダスキン事件（大阪高判平成18年6月9日判時1979号115頁）は、株式会社ダスキンが、その経営するミスタードーナツで、食品衛生法上日本国内で使用が認可されていない添加物の入った肉まんの販売を故意に継続するという食品衛生法違反行為を行い、そのことを指摘した業者に6300万円もの「口止め料」を支払い、当時の代表取締役により隠ぺいがなされたという事案である。

同事件の判決は、食品衛生法違反の違法行為に直接関与していない担当外の取締役および監査役についても責任を認めた。その理由として、取締役が種々の問題事実を認識してもなお当該事実を「自ら積極的には公表しない」との方針決定をしたこと（明示的な決議がなされたわけではないが、当然の前提として了解されていたこと）が、経営判断というに値しない不合理なものであるとして、取締役の善管注意義務違反を認め、かかる方策の検討に参加しながら、取締役の当該任務懈怠に対する監査を怠ったとして、監査役にも善管注意義務違反を認めたものである。この判決は、最高裁でも支持された（最決平成20年2月12日判例集未登載）。

同判決は、不祥事が生じた際の危機対応として、添加物混入や販売継続の事実がマスコミに流される危険を十分認識しながら、それには目をつぶって、あえて、「自ら積極的には公表しない」というあいまいな対応を決めたことについて、「それは、本件混入や販売継続及び隠ぺいのような重大な問題を起こしてしまった食品販売会社の消費者及びマスコミへの危機対応として、到底合理的なものとはいえない」と判示した。

このとおり、同判決は、不祥事の不公表に関して極めて厳しい態度を示している。不祥事が発生した場合に、当該不祥事を公表すべきか、公表するとしてどのタイミングで公表すべきかという点は、実際には極めて悩ましいケースも多々存在するが、特に消費者の健康に関わる重大な不祥事のような場合には、法令や取引所規則上求められていなくても、当該不祥事の任意の公表義務が認められる可能性がある。したがって、かかる不祥事を認識した監査役としては、このような公表義務がありうることを念頭において監査の遂行にあたる必要がある。

昨今、特に上場会社の場合には、不祥事を任意に公表することが多方面から求められている状況にある。たとえば、日本取引所自主規制法人「上場会社における不祥事対応のプリンシプル」（平成28年2月24日）において、上場会社は、「不祥事に関する情報開示は、その必要に即し、把握の段階から再発防止策実施の段階に至るまで迅速かつ的確に行う。この際、経緯や事案の内容、会社の見解等を丁寧に説明するなど、透明性の確保に努める」ことが求められているところである。

インターネットが普及し、個人の発信力が飛躍的に高まり、情報が全世界に即時に共有されうる現代にあっては、不祥事を隠匿すること自体がそもそも困難である。そのような状況において、不祥事の積極的な開示を行わないという選択をした場合、元々の不祥事だけでなく、当該不祥事を公表しないという判断自体も「隠ぺい体質」などと問題視されることになる。

そのため、監査役としても、取締役会が不祥事の非公表という決定を選択しようとしている場合、そのような決定の適法性の有無について、慎重に検討・対応することが求められる。不祥事が発生した場合、代表取締役ら経営陣は、たとえ自らが当該不祥事に関与していなくても、責任を追及されうる立場にあり、なるべく不祥事を公表したくないという消極姿勢に傾きがちである。業務執行から離れた立場の監査役としては、経営陣が情報開示に消極的となりがちであるというリスクも念頭においた上、適時適切な情報開示を行っているかどうかを監視しておく必要がある。

(ii) 内部統制システム構築の助言・勧告義務

［教訓］監査役は、自社の制定した監査基準に従い、必要に応じて、取締役（会）に対し内部統制システムの改善を助言または勧告しなければならない。

監査役は、取締役が不正の行為をし、あるいは法令・定款違反もしくは著しく不当な事実がある場合には、その旨を取締役会に報告する義務（法382条）がある。また、監査等委員・監査委員は取締役であるから当然として、監査役も取締役会に出席し、必要があると認めるときは意見を述べる義務がある（法383条1項）。

しかし、このような業務執行の決定についての意見陳述等にとどまらず、監査役には、取締役会に対して、①内部統制システムを構築するよう助言または勧告すべき義務、②代表取締役の解職の助言または勧告を行う義務があると判示した裁判例がある。

セイクレスト事件（大阪高判平成27年5月21日判時2279号96頁）は、第三者への貸付け、評価額の水増しによる現物出資、約束手形の振出しの濫発等による先行的な任務懈怠行為を繰り返してきた株式会社セイクレストの代表取締役が、募集株式の発行により調達した資金を取締役会で承認された使途と異なる資金使途に用いたことに関して、社外監査役の任務懈怠責任が追及された事案である。

セイクレストは、日本監査役協会の「監査役監査基準」に準拠した監査役監査規程を有しており、同規程には「必要があると認めたときは、取締役又は取締役会に対し内部統制システムの改善を助言又は勧告しなければならない」などといった規定があった。

同事件の判決は、監査役（公認会計士、社外・非常勤監査役）が、不当な資金流出を防止するためのリスク管理体制を構築するよう勧告する義務、代表取締役の解職と取締役の解任決議を目的事項とする臨時株主総会を招集することを勧告する義務に違反したとして、監査役の任務懈怠を認定しつつも、責任限定契約の適用除外要件である重過失（法429条１項）までは認められないとして責任限定契約を適用し、監査役報酬の２年分の損害賠償を命じた。

同判決では、「控訴人〔監査役〕が……公認会計士であり、……平成22年度の監査役の監査業務の職務分担上、経営管理本部管掌業務を担当することとされていたことに加えて、取締役会への出席を通じて、甲野〔代表取締役〕による一連の任務懈怠行為の内容を熟知していたことをも併せ考えると、控訴人には、監査役の職務として、本件監査役監査規程に基づき、取締役会に対し、破産会社〔セイクレスト〕の資金を、定められた使途に反して合理的な理由なく不当に流出させるといった行為に対処するための内部統制システムを構築するよう助言又は勧告すべき義務があったということができる」と判示するとともに、「甲野の一連の行為は、甲野が破産会社の代表取締役として不適格であることを示すものであることは明らかであるから、監査役として取締役の職務の執行を監査すべき立場にある控訴人としては、破産会社の取締役ら又は取締役会に対し、甲野を代表取締役から解職すべきである旨を助言又は勧告すべきであったということができる」と判示した。

監査役の職務は「監査」であり、取締役が不正行為をし、あるいはそのおそれがあると認めるとき、法令・定款違反もしくは著しく不当な事実があると認めるときは、取締役会に報告する義務を負っている（法382条）。しかし、本判決は、監査役には、そのような取締役会への報告・指摘のみならず、一定の助言・勧告（監査役監査基準２条３項参照）も求められると判示した。このような判断にあたっては、セイクレストの監査役監査規程の内容が１つの重要な論拠となっている。

セイクレストの監査役監査規程には、「監査役は、内部統制システムに関する監査の結果について、適宜取締役又は取締役会に報告し、必要があると認めたときは、取締役又は取締役会に対し内部統制システムの改善を助言又は勧告しなければならない」という規定があり、これは日本監査役協会の「監査役監査基準」に準拠したものだった。また、「〔取締役の意思決定における善管注意義務、忠実義務等の法的義務の履行状況を、監視し検証することに関して必要があると認めたときは〕監査役は、取締役に対し助言若しくは勧告をし、又は差止めの請求を行わなければならない」という規定もあった。そして、監査役は、自社の監査役監査基準に従って監査を遂行する一定の義務を負うと理解されており、そのことは、「監査役監査基準」の前文に明記されている（日本監査役協会「監査役監査基準の改定について」（平成23年3月10日）Ⅲ参照）。

このとおり、監査役は、その職務の遂行に当たり、自社の監査役監査規程を遵守する必要があることを再認識すべきである。

なお、同判決においては、セイクレストの監査役において違法行為差止め（法385条）の仮処分の申立てをする義務もあるとしながらも、その違反は否定された。もっとも、その理由については、「控訴人〔監査役〕が、内部統制システムの構築について助言又は勧告したり、甲野〔代表取締役〕の代表取締役からの解職について助言又は勧告することによって、かなりの程度効果をあげることができたと考えられるから、控訴人が、上記のような仮処分命令の申立てを行わなかったことが、控訴人の義務違反となるとまでいうことはできない」としており、監査役の他の職務の遂行によっても取締役の違法行為等の抑止に効果を上げることができない場合は、違法行為差止仮処分命令の申立てを行わなかったことが監査役の義務違反と判断される可能性も否定できない。

監査役には、違法行為差止請求権を含め、違法性監査のためのさまざまな権限が付与されているが、権限がある以上、それを行使すべき場面で行使しなかったことが義務違反であるとして訴えられるリスクがあることに留意しておく必要がある。

(iii)　元取締役であった時期における行為

［教訓］監査役は、取締役の不正行為を認識した場合、それを阻止するため、取締役会や監査役会にその旨報告するなどの措置を採る義務があるが、元

取締役であった時期における行為も、義務違反の有無の判断材料となる。

監査役は、取締役が不正行為をし、または不正行為をするおそれがあるときは、遅滞なく取締役会に報告しなければならない義務（法382条）等を負い、かかる義務を懈怠すれば、善管注意義務（法330条、民法644条）の違反を問われうる。この場合、当該監査役が元取締役であった時期における行為も、義務違反の有無の判断材料となる。

オリンパス事件（東京高判令和元年5月16日判時2459号17頁）は、上場会社が巨額の金融資産の損失の計上を避けるために、ファンドに当該金融資産を簿価で買い取らせるなどして損失を分離するスキームを構築・維持したことについて、様々な類型の責任原因に基づき、元取締役等に対し、会社法423条1項に基づき損害賠償を請求した事案であるが、元代表取締役等から違法行為の疑惑を指摘されたにもかかわらず、虚偽の説明をして損失隠しを隠蔽しようとしたため会社の信用を失墜させたという信用毀損に係る責任原因について、監査役にも善管注意義務違反が認定された裁判例である。同判決では、損害の額の立証は極めて困難であるとして民事訴訟法248条を適用し、会社が主張した1000万円を損害額とした。

本判決の事案における監査役は、平成15年6月から平成23年6月まで取締役に、平成23年6月から平成23年11月まで監査役に就任していたが、取締役であった時期に損失分離スキームを構築・維持するための具体的な手法を策定・実施するなどの実務作業を担っており、その後に損失分離スキームの解消を目的として買収を行ったことや他の取締役らが事実に反して疑念は存在しないとの応対をしていたことも認識していた。また、監査役就任後も、元代表取締役からの追及による損失分離スキームの発覚を防ぐことを主たる目的として、同人を解職する旨の議案が取締役会（平成23年10月14日）に提案されたことを認識し、当該解職に異論を述べなかった。このような事実関係のもと、当該監査役は、取締役の行為を阻止するため、取締役会や監査役会にその旨報告するなどの措置を採る義務（法382条）を負い、当該措置を採らなかったとして、会社に対する善管注意義務違反と判断された。

このように、監査役の善管注意義務違反の判断に当たって、当該監査役が元取締役であった時期における事実関係も、監査役の善管注意義務違反の有無の判断に影響を与える。

(2) 内部統制システム構築・運用に対する監査

［教訓］監査役は、役職員の違法行為・不正行為を防止する内部統制システムを取締役が適切に構築・運用しているか否かについて、監査義務がある。

会社法は、取締役会設置の大会社においては、健全な会社経営を行うため、取締役会において、「取締役の職務の執行が法令及び定款に適合することを確保するための体制その他株式会社の業務並びに当該株式会社及びその子会社から成る企業集団の業務の適正を確保するために必要なものとして法務省令で定める体制」（いわゆる内部統制システム）の整備について決議しなければならないと定めている（法362条4項6号・5項)。そして、監査役は、業務監査の一環として、当該内部統制システムの決議の内容および運用状況が相当かどうかについて監査し、意見があれば監査報告に記載しなければならない（施129条1項5号、130条2項2号、130条の2第1項2号、131条1項2号)。

したがって、取締役会において内部統制システムの整備に関する決定をしていなかった場合あるいは決定内容や運用状況が不相当である場合には、これらを看過した監査役には、監査義務違反が問われる可能性がある。

大和銀行事件（大阪地判平成12年9月20日判時1721号3頁）は、取締役の内部統制システム構築義務の存在について判示したリーディングケースである。同事件は、株式会社大和銀行ニューヨーク支店の行員が無断で簿外取引を行って損失を出したことについて、ニューヨーク支店担当の取締役等に任務懈怠を認めるとともに、当該行員の不正行為を直ちに米国連邦司法省に通知しなかったことなどによって司法取引により罰金を支払ったことについて、代表取締役に任務懈怠を認めた事案である。

同事件の判決では、大和銀行が直面しうるリスク管理について、「健全な会社経営を行うためには、目的とする事業の種類、性質等に応じて生じる各種のリスク、例えば、信用リスク、市場リスク、流動性リスク、事務リスク、システムリスク等の状況を正確に把握し、適切に制御すること、すなわちリスク管理が欠かせず、会社が営む事業の規模、特性等に応じたリスク管理体制（いわゆる内部統制システム）を整備することを要する」としたうえで、リスク管理体制について、「取締役は、取締役会の構成員として、また、代表取締役又は業務担当取締役として、リスク管理体制を構築すべき義務を負い、さらに、代表取締役及び業務担当取締役がリスク管理体制を構築すべき義務を履行しているか否かを監視する義務を負うのであり、これもまた、取締役としての善管注意義務及び忠実義務の内容をなす」と判示した。また、コンプライアンス体制についても、「取締役は、従業員が職務を遂行する際違法な行為に及ぶことを未然に防止するための法令遵守体制を確立するべき義務があり、これもまた、取締役の善管注意義務及び忠実義務の内容をなすものと言うべきである。この意味において、事務リスクの管理体制の整備は、同時に法令遵守体制の整備を意味することになる」と判示した。

同判決においては、「ニューヨーク支店における財務省証券取引及びカストディ業務に関するリスク管理体制は、当法廷に提出された証拠上は、大綱のみならずその具体的な仕組みについても、整備されていなかったとまではいえない」として、内部統制システム構築義務違反はないと判示した。

そのような前提のもとで、同判決は、財務省証券の保管残高の検査方法（リスク管理体制）が不適切だったこと（内部統制システム運用義務違反）に関する監査役の法的責任の有無について、「監査役は、取締役の職務の執行を監査する職務を負うのであり、検査部及びニューヨーク支店を担当する取締役が適切な検査方法をとっているかについても監査の対象」であるとした上で、「常勤監査役は、取締役会、経営会議、定例役員会及び海外拠点長会議等に出席するほか、海外拠点長会議の際はニューヨーク支店長に対するヒアリングを行い、また、検査部の臨店検査の検査報告書、会計監査人の監査結果報告書を閲覧し、さらには、会計監査人の監査結果の報告、大蔵省（検査）及び日本銀行（考査）による検査の講評及び報告を受けるなど十分な監査を行っていたにもかかわらず、財務省証券の保管残高の確認方法の問題点を発見することができなかったのであるから、ニューヨーク支店に往査し、会計監査人の監査に立ち会った監査役を除く他の監査役には、常勤非常勤を問わず、また社外であるか否かを問わず、同支店における財務省証券の保管残高の確認方法の問題点を知り得なかったものと認められ、財務省証券の保管残高の確認方法の不備につき責を負わない」が、ニューヨーク支店に往査した監査役については、「会計監査人による財務省証券の保管残高の確認方法が不適切であることを知り得たものであり、これを是正しなかったため、〔不正行為〕を未然に防止することができなかったものである」と判示した。

このとおり、本判決は、往査した監査役については、内部統制システムの運用の不備に対する監査に係る任務懈怠責任を肯定し（ただし、任務懈怠と因果関係のある損害額が特定できないとして、損害賠償責任は否定された）、往査しなかった監査役については任務懈怠責任を否定したということになる。そのため、本判決が出された当時は、往査によって保管残高の確認方法の問題点を知りえたと判示する点に批判的評価が多かった。特に、監査役としては、会計監査人による監査への立会いによる往査といっても、会計監査人の監査項目は多岐にわたるのが通常であるし、その監査に短時間立ち会ったに過ぎなかったからである。

しかし、企業活動のグローバル化の進展と世界経済の動向の変化などに伴う経営環境やリスクの変容に応じて、監査役の海外事業監査のあり方が見直され、日本監査役協会の実務指針である「監査役の海外監査について」および「海外監査チェックリスト」（平成24年7月12日）には、監査役の海外監査における留意事項が詳細かつ具体的に示されており、往査のレベルは高まっている。本判決からは、監査役に求められる現在の実務において一般的なレベルで不備のない海外往査をする必要があることを教訓とすべきである。

また、往査を行わなければ責任を負わなくて済むというものでもない。先程紹介した監査実務によれば、海外事業に対する監査においても綿密な往査が求められるようになっており、これを行わないこと自体が、監査義務違反を問われかねないであろう。

もっとも、大和銀行事件では、往査した監査役は財務省証券の保管残高の検査方法が不適切だったことを知り得たとして責任が認められたが、監査役が細かな検査方法の是非までいろいろ確認しなければならないとするのは現実的ではない。

ヤクルト事件（東京高判平成20年5月21日判タ1281号274頁）では、「監査役は、……取締役の職務執行の状況について監査すべき権限を有することから、上記リスク管理体制の構築及びこれに基づく監視の状況について監査すべき義務を負っていると解されるが、……監査役自らが、個別取引の詳細を一から精査することまでは求められておらず、下部組織等（資金運用チーム・監査室等）が適正に職務を遂行していることを前提として、そこから挙がってくる報告等を前提に調査、確認すれば、その注意義務を尽くしたことになるというべきである」と判示し、内部統制システムの構築・運営に係る取締役の職務執行に対する監査義務に言及するとともに、かかる監査においては、監査役には信頼の権利（信頼の原則）が認められている。

現実問題として、企業の業務内容が国内のみならず海外にまで拡大している中、いかに監査役が実査を原則としていたとしても、個々の取引の帳票類まで確認・精査することは不可能であり、適正な内部統制システムが構築されていることを前提として、定められたルールどおりに職務が遂行されているかどうかをモニタリングするという手法を採用していかなければ、企業グループ全体の業務監査を行うことはできない。監査役の立場としては、内部統制システムが適切に構築・運用されているかどうかを監査することは、監査報告において相当性についての意見を求められているからというだけでなく、監査役の本来的な職務である業務監査を企業グループ全体にわたり適切に実施するためにも、必要不可欠であるといえる。

4　会計監査・開示書類に関する責任

(1)　会計監査において不正の兆候があった場合の監査

［教訓］監査役は、会計不正の兆候があれば、会計監査人による監査結果に関わらず、自ら積極的な監査を行うべきである。

有価証券報告書等の重要な事項について虚偽記載等がある場合、その提出会社の提出時役員（監査役を含む）は、有価証券取得者に対し、虚偽記載等により生じた損害の賠償義務があるが（金商22条、24条の4、24条の4の6、24条の4の7第4項）、「記載が虚偽であり又は欠けていることを知らず、かつ、相当な注意を用いたにもかかわらず知ることができなかったこと」（金商21条2項1号）を証明すれば、役員は賠償責任を免れる。そのため、どのような場合に「相当な注意」を用いたといえるかが問題となる。

会社法に基づく会計監査の場合、専門家である会計監査人がまずは監査を行い、監査役としては、①会計監査人の監査の方法と結果が相当であるか、②会計監査人の職務の遂行が適正に実施されることを確保するための体制が整備されているかどうかを監査する（計127条4号、128条2項2号、128条の2第1項2号、129条1項2号）。そのため、会計の専門家である会計監査人から無限定適正意見が出されているのであれば、監査役としても「相当な注意」を用いたとしても知ることができなかったと主張したいところである。

しかし、監査役は、会計監査人の会計監査に全面的に依拠してよいわけではない。監査役は、不正の兆候があれば、会計監査人との連携をしつつも、調査権等の行使などの権限を駆使して、より積極的に監査を行うべきである（監査役監査基準47条5項）。

ライブドア事件（東京地判平成21年5月21日判タ1306号124頁）は、東京証券取引所のマザーズ市場に上場されていた株式会社LDH（ライブドア）が、その子会社が株式の売却によって得た利益を売上高に含める等の内容を記載し、有価証券報告書の重要な事項について虚偽記載を行い、そのため、原告株主が、不法行為、旧商法266条ノ3または金商法の規定に基づき、ライブドアに対して損害賠償を求めた事案である。

同事件の判決では、有価証券報告書の提出時の監査役は、「(監査法人において）売上げが架空でないかという疑いをもっていることを認識していたのであるから、業務一般の監査権を持ち、会社に対して善管注意義務及び忠実義務を負う監査役として（旧商法280条1項、254条3項、民法644条、旧商法254条ノ3)、〔監査法人〕に対し、なぜ被告ライブドアの連結財務諸表に無限定適正意見を示すに至ったのかについて具体的に報告を求め（旧商法特例法8条2項参照)、被告ライブドアの取締役や執行役員に対し、なぜ架空との疑念が持たれるほどの多額の売上げを期末に計上するに至ったのかについて報告を求める（旧商法274条2項参照）などして、被告ライブドアの会計処理の適正を確認する義務があったものというべきである。そうだとすると、このような措置を何ら行わなかった〔監査役〕は、「相当の注意を用いた」（旧証取法21条2項1号）とは認められない」として、監査役に対して、有価証券報告書の虚偽記載につき、旧証取法24条の4、22条の責任があるとした。

このように、監査役は、会計監査人において売上が架空ではないかという疑いを持っていることを認識していた以上、会計監査人や取締役等に対して具体的に説明を求めることによって、会計処理の適正を確認する義務があるのであり、そのような措置を行っていない場合は「相当な注意を用いた」とは認められないということである。

監査役と会計監査人の連携においては、会計処理に関する議論を行うことも想定されるため、監査役の側でも財務・会計に係る十分な知見が必要である。CGコード原則4-11（取締役会・監査役会の実効性確保のための前提条件）においても、「監査役には、適切な経験・能力及び必要な財務・会計・法務に関する知識を有する者が選任されるべきであり、特に、財務・会計に関する十分な知見を有している者が1名以上選任されるべきである」と記載されているところである。ライブドアの監査役は、弁護士2名と元警察官1名であり、財務・会計の専門知識を有する監査役はいなかった。仮にそのような財務・会計にたけた監査役がいれば、会計の専門知識を有する外部専門家として、会計監査人の本音や苦悩をあぶり出し、執行サイドに対して説明や報告を求めるなどの対応を行うことができ、また、会計監査人と協働しながら、ライブドアの会計処理の適正を確認することができた可能性がある。

エフオーアイ事件（東京地判平成28年12月20日判タ1442号136頁）は、株式会社エフオーアイが、売上の97%以上に及ぶ架空の売上げを計上して粉飾決算を行い、虚偽記載のある有価証券届出書を提出して東京証券取引所のマザーズ市場への上場を行ったが、粉飾決算の事実が明らかになって上場廃止となり、原告株主らが金商法等に基づく損害賠償を求めた事案である。

同事件の判決では、監査役らが、「相当な注意」を用いたにもかかわらず本件有価証券届出書の虚偽記載を知ることができなかったと認められるかどうか（金商21条2項1号）について、「監査役らは、エフオーアイの会計監査の信頼性については、一応の監査を行っていたものと認めることができる」が、総売上げの97%以上に上る115億円余りもの架空売上げの計上という違法行為は、本来監査役の業務監査によって是正されるべきものであるとした上で、常勤監査役は「売上げのうちに架空のものがあることを認識していたというのであり、その後、エフオーアイの売上げが急増したにもかかわらず売掛金の回収が進まない状況において、架空の売上げが計上されている可能性について疑問を抱き、売上げの実在性について独自の調査を行うなどの対応を執ることは十分に可能であったというべきであるが、〔常勤監査役〕が、会計監査人の報告を受ける以外にかかる観点から何らかの調査を行ったことをうかがわせる証拠はない。また、……常勤監査役であったにもかかわらず週に2日程度しか出勤しておらず、エフオーアイにおいてほぼ毎週開催されていた戦略会議にも出席していなかったのみならず、対外的には戦略会議に毎回出席していたかのように装い、議事録にかかる虚偽の記載がされていることを認識しながら放置していたというのであるから（なお、〔常勤監査役〕は、……毎日出勤し、戦略会議にも出席している旨虚偽の回答をしている。）、取締役の業務執行に対する日常の業務監査が十分であったとはいい難い」と述べている。

さらに、「〔非常勤の社外監査役〕は、上記のような〔常勤監査役〕の職務執行状況を認識していたか、容易に認識し得たと考えられるのに、これを是正するための何らかの対応を執った形跡がないところ、非常勤監査役においても、常勤監査役の職務執行の適正さに疑念を生ずべき事情があるときは、これを是正するための措置を執る義務があるというべきであるから、〔非常勤の社外監査役〕の監査役としての職務の遂行が十分なものであったとはいい難い」と述べ、監査役らが「相当な注意」を用いて監査を行っていたとは認められないと判断した。すなわち、常勤監査役については、取締役の業務執行に対する日常の業務監査が十分であったとは言い難く、相当な注意を用いたとは認められないとし、非常勤監査役についても、常勤監査役の職務執行状況を是正するための何らかの対応を採った形跡がないため、相当な注意を用いたとは認められないと判断した。

上記判決に対し、非常勤監査役が控訴したものの、当該控訴審において「(非常勤の監査役は) 非常勤監査役として、常勤監査役の職務執行の適正さに疑念を生ずべき事情があるときは、これを是正するための措置を執る義務があり、また、独任制の機関として各自が単独で取締役の業務執行の適法性の監査を遂行するにつき善管注意義務を負っているところ、実際には極端に実態と乖離していたエフオーアイの取締役の事業遂行の報告について、業務監査の視点から取締役ら及び会計監査人の報告をどのように分析検討し、監査役の調査権限 (会社法381条2項) の行使の是非についてどのように判断したのか具体的に明らかにしていない」として、控訴棄却の判決が出されている (東京高判平成30年3月23日判時2401号32頁)。

監査役は、財務・会計の能力に関わりなく、違法・不正の兆候を発見するために日頃から職務分担や能力に応じた監査を尽くすことが必要であり、適切な業務監査を行っていれば会計不正の兆候を認識できたのに、それを行わなかった場合は、業務監査に係る義務違反を問われるということである。

(2)　金商法上の開示書類に対する監査

［教訓］監査役は、金商法上の開示書類に虚偽記載等がないかどうかを監視・監査する義務を負う。

金商法に基づき作成を求められる有価証券報告書、内部統制報告書等については、監査人による監査（金商193条の3）を受ける必要はあるが、監査役による監査を受ける必要はない。

しかし、金商法では、有価証券報告書等の重要な事項について虚偽記載等がある場合、会社役員の側で「記載が虚偽であり又は欠けていることを知らず、かつ、相当な注意を用いたにもかかわらず知ることができなかったこと」を立証しない限り、損害賠償責任を負うとされている（金商21条2項1号）。

有価証券報告書等の虚偽記載としては、財務諸表の数字が誤っていたことが争われるケースが多い。監査役は会計監査を職務とするため、「相当な注意」を尽くしていたのかどうかについて、他の取締役（財務諸表の作成等を担当しない取締役）よりも厳しく追及される可能性があることに留意しておく必要がある。

アーバンコーポレイション事件（東京地判平成24年6月22日金判1397号30頁）は、株式会社アーバンコーポレイションが、BNPパリバに対して、転換社債型新株予約権付社債を発行する際、実際には、当該発行に併せてBNPパリバとの間にスワップ契約を締結することによる不確実性の高い資金調達の仕組みを採用していたにもかかわらず、臨時報告書等にスワップ契約を締結したことを記載せず、新株予約権付社債の発行によって一括で全額の資金調達が実施可能と投資者が誤認するような内容の開示を行ったとして、アーバンの株式を取得した原告が、同社の取締役または監査役であった者に対し、金商法24条の4、22条に基づき、損害賠償を求めた事案である。

同事件の判決では、取締役会に上程された議案全体を通してみると、上記スワップ契約を含む取引を行うべきかどうかが取締役会の議題であったということができるところ、当該取締役会に参加できなかった監査役については、「株式会社の監査役が会社の業務執行の適法性について監査権限を有するとしても、……本件取引に関与していなかった役員が本件取引の存在を知り、その上で、臨時報告書等に虚偽記載等がされるのではないかと疑問を持つことは、相当な注意を払ったとしても困難であったといえるし、招集通知を受けてから本件取締役会開催までの間に、独自に本件取引についての情報を収集して、本件臨時報告書の作成に係るアーバン社の業務執行について監査するというのは現実には困難であったというべきである」とした上で、「定時株主総会のリハーサルに出席するために、……東京で開催された本件取締役会に出席することはできなかった」から、欠席したことについて任務懈怠を認めることもできないとして、臨時報告書等に記載すべき重要な事項等の記載が欠けていることについて、「相当な注意」を用いても知ることができなかったと判示し、任務懈怠責任を否定した。

その一方で、当該取締役会に出席した会社役員（監査役を含む）については取締役会の場で初めてスワップ契約の内容を具体的に知った者についても、「取締役は、取締役会を通じて、会社の業務執行全般を監視する職務を負っているものであるから、取締役会の付議事項及びこれと密接に関連し会社関係者の重要な利害に係る事項については、広く監視義務を負うと解するのが相当である。これを本件についてみると、本件取締役会では、……本件取引を行うべきかどうかが本件取締役会の議題であったということができる。そして、本件臨時報告書の資金使途の項に本件スワップ契約の締結を含めて本件取引の概要を記載するかどうかは、付議事項である本件取引の実行と密接に関連する事項である上、アーバン社の利害関係人が投融資等に関する合理的な判断を行うに当たって影響を与える重要な情報であったことは前示のとおりであるから、取締役会出席役員としては、本件臨時報告書の資金使途の記載が適正に行われているかどうかについて、取締役会での審議を通じて、監視を行うべき立場にあった」として、取締役会出席役員について「相当な注意」を用いたものということはできないと判示し、任務懈怠責任を肯定した。

本件においては、取締役会の場で初めて有価証券報告書の内容を確認した監査役についても責任を認めており、有価証券報告書の分量等を考えると、非常に厳しい判断であったとも考えられる。ただし、当時のアーバンは財政的な危機に陥っていたが、そのような状況で、上記スワップ取引のような通例的でない取引が取締役会の議題として上程されたのであれば、有価証券報告書においてそれが適切に開示されているかについても注意を払うべきであったとされたものと解される。

同判決は、取締役会に出席した役員に責任を肯定し、欠席した役員については責任を否定したことになる。

しかし、監査役としての責任を免れるためには難しい議題が上程される取締役会を欠席すればよいなどという安易な理解をしてはならないことは自明である。

監査役は、取締役会へ出席し、必要があると認めるときは意見を述べる義務を負っている（法383条1項）。かかる義務は、取締役会に出席することによって取締役の業務執行の状況に関する情報を収集するとともに、取締役の職務執行を監査するためである。したがって、会社にとって重要な議題が上程されている取締役会を理由もなく欠席することは、それだけでも監査役としての職務を適切に遂行していないと判断される可能性がある。

まして、会社にとって極めて重要かつ経営判断の困難な議題が上程されることがわかっていながら、当該取締役会をあえて欠席するなどという行動は、監査役としての善管注意義務違反に該当する可能性が高いことに留意すべきである。

5　海外事業・子会社の監査に関する責任

(1)　海外事業の監査

［教訓］取締役の法令遵守義務は外国法令も対象となるから、監査役の監査業務の実施に当たっても、外国法令の遵守の有無について監査すべきである。

取締役の職務執行において法令を遵守することは、取締役の会社に対する義務であり（法355条）、法令遵守義務の違反は任務懈怠となる（最判平成12年7月7日民集54巻6号1767頁）。この点は、海外事業においても同様である。

大和銀行事件（大阪地判平成12年9月20日判時1721号3頁）は、「取締役は、会社経営を行うに当たり、株主利益の最大化を究極の目的としつつも、目的達成の過程では、須く、法令を遵守することが求められているのであり、法令遵守は、会社経営の基本である。商法266条1項5号は、取締役に対し、我が国の法令に遵うことを求めているだけでなく、外国に支店、駐在事務所等の拠点を設けるなどして、事業を海外に展開するに当たっては、その国の法令に遵うこともまた求めている。外国法令に遵うことは、商法254条3項において準用する民法644条が規定する受任者たる取締役の善管注意義務の内容をなすからである。」と判示し、取締役による遵守義務の対象である「法令」には外国法令も含まれると判示している。

監査役の監査業務にあたっても、この点は念頭に置かなければならない。監査役は、問題の兆候を発見した場合、おそらく違法行為になるのではないかという程度の認識はあるとしても、どのような法令に違反し、それがどの程度重大な違法性を有しており、その結果としていかなる不利益処分が課せられるかなどの知識を持ち合わせていない場合もあろう。しかし、そのような場合も、現地の弁護士に照会するなどの対処方法はある。そうである以上、違反の対象となる法令の内容についての認識がないという理由で責任を免れうるものではないと認識すべきである。

また、本件は、当時の監督官庁である大蔵省からの示唆を受けて、米国法違反に及んだ事案である。海外事業の不祥事の場合、日本の法令や実務とは異なるルールが適用されうることを常に前提としなければならないから、仮に当局からの示唆を受けても、適用法令（しかも、当該当局とは別の国の法令）について確認しないまま当局の示唆どおりに行動することはあまりに危険である。特に近年では、経済のグローバル化や国際情勢の緊張を受けて、海外における取引・事業に対する各種規制や禁止事項が増えている。当局からの示唆を受けてもなお、法令違反責任が問われうるということは、肝に銘じておきたい。

(2)　子会社の監査

［教訓］親会社の監査役は、子会社の不正の兆候を察知した場合には、より積極的に子会社への監査を行うべきである。

昨今は子会社による不祥事も目立つところであり、子会社管理の重要性が認識されている。

ライブドア事件（東京地判平成21年5月21日判タ1306号124頁）は、ライブドアの子会社が行った株式交換および業績状況に関する虚偽公表についての親会社の監査役の責任について判示している。

同事件の判決では、親会社から独立した会社である子会社がした株式交換に関する虚偽公表および業績状況についての虚偽公表について、親会社であるライブドアの監査役が、「その地位に基づいて当然に〔子会社の虚偽公表〕を監視し、違法ならば阻止する義務を負うものではない」等と判示し、子会社における株式交換および業績状況に関する虚偽公表について、親会社の監査役の任務懈怠責任等を否定した。

親会社の監査役の職務は、子会社そのものの監査を直接の目的とするものではない。しかし、子会社において問題点が発見された場合には、親会社の監査役としても、子会社への監査を強化する必要性が生じている。

この点について、親会社の監査役は、子会社調査権として、その職務を行うため必要があるときは、子会社に対して事業の報告を求め、またはその子会社の業務および財産の状況の調査をすることができる（法381条2項・3項、399条の3第1項・2項、405条1項・2項）。また、監査役は、監査を実効的に行うために、会社および子会社の取締役、使用人等と十分な意思疎通を図り、情報の収集および監査の環境の整備に努めることとされている（監査役監査基準3条4項など）。

親会社だけではなく、その子会社も対象とした企業集団内における内部統制システムの整備が義務づけられているところであるから（法348条3項4号、362条4項6号、399条の13第1項1号ハ、416条1項1号ホ）、親会社の監査役は、親子間の独立性や関係性をふまえて、重点的な監査対象とするべき重要子会社を選定しておくべきである。その上で、子会社の不正の兆候を察知した監査役としては、より積極的に子会社への監査を行うべきである。

◆6◆　非常勤・社外監査役の責任

［教訓］非常勤・社外監査役といえども、社内の常勤監査役の監査が不十分と考えられる場合には、能動的に監査を実施しなければならない。

大和銀行事件（大阪地判平成12年9月20日判時1721号3頁）は、社外監査役の義務について重要な判示を行っている。

同事件の判決は、「社外監査役が、監査体制を強化するために選任され、より客観的、第三者的な立場で監査を行うことが期待されていること、監査役は独任制の機関であり、監査役会が監査役の職務の執行に関する事項を定めるに当たっても、監査役の権限の行使を妨げることができないこと（〔旧〕商法特例法18条の2第2項）を考慮すると、社外監査役は、たとえ非常勤であったとしても、常に、取締役からの報告、監査役会における報告などに基づいて受働的に監査するだけで足りるものとは言えず、常勤監査役の監査が不十分である場合には、自ら、調査権（〔旧〕商法274条2項）を駆使するなどして積極的に情報収集を行い、能動的に監査を行うことが期待されているものと言うべきである」と判示した。

エフオーアイ事件（東京地判平成28年12月20日判タ1442号136頁・東京高判平成30年3月23日判時2401号32頁）においても、非常勤監査役の役割について、「非常勤の社外監査役……は、上記のような〔常勤監査役〕の職務執行状況を認識していたか、容易に認識し得たと考えられるのに、これを是正するための何らかの対応を執った形跡がないところ、非常勤監査役においても、常勤監査役の職務執行の適正さに疑念を生ずべき事情があるときは、これを是正するための措置を執る義務があるというべきであるから、〔非常勤の社外監査役〕の監査役としての職務の遂行が十分なものであったとはいい難い」「(非常勤の監査役は) 非常勤監査役として、常勤監査役の職務執行の適正さに疑念を生ずべき事情があるときは、これを是正するための措置を執る義務があり、また、独任制の機関として各自が単独で取締役の業務執行の適法性の監査を遂行するにつき善管注意義務を負っているところ、実際には極端に実態と乖離していたエフオーアイの取締役の事業遂行の報告について、業務監査の視点から取締役ら及び会計監査人の報告をどのように分析検討し、監査役の調査権限 (会社法381条2項) の行使の是非についてどのように判断したのか具体的に明らかにしていない」と言及されている。

さらに、賠償責任を負うべき負担割合に関しても、非常勤監査役による「賠償責任を負う者の寄与度により責任がそれぞれ異なるから寄与度に応じて賠償額を定めるべきである」との主張に対し、「金商法21条1項1号、22条1項は、有価証券届出書を提出した当時の監査役は、虚偽記載があった場合に、同法21条2項1号の免責事由の証明がない限り、当該虚偽記載によって生じた損害を賠償する責任を負う旨規定しており、賠償責任を負う者の間の内部的な求償において寄与度に応じて責任の範囲が限定されるかはともかく、権利者との関係で賠償義務者の責任を限定する根拠はない」として、当該非常勤監査役の主張を採用していない。

ニイウスコー事件 (東京地判平成25年10月15日判例集未登載) は、ニイウスコー株式会社の有価証券報告書等の虚偽記載につき、監査役の職務分担・役割分担がなされている場合における非常勤・社外監査役 (弁護士) が「相当な注意」を尽くしたか否かが問われた事案である。

同判決は、監査役会設置会社は、「会社法第390条第2項第3号 (旧商法特例法第18条の2第2項) によれば、監査役会は、監査役の職務の執行に関する事項として、監査役の職務分担ないし役割分担の定めをすることができる。これは、特に大会社においては、監査役会を構成する複数の監査役による監査の重複を避け、合理的かつ組織的な監査を行い、かつ、社外監査役制度の合理的な運営を期すことを可能にするためである。もとより、監査役は職務分担の定めがされた場合であっても、その権限の行使を妨げられるものではないが (会社法第390条第2項ただし書、旧商法特例法第18条の2第2項ただし書)、当該職務分担の定めが合理的なものである限り、各監査役は、会社法上、他の監査役の職務執行の適正さについて疑念を生ずべき特段の事情がない限り、原則として、当該職務分担の定めにしたがって職務を行えば、任務懈怠の責任は問われないというべきである。……同様に、監査役会が定めた職務分担の内容が監査役としての善管注意義務に照らして相当なものである限り、各監査役は、当該職務分担を定めたこと自体について注意義務違反の責任を問われることはなく、具体的に他の監査役等の職務遂行の適正さについて疑念を生ずべき特段の事情が存しない限り、他の監査役等が適正に職務を遂行していることを前提に自己の分担するものとして定められた職務を善管注意義務にしたがって遂行すれば、「相当な注意を用いた」ものと認めることができる」としている。

しかし、自己の職務分担外・役割分担外であっても、他の監査役の監査が不十分と判断すれば、そのような職務分担・役割分担を超えて能動的な監査を行う必要があるということである。

これらの裁判例は、いずれも社外・非常勤の監査役の責務について、常勤監査役の監査が不十分であるなどの疑念を生ずべき事情があるときには、自ら積極的・能動的に監査を行うべきとしている。

会社法は、大会社においては常勤監査役を選定すべきとする一方で、その職務・責任については、常勤・非常勤を区別していない。

したがって、最終的に負うべき責務としては同一であるが、特に問題が生じない限り、常勤・非常勤としての役割分担に応じて活動することは認められる。ただし、あくまでも役割分担としての取り決めである以上、常勤監査役が適切に職務執行していないと感じた場合には、自らの権限を行使して職務にあたる必要がある。非常勤監査役といえども独任制の機関として十分な権限を付与されている以上、必要な場面では積極的・能動的な監査を行うことが求められるということである。

巻末資料

年間監査等実施計画表

	実施内容	X年4月	5月	6月	7月
監査役会	定例日程	4/○(○)	5/○(○)	6/○(○)	7/○(○)
	臨時日程		5/○(○)		
			臨時:5/○(報告事項) 会計監査人から監査結果報告 定例:5/○〈決議事項〉 1．監査報告(監査役会)作成、提出 2．会計監査人の選任及び不再任の総会議案提出決議 3．会計監査人の解任又は不再任の決定の方針の件	定例:6/○(決議事項) 1．常勤・特定・選定監査役の選定 2．報酬額の協議	定例:7/○〈決議事項〉 会計監査人の報酬等に対する同意
重要会議への出席	定例取締役会	4/○(○)	5/○(○)	6/○(○)	7/○(○)
	臨時取締役会		5/○(○)		
	経営会議	4/○(○)	5/○(○)	6/○(○)	7/○(○)
	コンプライアンス委員会	4/○(○)			7/○(○)
	○○委員会				
経営トップとの意見交換	CEOとの情報共有	4/○(○)			7/○(○)
	COOとの情報共有		5/○(○)		
	取締役等からのヒヤリング			6/○(○)	
重要書類の閲覧	重要な決裁書類（稟議書・契約書等）	□	□	□	□
	その他重要会議の議事録	□	□	□	□
実地調査及びグループ往査等	視察・往査（国内事業拠点）				
	会計監査人の実地調査立会				
	グループ会社視察・往査（国内・海外事業拠点）				
	主要グループ会社の会議体への出席	□			□
	グループ監査役との連携（報告等の聴取）	□	□	□	□
	会計監査人からの報告及びディスカッション	□	□	□	□
	内部監査部門からの報告及び業務レビュー（定期）	□	□	□	□
	内部監査部門の往査同行				
期末監査	後発事象の確認	□			
	内部統制システムの監査	□			
	事業報告及びその附属明細書の監査		□		
	計算関係書類及びその附属明細書の監査		□		
	監査報告書の作成		□		
	会計監査人からの会計監査報告の受領		□		
	株主総会招集手続き等の監査			□	
	株主総会提出議案・書類の監査			□	
	株主総会出席、監査報告			6/○(○)	
	総会後の届出等手続き				□
その他重点事項					

8月	9月	10月	11月	12月	Y年1月	2月	3月
8/○(○)	9/○(○)	10/○(○)	11/○(○)	12/○(○)	1/○(○)	2/○(○)	3/○(○)
8/○(○)			11/○(○)			2/○(○)	
臨時:8/○〈報告事項〉監査法人四半期レビュー			臨時：11/○〈報告事項〉監査法人四半期レビュー			臨時:2/○〈報告事項〉監査法人四半期レビュー	
8/○(○)	9/○(○)	10/○(○)	11/○(○)	12/○(○)	1/○(○)	2/○(○)	3/○(○)
8/○(○)			11/○(○)			2/○(○)	
8/○(○)	9/○(○)	10/○(○)	11/○(○)	12/○(○)	1/○(○)	2/○(○)	3/○(○)
		10/○(○)			1/○(○)		
		10/○(○)			1/○(○)		
8/○(○)			11/○(○)			2/○(○)	
	9/○(○)			12/○(○)			3/○(○)
□	□	□	□	□	□	□	□
□	□	□	□	□	□	□	□
	□		□		□		
	□						□
		□		□		□	
		□			□		
□	□	□	□	□	□	□	□
□	□	□	□	□	□	□	□
□	□	□	□	□	□	□	□

監査役　業務分担表

監査区分	監査等の実施項目	実施内容
期中監査等	(1)監査役会・重要会議への出席	監査役会
		取締役会
		経営会議
		コンプライアンス委員会
		□□委員会
	(2)取締役等からの業務報告聴取	
	①経営上の重要事項の聴取	経営上の重要事項の報告
	②各部門の業務執行の状況の聴取	各部門の業務執行の状況の報告（持ち回り）
	③速やかに報告を受ける事項	訴訟、紛争、不祥事・コンプライアンス違反の報告
		会社に著しい損害を及ぼす恐れのある事項の報告
		労働災害その他の事故の報告
	(3)経営トップとの意見交換	CEOとの情報共有
		COOとの情報共有
		その他取締役等からのヒヤリング
	(4)重要書類の閲覧調査	
	①重要な決裁書類及び重要な契約書	代表取締役、取締役、執行役員等の決裁書類の閲覧（稟議書・契約書等）
	②その他重要会議の議事録	重要会議（取締役会、各種委員会）の議事録の閲覧
	(5)実地調査	
	①視察・往査	国内事業拠点
	②会計監査人の実地調査立会	商品在庫棚卸
	(6)グループ往査	
	①視察・往査	国内・海外事業拠点（内部監査同行含む）
	②主要グループ会社の会議体への出席	取締役会等重要会議への出席
	③グループ監査役との連携	グループ監査役からの報告等の聴取
	④内部監査部門のグループ会社往査報告	中間報告・最終報告
	(7)会計監査人との連携	監査計画の説明聴取・監査報酬の同意
		四半期レビュー報告聴取
		会計監査人往査（国内・海外）への同行
		常勤監査役との定期面談
	(8)内部監査部門との連携	監査計画の承認・指示要請（監査役会）
		監査結果等の聴取
		内部監査往査（国内・海外）への同行
		定例的な業務レビューと意見交換
期末監査等	(1)期末監査等	後発事象の確認
		事業報告及びその附属明細書の監査
		計算関係書類及びその附属明細書の監査
		経理部からの説明聴取
		期末監査調書の作成
		監査報告書の作成
		会計監査人からの職務遂行体制の報告聴取
		会計監査人からの会計監査報告の受領
	(2)株主総会の運営の検証	株主総会招集手続き等の監査
		株主総会提出議案・書類の監査
		株主総会への出席
	(3)内部統制システムの監査	内部統制システムの構築・運用状況の監査／監督
	(4)法定事項の調査	競業取引、利益相反取引、無償利益供与、親会社等との非通例取引、インサイダー取引、不正及び法令・定款違反の監査

実施時期等	各監査役の業務分担			
	△△（常勤）	△△（常勤）	△△（社外）	△△（社外）
毎月	○	○	○	○
毎月	○	○	○	○
毎月	○	○		
開催都度	○	○		
開催都度	○	○	(○)	(○)
原則毎月	○	○		
原則毎月	○	○		
発生都度	○	○	(○)	(○)
発生都度	○	○	(○)	(○)
発生都度	○	○	(○)	(○)
四半期毎	○	○	○	○
	○	○	○	○
適宜	○	○	(○)	(○)
適宜	○	○		
適宜	○	○		
定期	○	○		
半期・期末	○	○		
	○	○		
定期	○	○		
毎月	○	○	(○)	(○)
実施都度	○	○	(○)	(○)
7月	○	○	○	○
四半期毎	○	○	○	○
適宜	○	○		
毎月	○	○		
4-5月	○	○	○	○
定期	○	○	○	○
適宜	○	○		
毎月	○	○		
4月	○	○		
6月	○	○	○	○
6月	○	○	○	○
5月	○	○		
5月	○	○		
5月	○	○		○
5月	○	○	○	○
5月	○	○	○	○
5-6月	○	○	○	○
5-6月	○	○	○	○
6月	○	○	○	○
4月	○	○	○	○
適宜	○	○	○	○

○索　引

アルファベット・数字

あ行

か行

な行

は行

ま行

や行

ら行

ガイダンス　監査役・監査役会の実務〔第2版〕

2019年 7 月31日　初　版第1刷発行
2023年11月15日　第2版第1刷発行

著　者　松山　遙
　　　　佐藤香織
　　　　中川直政

発行者　石川雅規

発行所　株式会社 商事法務

〒103-0027 東京都中央区日本橋3-6-2
TEL 03-6262-6756・FAX 03-6262-6804〔営業〕
TEL 03-6262-6769〔編集〕
https://www.shojihomu.co.jp/

落丁・乱丁本はお取り替えいたします。　印刷／三報社印刷(株)

Printed in Japan

ISBN978-4-7857-3054-3
*定価はカバーに表示してあります。